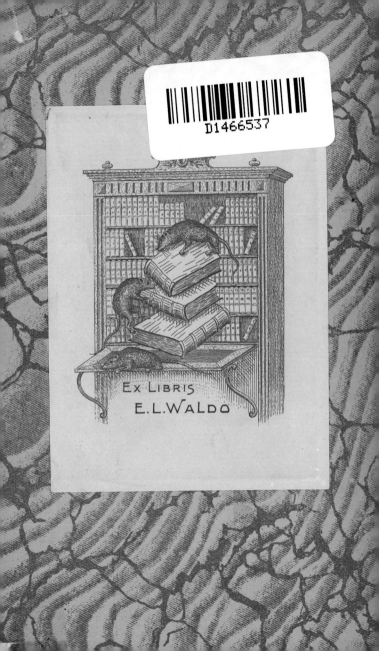

Ex Libris
E. L. WALDO

ARICIE BRUN

OU

LES VERTUS BOURGEOISES

OUVRAGES DU MÊME AUTEUR

CHEZ LE MÊME ÉDITEUR :

Livres et portraits *(Courrier Littéraire 1923.)*

CHEZ D'AUTRES ÉDITEURS :

POÉSIE

La Flamme et les cendres.
Aquarelles.

ROMANS

L'Instant et le Souvenir.
Valentin.
Le Diable à l'hôtel ou les Plaisirs imaginaires
Les Temps innocents.
Aventures de Sylvain Dutour.

———————

Carnet d'un dragon.
A quoi rêvent les jeunes gens.
Courrier Littéraire *(1922.)*

Ce volume a été déposé au ministère de l'intérieur en 1924.

ÉMILE HENRIOT

ARICIE BRUN

OU

LES VERTUS BOURGEOISES

(Mœurs d'autrefois)

(PRIX DU ROMAN 1924, ACADÉMIE FRANÇAISE)

PARIS

LIBRAIRIE PLON

PLON-NOURRIT et Cⁱᵉ, IMPRIMEURS-ÉDITEURS

8, RUE GARANCIÈRE - 6ᵉ

À

RENÉ BOYLESVE

*Il y a bien des espèces d'âmes que
nous n'avons point remarquées ou
que nous n'avons point comprises.*

TAINE.

*Moi, j'honore du nom de vertu
l'habitude de faire des actions pénibles et utiles aux autres.*

STENDHAL.

Si peu de goût qu'il ait pour les préfaces et les manifestes, au moment d'imprimer un livre auquel il a, sans mentir, réfléchi dix ans, un auteur est en droit de se demander s'il a des chances d'être compris, dans un temps où on lit si vite, surtout quand, par un excès de pudeur, il s'est, au cours de son livre, systématiquement abstenu de conclure, ou de suggérer même, au lecteur, sa conclusion.

Hormis l'affabulation, tout est vrai de ce livre-ci, jusqu'à sa couleur un peu grise. Il peint des temps qui ne sont plus, des mœurs d'autrefois et déjà peut-être historiques, mais non pas à ce point que le souvenir en soit complètement effacé dans l'esprit des personnes, certes plus nombreuses qu'on ne le croit, qui aiment à entretenir, en leurs cœurs fidèles, le culte de leurs parentés.

Sous la fiction du roman, j'ai tenté d'esquisser, dans ce nouveau livre de raison, l'histoire d'une famille française au dix-neuvième siècle, et de montrer comment, sous l'action de ces vertus bourgeoises, humbles, robustes et qui durent pour le plus sûr maintien des sociétés, ont vécu, et, par une lente élévation, des origines à leur apogée et à leur déclin, se sont développés de braves gens de ce pays-ci.

Il est, dans toutes les familles, de ces êtres généreux, dévoués et bons que leur mission particulière semble avoir de tout temps prédestinés à servir, et qui font

comprendre ce que dit Stendhal, notre maître, quand,
avec son grand don de ranimer les idées claires sous
les mots vagues, il énonce, d'une voix si ferme : « Moi,
j'honore du nom de vertu l'habitude de faire des actions
pénibles et utiles aux autres. » Dans cette vieille
maison bordelaise, ce qui donne selon moi sa valeur
à Aricie Brun, toujours sacrifiée, c'est que sans l'avoir
recherché en rien, par sa constance à être elle-même
et sa fidélité à sa nature, cette Antigone en cheveux
blancs apparaît comme la vivante expression de ces
vertus bourgeoises, assez austères assurément et de
peu d'envolée ni d'éclat, mais faites de prévoyance
et de sage raison, d'altruisme, de modestie, d'une
conception supérieure du devoir plus fort que les droits,
du pieux respect des traditions domestiques, mises
au service d'une idée, qui est la continuité de la famille
et la pérennité de la maison. Aimons ces tranquilles
vertus d'un autre âge. Elles nous ont fait notre France.

Mais une autre question se pose. Ces actions pénibles de la vie dont parle Stendhal, le désir d'être
utile aux autres, le sacrifice quotidien du bonheur, la
soumission de l'individu aux exigences du foyer,
menée jusqu'au point de renoncer totalement à soi-
même, tout cet obscur asservissement d'une âme
d'élite à des êtres qui la valent moins, est-il assez
justifié, si l'on met en regard de cette vie manquée le
médiocre résultat des intérêts matériels auxquels elle
profite en définitive? Ou si cet absolu dévouement
n'implique pas la plus déconcertante duperie?

Il me semble pourtant que si l'on concluait que la
pauvre Aricie s'est sacrifiée pour peu de chose, ce
que l'on risquerait de condamner au premier chef,

c'est l'idéal. Il en est de plus ou moins hauts; cependant
on n'en connaît pas qui soient inutiles, dès l'instant
qu'à défaut d'une autre croyance, le plus chétif en
peut être un jour soutenu, pour peu qu'il ait l'âme
bien faite.

Ce n'était pas le lieu, dans ce roman, de répondre
à cette question subsidiaire, si complexe, qui pourrait fournir le sujet d'un autre débat sur les incertains
fondements de la morale. Ne détestant rien tant que
les sermons, peu persuadé d'avoir raison contre qui-
conque, et seulement convaincu que l'éternel objet de
la littérature est moins de prouver que de distraire
et d'émouvoir, et, si possible, d'inciter humaine-
ment à réfléchir, je n'ai pas cru devoir mêler à ce récit
le moindre jugement personnel sur les personnages
qu'il met en scène, l'utilité de leurs démarches, la
justesse de leurs actions, ni tirer la moralité de leurs
vies. Les décrire exactement, et du trait le plus objectif
qui se puisse trouver, voilà, je pense, ce qu'il faut
demander au romancier. Mais il ne m'est pas interdit,
en ces lignes prémonitoires à ce nouveau livre, assez
différent de mes précédents ouvrages, de donner cette
indication et d'avouer que je m'estimerais honoré
si ces pages avaient le bonheur de faire penser le
lecteur ami aux choses qui n'y sont pas dites.

J'en connais, je l'avoue aussi, les profonds défauts.
L'un d'entre eux fut sans doute inévitable, et tient
à cet apparent paradoxe d'avoir voulu tracer dans le
cadre étroit d'un roman les perspectives d'un tableau
large de cent ans. La nécessité de les ménager, tout
en obéissant aux lois de la composition particulière
qu'impose une si vaste échelle, condamnait fatalement

l'auteur à ne présenter des choses qu'un aspect pano-
ramique, à supprimer la vivacité des couleurs et le
relief du détail, à se priver surtout des agréables avan-
tages d'une intrigue entraînante et fortement nouée.
Il ne m'a point paru que la vérité eût à en souffrir,
et c'est là le plus important. Le lecteur, honnêtement
prévenu de la part de collaboration qu'on lui demande,
me fera sans doute moins grief des défauts qu'il pourra
trouver dans ce livre, s'il arrive seulement à la fin.

E. H.

ARICIE BRUN

ou

LES VERTUS BOURGEOISES

PREMIÈRE PARTIE

I

LA RENCONTRE

— Lesprat, monsieur, Barthélemy-Chérubin Lesprat, monsieur... pour vous servir.

Celui qui s'exprimait de la sorte, avec autant
d'emphase qu'il en eût mis à prononcer le nom de
M. de Talleyrand, fit un pas en arrière, tendit la
jambe d'un air gracieux, et, ayant salué l'inconnu
qu'il apostrophait, demeura le bras élevé dans sa
longueur, en tenant son chapeau par le bord. Cette
attitude, à la fois noble et avantageuse, lui paraissait propre à donner la meilleure opinion de lui-
même ; il la conserva un instant. Puis, ayant salué
de nouveau, il ajouta :

— Négociant en toiles et cordes, à Bordeaux,
monsieur. A qui ai-je l'honneur?

Le jeune homme auquel se présentait ainsi, sur

la route de Bouliac à Bordeaux, certain soir du mois
de septembre 1817, M. Barthélemy-Chérubin Lesprat, négociant en toiles et cordes, parut confus
de n'avoir rien de mieux à désigner en sa personne
que M. Julien Brun, aspirant compagnon du Tour
de France, de Damblain (Vosges). Et le fait est
que M. Julien Brun, avec sa mince veste de basin,
sa culotte de serge et ses gros souliers poussiéreux,
une petite caisse de bois noir, à clous de cuivre,
suspendue au bout de son bâton d'épine appuyé
sur l'épaule, à la façon des colporteurs, n'était rien
de moins que modeste à voir auprès de l'important cordier.

Celui-ci, cependant, paraissait plus jovial que
fat. Et à l'entendre, on pouvait penser qu'il ne se
donnait tant de mal dans le monde, n'était un si
gros monsieur, ne portait de si belles breloques
soutenues sur son large ventre par une riche chaîne
de vermeil, que pour se donner à lui-même un sujet
agréable à présenter, lorsque l'occasion lui en était
fournie. Elle l'était, en l'occurrence, par un accident
ridicule, dont il fit le récit avec bonne humeur :

Revenant de Floirac, où il était allé rendre visite
à son frère, curé de ce petit village, il avait, par
suite d'un écart de son vieux cheval, sottement
versé son cabriolet dans un fossé, à moins d'un quart
de lieue de là — il indiqua du doigt l'endroit approxi-
matif — et, s'étant rendu compte qu'il ne parvien-
drait pas, tout seul, à tirer son équipage de ce mauvais pas, il avait pris, avec l'esprit de décision qui
lui était habituel, le parti le plus raisonnable : à
savoir de laisser là cheval et voiture et de s'en aller
quérir au village voisin quelqu'un qui lui prêtât
main-forte et voulût bien le secourir. C'est pourquoi
ayant eu l'avantage de rencontrer en son chemin

M. Julien Brun, qui s'en venait tout en chantant pour égayer sa solitude et rendre sa marche légère, il n'avait pas craint de l'interrompre dans sa chanson et sa promenade. Et, après s'être nommé comme on l'a vu, encouragé par le caractère d'obligeance empreint sur le visage de l'inconnu, il lui demandait un coup de main.

— A votre service, et bien volontiers, monsieur, fit le compagnon.

Tous deux, ils arrivèrent au lieu de l'accident ; M. Lesprat s'épongeant le front, qu'il avait chauve et reluisant, maugréant contre le mauvais état des routes, la pétulance inattendue de son vieux cheval et les incommodités de l'âge qui l'obligeait maintenant de recourir à autrui, alors qu'autrefois c'était lui qui prenait plaisir à obliger chacun.

Le jeune M. Brun posa sa petite caisse à terre et son bâton, ôta sa veste, qu'il plia proprement, puis se mit en devoir de dételer le cheval, tandis que M. Lesprat soutenait le brancard du cabriolet. Débarrassé du poids qui l'entravait, l'animal se remit de lui-même sur ses jambes, il n'avait pas de mal. Les deux hommes dégagèrent ensuite la voiture : sauf un brancard brisé, un marchepied rompu et une lanterne défoncée, elle pouvait rouler. Le compagnon remit sa veste, jeta sa caisse à clous de cuivre sur son dos, et il s'apprêtait à poursuivre sa route.

— Ma foi, camarade, dit M. Lesprat, je vous remercie. Mais s'il n'est pas indiscret de le demander, quelle est votre route? Je vais dans la cité des vins, où j'ai mes affaires. N'est-ce pas la direction que vous suiviez, quand la Providence vous a si favorablement envoyé à mon secours? Dans ce cas, montez près de moi. Vous avez encore deux bonnes

lieues à faire, et voici la nuit. C'est bien le moins
que je vous véhicule !... Et, ma foi..., comme vous
avez l'air de vous entendre fort bien à tirer les gens
des fossés, vous m'y aiderez encore un coup, si ce
damné Belzébuth m'y précipite de nouveau !

M. Brun reconnut qu'il allait en effet à Bordeaux ;
il accepta l'invitation du facétieux marchand, et
il prit place à son côté. Il venait de Créon, ayant
couvert depuis le matin près de quatre lieues,
à pied. Peu fortuné, soucieux de s'instruire en voya-
geant, gagnant le peu qu'il lui fallait pour vivre
en revendant dans les villages la bimbeloterie qu'il
avait achetée dans les villes, où il visitait les affiliés
du compagnonnage, il allait devant lui, satisfait
de sa vie errante et de ses vingt ans. Originaire d'un
lointain bourg vosgien, de Damblain, qu'il avait
quitté depuis près d'un an, — il y aurait exactement
un an le lendemain, — il y avait laissé ses vieux
parents, son père menuisier, auquel son frère aîné
succéderait ; sa mère était morte. Il n'avait point
d'autres projets que d'apprendre ; et n'étant encore
jamais sorti de son village natal, il avançait de nouveauté en nouveauté, ayant vu tour à tour Auxerre,
Dijon, Lyon, Valence, Avignon, Marseille, Nîmes,
Montpellier, Carcassonne, Toulouse et Cahors, selon
l'itinéraire obligé des compagnons du Devoir. De
Bordeaux, il irait à Nantes, puis à Saumur, à Tours,
à Orléans. Il visiterait peut-être aussi la capitale,
mais il en avait peur. Ensuite, il se ferait recevoir
compagnon, n'étant encore qu'aspirant, et, son
chef-d'œuvre fait, il s'établirait, ayant quelques
économies. Il contait ces détails avec la naïveté
d'une âme simple, et, quoiqu'il fût naturellement
sérieux, non sans gaieté. M. Lesprat l'écoutait sans
rien dire. De temps à autre, seulement, il regardait

le jeune homme et l'examinait avec une curiosité bienveillante.

La journée était fort avancée. L'accident avait mis le marchand en retard ; il était préoccupé par l'idée que sa femme s'inquiétait sans doute, au logis. Cependant, comme la voiture traversait un village, il ralentit l'allure de son cheval, et le mit au pas, devant un joli château qu'on aperçut tout à coup, sur la gauche, entre de hauts bouquets d'arbres. Le désignant du fouet à son compagnon :

— Voilà le château de La Tresne, dit M. Lesprat en enlevant son chapeau.

Julien Brun, surpris, crut devoir en faire de même.

— Ce pauvre monsieur le marquis !... soupira Lesprat.

Mais il ne s'expliqua pas davantage ; et le château ayant disparu derrière les arbres, il remit son cheval au trot. La nuit emplissait doucement le ciel décoloré. La voiture roulait au bas des coteaux charmants qui dévalent, couverts de vignes abondantes, sur la rive droite de la Garonne. A un tournant, soudain, on l'aperçut, puissante et calme ; et par delà, au loin, dans les fraîches vapeurs du crépuscule, où mille petites lumières s'allumaient, une ville apparut, immense.

— Voilà Bordeaux, fit tranquillement M. Lesprat.

Puis il se tut. Et Julien, sans qu'il sût pourquoi, éprouva alors un bizarre serrement de cœur qu'il avait déjà ressenti, chaque fois qu'il abordait une grande ville ; une impression pénible d'isolement, d'inquiétude, devant cette masse énorme d'inconnu, où l'homme se sent si peu de chose quand il sort des vastes campagnes. A Dijon, à Lyon, à Marseille, le jeune voyageur avait subi la même angoisse. Il se voyait à nouveau étranger dans ces rues hostiles, au milieu d'êtres pressés, indifférents, aux mœurs si nouvelles pour lui. Et il en avait peur, sans se le dire.

Il pensait à ses lointaines Vosges ; il revoyait en imagination la modeste échoppe paternelle, l'établi où, enfant, au temps de son apprentissage, il faisait jaillir des belles planches de sapin odorant les copeaux dorés sous la varlope et le rabot, son père habile dans l'art de tourner le bois, sa mère vaquant aux soins tranquilles du ménage, qui lui faisait des contes à la veillée... Maintenant, il errait par le monde ; et à cause du soir venu, de l'odeur humide du fleuve proche, du bourdonnement voisin de la grande ville inconnue où bientôt il allait se perdre, il s'émouvait, le cœur serré, saisi d'une mélancolie vague.

La voix sonore et joviale de M. Lesprat le tira de sa rêverie. C'était pour désigner au bord de la rivière, que la voiture longeait maintenant, des prés inondés, plantés de peupliers et de bouleaux, qui descendaient le long de la berge.

— Ces prés sont à moi, disait Lesprat avec orgueil.

Puis il se désolait de n'en rien faire. La terre saturée d'eau n'était pas bonne à la culture. Il les laissait à l'abandon, ne pouvait même pas les vendre.

A quelque cent mètres de là, laissant le bourg de la Bastide sur sa droite, la voiture tourna pour s'engager sur le pont de bois, qu'il fallut traverser au pas. Sous ses arches de pilotis, on entendait le flot gémir et se briser, avec un clapotement doux. On commençait à construire un nouveau pont de pierre

et de brique, qui devait compter dix-sept arches.
Il y avait un chantier déjà ouvert, sur la rive
gauche. Lesprat assura qu'on n'en verrait jamais
la fin, et envoyait l'administraticn au diable. Il
s'interrompit brusquement.

— Nous voilà rendus, camarade. Où voulez-vous
que je vous pose?

Mais sans attendre la réponse :

— Au fait, il est bien tard, et vous ne connaissez
pas la ville. Vous mangerez bien un morceau à la
maison?... Mais oui !... Il ne sera pas dit que le vieux
Lesprat aura laissé sur le pavé un brave compagnon
du Tour de France qui l'a si obligeamment tiré
d'un mauvais pas. Et puis... on vous couchera.
Mon commis m'a quitté ce matin, vous passerez la
nuit dans son lit. Et demain, vous ferez connaissance avec notre ville... Non ! non ! point de remerciements. Je vous dois bien ça !

Mme Lesprat était inquiète, comme l'avait prévu
son époux. Elle le savait régulier dans ses faits et
gestes, et homme d'habitude. Elle était sur le pas
de la porte de son magasin, rue Sainte-Catherine, au
coin de la rue du Cancéra, guettant son retour,
depuis deux heures. Mais en dépit de ses craintes,
elle paraissait calme. Elle avait une nature pon-
dérée. Comme la voiture s'arrêtait, elle dit seulement :

— Eh bien, Lesprat, tu t'es donc confessé à ton
frère le curé, que tu rentres si tardivement?

— C'est ce butor de Belzébuth qui m'a jeté dans
un fossé, et sans ce digne jeune homme que voilà,
qui m'en a charitablement tiré, j'y serais encore !
Mets vite son couvert, il soupe avec nous. Et va
chercher une bouteille, et de la Comète, hé ! Mélanie !

Julien était entré dans la boutique ; et Lesprat

l'ayant quitté pour aller dételer le cabriolet, il restait debout, fort intimidé, sa petite caisse posée à
terre, roulant son chapeau dans ses doigts et regardant autour de lui le comptoir où les pièces de toile
s'empilaient dans de grands casiers, mêlant l'odeur
sèche du chanvre au parfum goudronné des rou-
leaux de corde. Au fond de la salle, une porte
entr'ouverte laissait apercevoir une seconde pièce
où la table était mise, autour d'une grosse lampe
de faïence blanche. Une enfant y était assise ; et une
jeune fille, sa sœur aînée, ajoutait un couvert de
plus.

— Mes filles, dit M. Lesprat en les montrant à
Julien.

Le dîner fut gai. Lesprat fit le récit copieux de
sa journée, donna des nouvelles de Floirac et du
presbytère, et raconta son accident d'une façon
bouffonne. La timidité de Julien ne commença de
disparaître qu'au dessert : le vin généreux de Bordeaux lui délia la langue. Il avoua sans honte qu'il
en buvait pour la première fois, n'ayant encore
goûté qu'à certains petits vins de Moselle, aux jours
de fête, dans ses Vosges. Il parla de sa vie nomade,
et dit l'ennui qui le prenait parfois de son pays. Il
avait échappé à la conscription, pendant les dernières années de l'Empire, ayant eu un frère, volti-
geur, tué à Borodino. Il avait vu l'invasion, deux
fois, en 1814 et en 1815. Des cosaques avaient
cantonné dans son village, saccageant, maraudant,
pillant tout, faisant trembler les pauvres gens.
Depuis un an, il courait le monde. Son hôte lui fit
raconter ses voyages, et s'amusa fort au récit que
traça Julien des curieuses cérémonies en usage chez
les compagnons, des surnoms qu'ils se donnaient
entre eux. Le jeune homme nomma les Mères, les

Loups, les Dévorants. Ils se reconnaissaient, en se rencontrant, à de certains signes. Chacun portait toujours sur lui des médailles, des rubans aux couleurs de sa corporation. Il y avait toutes sortes de pratiques singulières.

Tandis qu'il parlait, l'aînée des demoiselles Lesprat, Caroline, regardait l'étranger à la dérobée. La petite s'était endormie. Mme Lesprat rédigeait les comptes du ménage. Et Julien, devant ce foyer familial, encouragé par la bonhomie joyeuse de Lesprat, pour lequel il éprouvait déjà, dans le tiède bien-être de l'après-dîner, une espèce d'admiration étonnée et affectueuse, se laissait aller à un mouvement de bonheur inattendu. C'était la première fois qu'il ne se trouvait pas étranger dans le vaste monde, depuis qu'il avait quitté le pays natal. Il s'en sentait réchauffé, encouragé. La vie lui sembla dès ce moment facile, ouverte, généreuse. Et comme il était croyant, à part lui, il remerciait Dieu.

Au moment de se séparer, comme Lesprat allait montrer sa chambre à son hôte, Julien Brun ouvrit sa petite caisse cloutée, où l'on vit toute la fortune qui le rendait ingénument fier. C'étaient, en de menues boîtes de carton doré, des boutons, des bagues, des épingles, toute cette pacotille rustique et naïve, dont rêvent les filles, aux veilles des foires villageoises. Comme les demoiselles Lesprat s'en émerveillaient, Julien Brun tira de la caisse un petit collier de pierres roses, qui ressemblaient à du corail. Avec timidité, il le tendit à Caroline, et la pria si simplement de l'accepter pour s'excuser du dérangement qu'il apportait dans la maison par sa présence, qu'il y aurait eu mauvaise grâce à ne pas le prendre.

II

LE PÈRE LESPRAT

En 1817, Barthélemy Lesprat avait quarante ans. Fils d'un principal métayer des anciens marquis de La Tresne, riches propriétaires de vastes domaines aux environs de Bordeaux, dont il n'avait pas quitté le service jusqu'à la Révolution, sa connaissance et son amour des chevaux l'avaient fait prendre en amitié par le fils aîné du dernier marquis. Un jour de leur enfance lointaine, qu'ils jouaient ensemble au bord d'un étang, Barthélemy étant tombé à l'eau, le jeune La Tresne s'y jeta pour l'en retirer et lui sauva proprement la vie. De ce jour, Lesprat lui appartint, corps et âme. Quand éclata la Révolution, le marquis, d'esprit libéral, la salua avec enthousiasme. Il était partisan des réformes. Applaudissant au nouvel ordre de choses, lorsque la commune de La Tresne eut à élire sa municipalité, le noble engagea son métayer à accepter la charge de syndic que lui offraient les patriotes. C'est ainsi que, dès les premiers jours de la Terreur, le marquis de La Tresne ayant été décrété suspect, le syndic Lesprat le vint voir, à la veillée, et lui tint à peu près ce langage :

— Monsieur le marquis, j'ai le devoir de vous annoncer que j'aurai l'honneur de vous arrêter demain matin. Je dois trop à monsieur le marquis pour le lui laisser ignorer plus longtemps.

Deux heures plus tard, le ci-devant faisait porter chez le syndic un pesant coffre. Puis, ayant réussi à gagner la frontière espagnole, il émigra. Le coffre ouvert fut trouvé rempli d'argenterie. Il contenait en outre un billet du marquis, antidaté, par quoi le fugitif reconnaissait à son métayer une ancienne dette de quinze mille livres. C'est à peu près la somme que produisit deux ans plus tard la vente de ladite argenterie, effectuée à Bordeaux entre les mains de juifs portugais, par les soins de Barthélemy Lesprat — son père le syndic était mort entre temps — qui en employa aussitôt le produit au rachat du château de La Tresne et de la majeure partie des terres dépendantes, lorsqu'il fut procédé à la vente des biens d'émigrés déclarés biens nationaux. Devenu propriétaire de ce beau domaine, Lesprat continua d'habiter la métairie des Verreux, où il était né. Et lorsqu'en 1803, le marquis de La Tresne, qui avait paisiblement attendu à Hambourg, en compagnie de MM. de Talleyrand, Klopstock, Rivarol et Chênedollé, le retour de jours moins troublés, revint à Bordeaux, la première visite qu'il y reçut fut celle du nouveau propriétaire de La Tresne qui venait restituer à son ancien et légitime possesseur les clefs et les titres de propriété.

En reconnaissance d'un aussi honorable procédé, le marquis fit donation à Barthélemy Lesprat d'une vingtaine d'hectares qu'il possédait à la Bastide, au bord de l'eau. Lesprat, marié une première fois en 1798, devenu veuf après trois ans de mariage, avait convolé une seconde fois en 1802, avec la fille d'un marchand de morue du quartier de la Rousselle, à Bordeaux, et dont le consentement n'avait été obtenu qu'à la condition, pour le futur gendre, de reprendre le commerce paternel, et par suite d'habiter la ville. C'est la raison pour laquelle, ayant quitté son premier état, Lesprat, devenu citadin, vendit les trois quarts des terres à lui si généreusement octroyées par le marquis. Moitié par amour naturel de la terre et pour le plaisir de la posséder, moitié parce que, inondées pendant les deux tiers de l'année, il n'en avait pu obtenir un prix avantageux, il n'en conserva que les quelques prairies du bord de l'eau. Le reste, vendu dix-huit mille francs, lui permit d'acquérir en 1807, à Bordeaux, rue Sainte-Catherine, le fonds de commerce de cordier d'un ami qui se retirait. Lesprat n'avait jamais eu beaucoup de goût pour la morue. La ficellerie ayant donné de bons résultats, Barthélemy adjoignit à ce commerce un nouveau rayon de toiles fabriquées aux environs de Bordeaux. En dix ans, le petit magasin de la rue Sainte-Catherine avait considérablement fructifié. Lesprat avait pu acquérir la jolie maison à colombages, au rez-de-chaussée de laquelle était établi son magasin. C'était une vieille construction du seizième siècle, à deux étages : le rez-de-chaussée occupé par le comptoir de vente, et une grande pièce en arrière-boutique, qui servait à la fois de cuisine et de salle à manger ; le premier étage utilisé comme resserre. Le ménage Lesprat habitait le second, avec les enfants. C'étaient deux filles : l'aînée, Caroline, née en 1803, n'avait pas loin de quatorze ans à l'époque où ce récit commence ; la cadette, Estelle, était née en 1810. Lesprat les regardait grandir avec la satisfaction d'un homme qui, ayant vu beaucoup de choses, voit cependant l'avenir de ses enfants assuré par la bonne marche de ses affaires.

C'était un homme régulier dans ses mœurs, de bonne
race paysanne, encore tout près de la terre dont les
siens avaient de tout temps, jusqu'à lui, vécu.
Sans la Révolution, il y fût sans doute demeuré
attaché comme eux. Mais les mœurs avaient bien
changé depuis la tourmente, et cet homme simple,
mais intelligent, ne considérait pas sans un certain
orgueil bien naturel à celui qui ne doit rien qu'à
son labeur et à ses vertus, que dans le grand
bouleversement survenu par le monde à partir
de 1789, il s'était élevé d'un échelon.

Tout lui avait jusque-là réussi. Devenu propriétaire à son tour, possédant pignon sur rue, honoré
de ses voisins, connu pour sa probité en affaires,
estimé de lui-même, il était gai : en cela, bien de cette
race girondine dont les fils ne sauraient que parti-
ciper de la nature souriante qui produit le vin.
N'était qu'il souffrait par moments de rhumatismes,
il jouissait d'une santé robuste, parfaitement
équilibrée. Il était aidé dans son commerce par sa
femme, excellente chrétienne selon l'Évangile, qui
ne voyait rien au delà de son mari et de ses filles,
et dont la boutique et le ménage suffisaient à acca-
parer l'activité. Elle n'était point sotte, ne manquait
ni de malice ni de repartie ; ç'avait été, dans sa jeunesse, une jolie ponette bordelaise, de sang vif,
à l'œil noir, à la taille fine. Et il le fallait. Barthélemy Lesprat, qui avait été bon coq dans son temps,
ne l'eût point épousée sans cela.

Or, Lesprat avait un ennui : de mince importance,
il est vrai, mais chez ces méridionaux à l'humeur
si vive, le moindre souci vous change un homme.
Appelé par la conscription, son commis venait de
le quitter ; et c'était pour le remplacer que l'honorable commerçant était allé voir, à Floirac, son

frère le curé, lequel peut-être aurait connu parmi
ses ouailles quelque jeune garçon recommandable
et débrouillard, capable d'en tenir l'emploi. L'abbé
Omer Lesprat devait s'occuper de la chose.

Le lendemain du voyage à Floirac, à six heures,
selon sa coutume, Barthélemy descendit au magasin. Julien Brun était déjà levé, prêt à partir.
Comme il ouvrait la bouche pour remercier son
hôte et prendre congé, Lesprat lui posa la main sur
l'épaule.

— Écoutez, dit-il. Il m'est venu une idée. Je ne
sais si elle vous plaira. Si oui, nous nous accordons.
Si non, il n'en est plus question, vous êtes libre et
bonsoir à la compagnie. Voilà. Vous m'avez dit hier
que vous ne saviez pas trop ce que vous alliez faire.
Les Loups, les Dévorants, messieurs les Mères et la
batterie de cuisine, c'est très joli : mais on ne vit
pas sur les grandes routes et de l'air du temps. Je
n'y vais pas par quatre chemins : vous me revenez,
je vous crois honnête et vous me paraissez sérieux.
J'ai besoin d'un commis, le mien m'a quitté hier.
Voulez-vous rester avec nous? Vous vivrez ici,
nourri et logé, trente francs par mois. Vous appren-
drez le commerce ; si cela vous convient, nous
travaillerons ensemble. Quand vous en aurez assez,
eh bien ! vous me le dites, nous ne sommes pas
mariés, ni vu ni connu, bonsoir et bonne chance,
voici la porte, amis comme devant, je ne vous
retiens pas. Qu'en dites-vous?

Julien rougit extrêmement en entendant ce discours imprévu. Il posa à terre la petite caisse de
bimbeloterie qu'il tenait déjà à la main, prêt à dire
adieu pour toujours à M. Lesprat. Cette proposition
l'étonnait. Il était très modeste, peu persuadé de
son mérite, ou, tout simplement, n'y pensant pas.

Et toutes les fois qu'il lui arrivait quelque chose d'agréable, il en était d'abord surpris ; le plaisir ne venait qu'ensuite. Sa première pensée fut de reconnaissance. Mais il oubliait de répondre.

— Eh bien ! fit Lesprat. Vous ne voulez pas ?

Julien Brun rougit à nouveau :

— J'accepte avec plaisir, monsieur, et j'essayerai de vous satisfaire.

— Bien parlé, compagnon ! Mais voilà un temps d'arrêt à votre Tour de France !

Il tendit la main au jeune homme qui la serra avec transport. Caroline entra dans la pièce sur ces entrefaites. Elle portait au cou le petit collier que Julien lui avait donné la veille.

— Voilà notre nouveau commis, dit M. Lesprat à sa fille. Va chercher ta mère.

Ce fut au tour de la jeune fille de rougir, Dieu sait pourquoi !

III

Voici ce qu'il advint, au cours des années qui suivirent. Dans ses fonctions d'abord modestes de premier commis, — il n'y en avait d'ailleurs qu'un, mais du travail pour deux, disait en riant M. Lesprat, — Julien Brun fit preuve de sérieuses qualités. Scrupuleusement honnête, économe, laborieux, exact, il s'était vite adapté aux nécessités du commerce nouveau pour lui, avait appris le maniement des livres et la pratique des écritures, et même témoigné en plus d'une circonstance d'un esprit intelligent, capable d'initiative. Après l'avoir d'abord employé à la vente et à la tenue du magasin, jusque-là laissé aux soins de Mélanie, M. Lesprat se déchargea bientôt sur lui des relations avec les courtiers, se réservant pour lui-même les visites aux fabricants de toile et aux cordiers de la région. Barthélemy aimait le déplacement. Il n'avait jamais montré beaucoup de goût pour la vie sédentaire du marchand obligé d'auner de la toile et de peser du fil derrière un comptoir, et se sentait fait pour mieux que cela. Une constante réussite ayant développé en lui l'amour de l'argent bien gagné, il était fort content des services que lui rendait Julien. Le premier avait été de lui procurer des loisirs, qu'il employait à aller en cabriolet visiter ses clients et

ses fournisseurs dans les environs de la ville. Ainsi
tout en donnant de l'extension à son commerce, au
début exclusivement limité à une petite clientèle
citadine, presque de quartier, Barthélemy Lesprat
trouvait le moyen de satisfaire à son besoin de mouvement naturel à son tempérament actif d'homme
né aux champs, que le manque d'air étouffe dans les
villes. Aussi, depuis qu'il avait eu l'idée d'engager
Brun, le voyait-on souvent cligner de l'œil et faire
le dos rond, en se frottant les mains avec vivacité,
après s'être envoyé d'une chiquenaude une pincée
de tabac dans le nez (à l'imitation du feu marquis
de La Tresne, auquel il ne cessait de penser plus
tendrement, à mesure qu'il vieillissait). C'étaient
de sa part les signes d'une parfaite satisfaction.

— Sacré Julien ! faisait-il ensuite, en donnant
un bon coup affectueux sur l'épaule du premier
commis... J'ai eu une fameuse idée de verser dans
ce fossé, en revenant de voir mon frère le curé ! Il
m'en a coûté une lanterne et un marchepied : mais,
fichtre ! je n'ai pas été malavisé de ramener souper
chez moi ce compagnon-là !

De la sorte, par une habituelle propension à
trouver bien ce qu'il faisait, Barthélemy Lesprat
se rendait à lui-même hommage des qualités de son
commis. Sans doute, ces qualités étaient bien celles
de Julien. Mais qui se serait jamais avisé qu'il en
eût, si lui, Lesprat, ne l'avait le premier découvert?
Cet innocent mouvement de vanité n'empêchait
d'ailleurs nullement Lesprat de nourrir à l'endroit de
Julien, qu'il se flattait d'avoir inventé, un sentiment
bizarre, mêlé d'estime, d'affection et même d'un
certain étonnement. Il ne trouvait rien d'humble en
Julien ; mais au contraire, sous ses manières recon-
naissantes, respectueuses, à travers son dévouement

total, une sorte de silencieuse fierté, une réserve
qui, quoi qu'il en eût, ne laissait pas de lui en imposer, ce méridional expansif ne parvenant pas à
comprendre ce que pouvait cacher de sérieuse
réflexion, de rêverie tendre le taciturne petit paysan
vosgien transplanté de ses froides montagnes dans
cette agréable Aquitaine. Sans le savoir non plus,
Julien avait pris de la sorte un vif ascendant sur
Lesprat. Esprit volontiers méditatif, observant
pour apprendre, passant ses soirées en lectures
instructives, peu bavard de son naturel, Julien ne
prenait jamais la parole que ce ne fût pour émettre
posément une opinion sensée, un jugement chaque
fois net et réfléchi. Autre sujet de surprise pour
Barthélemy, lequel, tant par habileté que par
naturel, en disait toujours un peu plus qu'il n'avait
pensé, comme si, à passer par sa bouche, qu'il
avait largement fendue, les mots eux-mêmes élargis
devenaient trop vagues et trop lâches autour de
la vérité qu'ils étaient chargés d'exprimer.

Malgré sa timidité rougissante, Julien Brun
était fort aimé dans la maison de la rue Sainte-
Catherine. La femme du marchand l'estimait,
pour ce qu'il craignait Dieu et témoignait à l'égard
de la religion de l'esprit le plus régulier. En outre,
Julien avait conquis le cœur de la bonne femme
par un mouvement de confiance spontanée, en lui
donnant à lire les nouvelles de son vieux père,
toutes les fois qu'il en recevait. Dans chacune de
ses lettres, dictées à son fils aîné, car il ne savait
pas écrire, le menuisier ne manquait pas de recom-
mander à Julien de servir avec conscience ses bons
maîtres, auxquels il envoyait ses compliments et
ses remerciements pour les soins qu'ils prodiguaient
à son garçon. Mme Lesprat était sensible à ces té-

moignages d'amitié. Elle avait fini par connaître
en pensée le père de Julien, qui trouvait dans son
éloignement une douceur réconfortante à lui en
parler. Et elle estimait davantage le jeune homme
de ce qu'il était un bon fils. Il ne sortait pas, ou rarement ; ses mœurs étaient décentes, ses façons
tranquilles et sages. Souvent, le soir, la journée
bien remplie, à la veillée, il faisait la lecture à haute
voix, tantôt de Plutarque, tantôt de l'*Histoire
romaine* de M. l'abbé Rollin, tantôt de vieilles bro-
chures de l'*Encyclopédie*, tantôt de quelques pages
de Jean-Jacques ; à moins que pour divertir les
demoiselles Lesprat, il ne leur chantât quelque
chanson des compagnons du Tour de France, tout
en leur découpant de son couteau, dans du bois
tendre, de menus objets de menuiserie, tels que
bagues, ronds de serviette, coquetiers, manches
d'ombrelle et autres agréables babioles. Le dimanche, à la belle saison, le magasin étant fermé,
les quatre Lesprat et Julien entassés dans le cabriolet attelé du vieux Belzébuth sortaient de la
ville, traversaient la Garonne en bac, allaient à
Floirac rendre visite à l'abbé Lesprat. La première
fois qu'ils y furent ensemble, Barthélemy avait montré à sa famille l'endroit où il avait si tristement
pensé périr, et, un peu plus loin, celui où il avait
si heureusement fait connaissance avec M. Brun.
Et depuis, chaque fois qu'il passait par la même
route, M. Lesprat ne manquait jamais de commé-
morer cette rencontre et cet accident, sur un ton
de bouffonnerie grandiloquente.

A Floirac, ils passaient la journée dans le jardin
du presbytère, unique et frivole ornement de la
dévote vie du bon abbé, gros saint homme réjoui,
pénétré de malice gasconne autant que de vertu

chrétienne, et qui, dans l'exercice de son culte et de
sa naturelle charité, partageait les soins de sa vie
et les préoccupations de son bon cœur entre la
restauration de son église, l'embellissement de son
jardin et le dressage d'un lièvre privé qu'il s'était
mis en tête de rendre savant. C'était un prêtre
philosophe ; il ne pensait pas que l'affaire du salut
de l'homme fût incompatible avec l'usage d'une
honnête gaieté, ni que la misanthropie dût être la
première vertu du chrétien. Les prières qu'il adressait au ciel étaient des hymnes de reconnaissance
et de joie, plutôt que les tristes exhalaisons d'une
âme affligée et contrite, et c'est dans la création
qu'il adorait le Créateur. Il lui était, en outre,
reconnaissant d'avoir, à côté de tant de bonnes
choses défendues, mis au monde quelques autres
qui procurent à des âmes simples l'infini contentement des voluptés permises. Parmi celles-là, au
premier chef, après le vin, quand il est bu modéré-
ment — il n'usait jamais, pour dire sa messe, que
d'un excellent Sauternes — il rangeait la contemplation des fleurs et la manducation des fruits. Son
jardin était agréablement fourni des uns et des
autres : on y rencontrait à foison le pavot, le tournesol, la marguerite double, l'œillet, la rose, le
jasmin, la pensée et le chèvrefeuille ; de succulents
légumes : l'aubergine, la tomate, la courge, le petit
pois, l'asperge ; les fruits les plus délicieux : la prune,
le brugnon, la pêche, l'abricot, la poire, le raisin ;
et, en particulier, sous de larges cloches dont le
verre irisé brillait, d'incomparables melons dont le
curé était aussi fier que friand, et dont il surveil-
lait avec un soin jaloux la minutieuse venue au
jour et la lente maturation. Il leur devait d'ailleurs une grande gloire, en étant connu dans tout le

diocèse de Bordeaux pour le plus remarquable
producteur, ce pourquoi l'archevêque, qui les aimait de passion, le tenait en parfaite estime et
considération. A tel point que si le pauvre abbé
Lesprat mettait tout son bonheur dans ses melons,
il y trouvait aussi son châtiment : étant sans cesse
tenté à leur occasion de succomber à ces deux périls,
auprès desquels Charybde et Scylla étaient peu à
craindre pour le navigateur antique, l'orgueil
d'avoir produit de tels melons, et la gourmandise
d'en trop manger.

Pour l'arrosage de son petit domaine, l'ingénieux
ecclésiastique avait lui-même dessiné et aménagé
de ses mains un fort beau système d'irrigation
naturelle, alimenté par un moulin à vent de sa
confection, qui, selon les besoins, tantôt distribuait
l'eau nécessaire à un multiple réseau de rigoles qui
la répandaient sur les terres desséchées, tantôt
l'envoyait dans une autre série de petits canaux
où elle faisait alors entrer en mouvement divers
appareils de physique, un chemin de croix animé,
une cavalcade de santons découpés en bois colorié,
une minuscule scierie, une machine de Marly en
réduction, un manège, un jeu de cloches, une flottille, une cascade et un jet d'eau, dont s'amusaient
beaucoup les nièces du bon curé, quand elles venaient le voir en son industrieux presbytère. Après
quels divertissements il leur montrait le lièvre
Nestor, qui portait armes, jouait du tambour,
faisait la culbute et comptait même, paraît-il. La
réputation de ce fabuleux animal s'étendit bientôt
aussi loin que celle des melons du curé. L'archevêque
le voulut connaître. L'abbé Lesprat fut donc convié,
certain soir, à dîner à l'archevêché, avec Nestor.
Il se rendit à l'invitation de monseigneur, content,

certes, mais point enivré. Au reste, portant sous le
bras gauche le meilleur melon de l'année, et sous le
droit, son léporide, en un panier.

— Voilà, dit-il au valet de chambre de monseigneur, en lui remettant le melon. C'est pour dîner.
Mettez-le au froid.

On dîne. Après dîner :

— Eh bien ! curé, et ce fameux lièvre? dit l'archevêque.

Le curé sort pour le prendre. Il l'avait laissé à
l'office, dans son panier. Plus de lièvre. Plus de
panier. Enquête. La cuisinière comparaît :

— Votre lièvre? Ah ! monsieur l'abbé ! mais
vous l'avez mangé... N'avez-vous point dit que
c'était pour dîner?

M. l'abbé Lesprat ne pouvait pas se consoler
d'avoir ainsi perdu Nestor. Mais surtout, ce qui
ajoutait à ses remords, c'est qu'il l'avait trouvé
fort bon.

Il conta cette lamentable histoire à Julien Brun,
la première fois qu'il le vit.

— Ce jeune homme a du cœur, se dit-il après
que Julien l'eût plaint.

Mais il le prit tout à fait en amitié lorsque le
jeune homme répara la roue de sa machine de
Marly, qui était rompue.

Pour en finir avec le lièvre Nestor, il est peut-
être bon d'ajouter ici que l'archevêque, cause
involontaire de sa mort qui fit tant de peine à l'abbé
Lesprat, afin de consoler le bon pasteur dans son
affliction, se résolut à lui donner en dédommage-
ment une belle cloche qu'il demandait depuis dix
ans, pour son église de Floirac. Ce fut la nièce de
l'abbé, Caroline Lesprat, qu'il choisit pour en être
marraine. L'abbé avait un faible pour cette Caro-

line, fille aînée de son frère Barthélemy ; et il se
reprochait dans son cœur de la préférer à la cadette, Estelle. Mais ainsi va le sentiment qu'on
n'en est point maître. Toutes les fois que la cloche
sonnait la venue d'une heure nouvelle, l'honnête
curé s'arrêtait pour écouter le beau son pur, aérien.
Et, chaque fois, la tête un peu penchée, la bouche
entr'ouverte, l'œil à demi clos, les deux mains à
plat sur son gros ventre rebondi :

— « Caroline » a un joli son, disait-il.

Julien Brun était depuis cinq ans employé dans
la maison de M. Lesprat ; un certain dimanche, il
se promenait dans le jardin du presbytère de Floirac, aidant Caroline à cueillir des fleurs. C'était
alors devenu une belle fille, grande, et de clair visage,
laborieuse, réservée.

— Barthoumiou, dit l'abbé à son frère en lui
montrant les jeunes gens, Barthoumiou, pourquoi
ne donnerais-tu pas Caroline à ton commis?

— Ah çà ! curé, aurais-tu donc la double vue?
J'y pensais, justement, repartit Barthélemy.

Il ne voulait jamais être pris sans vert. Et à la
vérité, depuis quelques temps, il songeait à cette
idée à laquelle l'abbé, en la formulant, venait de
donner une réalité sensible, ayant bien vu que sa
fille plaisait au jeune homme, qui, d'ailleurs, faisait
de louables efforts afin de n'en rien laisser paraître.
Lesprat, qui aimait à montrer de la décision, toutes
les fois qu'il se sentait certain d'être approuvé,
appela Julien, et, devant son frère interdit de voir
prendre au mot sa parole peut-être imprudente, il
lui fit brusquement cette proposition :

— Voilà. J'ai bien réfléchi. J'ai confiance en vous.
Caroline vous plaît. J'ai vu ça, moi. Eh bien ! je crois

que vous ne lui déplaisez pas. J'ai certain projet
dont je vous ferai part. Vous connaissez bien les
affaires et j'ai besoin de quelqu'un de sûr pour
s'occuper des toiles. Qui le serait plus que mon
gendre? Voulez-vous devenir le mien?

La foudre fût tombée dans cet instant à côté
du pauvre Julien, il n'eût certes pas montré plus
d'étonnement qu'en entendant parler M. Lesprat.
Il rougit, pâlit, se mit à trembler, dut s'asseoir, et
ne trouva rien à répondre, si ce n'est :

— Ah! monsieur... Ah! monsieur...
et fondit en larmes. Barthélemy fut très flatté de
ce beau résultat, et l'abbé récita aussitôt menta-
lement une action de grâces, mais comme les émo-
tions sentimentales ne lui valaient rien, il alla
inspecter ses melons.

La journée était avancée, les Bordelais prirent
congé du prêtre. Le retour fut chargé de trouble.
Caroline, qui ne savait rien, rêvait, une moisson
de fleurs sur ses genoux. Julien tremblait en la regardant. Il ne concevait pas encore son bonheur,
et craignant de rêver, il se mordit cruellement la
main, pour s'assurer qu'il veillait bien. Barthélemy
Lesprat ne cessa de chantonner tout le long du chemin, qu'il fit couvrir tout entier au trot par Belzébuth, et en oublia de saluer selon sa coutume le
château de La Tresne, lorsqu'il passa devant. C'est
à ce détail extraordinaire que la bonne Mme Lesprat, sa petite Estelle endormie contre son épaule,
s'aperçut qu'il se passait quelque chose d'insolite.

Un mois plus tard, le mariage de Julien Brun
avec Caroline Lesprat fut célébré, dans la jolie
église de Floirac, par l'abbé Lesprat. Ceci se passait
en 1822. Une fille naquit aux jeunes époux, en 1824,

qui reçut le prénom d'Aricie ; et deux ans plus
tard, un fils, Paul. Le vieux Lesprat avait associé
son gendre à son négoce. Au fronton du magasin
de la rue Sainte-Catherine, on lisait maintenant
leurs deux noms accolés : *Lesprat et Brun*, suivis
de ces mots : *Toiles et cordes*, peints en vert sur un
beau fond rouge. Les affaires étaient prospères ;
mais l'activité de Julien Brun, aidé par sa femme, y
suffisant, celle de M. Lesprat, devenue vacante, le
porta à entreprendre la réalisation d'un certain
projet, auquel il songeait depuis quelque temps,
et dont il avait déjà fait part à Julien, le lendemain
de ce fameux dimanche où il l'avait choisi pour
gendre.

Un jour qu'il se promenait sur le quai
Louis-XVIII, s'amusant à regarder le mouvement
du port, le déchargement des morutiers et les
évolutions du premier bateau à vapeur qu'on eût
encore vu naviguer sur la Garonne, au milieu d'une
fumée d'enfer, Barthélemy Lesprat s'était fait
accoster par un homme qu'il ne reconnut pas, tout
d'abord, mais qu'il remit parfaitement après que
l'autre se fut nommé : Édouard Coutre, un des anciens camarades de son enfance, fils d'un pêcheur
d'aloses des environs de Blaye. Ils causèrent. Après
mainte aventure, Coutre, embarqué par hasard,
avait pris du goût pour la mer, les longs voyages,
la vie errante des marins. Il avait longtemps navigué sur de petits navires marchands qui font le
cabotage de Bordeaux à Nantes, à Brest, à Dun-
kerque, poussé jusqu'au Danemark et en Norvège ;
puis, las de naviguer pour autrui, il s'était mis à
son propre compte, ayant noué d'utiles relations dans
ses voyages. De part à demi avec un ami, il était
devenu propriétaire d'une grosse barque à deux

mâts ; il venait quatre ou cinq fois l'an la charger
à Bordeaux de vin, d'épicerie, de céréales qu'il
transportait ensuite aux pays du Nord, où il les
revendait avec d'honnêtes bénéfices. Mais l'appétit
vient en mangeant, et le vieux loup de mer n'en
manquait pas. Il ne manquait que de capitaux pour
développer son entreprise. L'acquisition de son
bateau ayant absorbé tous les siens, il se trouvait
pour le moment gêné et cherchait un commandi-
taire. Tandis qu'il confiait à Lesprat son embarras
momentané, aussitôt fécondé, celui-ci avait une
idée. Il songeait qu'il avait mis de côté un peu d'argent. Peut-être en pourrait-il tirer encore de ses
prairies de la Bastide, demeurées trop longtemps
improductives. Tout en déambulant avec le marin,
il contemplait les quais animés d'une vie nouvelle,
les docks encombrés, les navires pressés dans le
port. Depuis la chute de l'Empire et le rétablisse-
ment des Bourbons, Bordeaux en effet, participant
à la prospérité générale qui, après vingt-cinq ans de
troubles et de guerres, semblait vouloir renaître
avec l'ordre et la paix enfin retrouvés, Bordeaux
avait vu son antique commerce se réveiller de sa
léthargie, grandir et se développer, son port rede-
venir le centre d'une vie d'échanges active, frémissante. Guidé par un obscur instinct, mais puissant,
ce n'était pas en vain, ni par hasard, que l'adroit
Lesprat venait maintenant se promener sur les
quais. Pareil à ces chasseurs qu'une vague intuition
mène toujours aux endroits où se trouve le gibier,
ce parfait commerçant sentait vivement que s'il y
avait encore pour lui « quelque chose à faire »,
c'était « du côté de l'eau ». Il ne savait quoi d'ailleurs. Aussi dès que le capitaine Coutre se fut ouvert
à lui de ses ennuis et de ses espérances, dressa-t-il

l'oreille, et l'écouta-t-il avec intérêt. Quand il
rentra pour dîner rue Sainte-Catherine, sa femme
le trouva distrait. Il dormit fort peu de la nuit.
Mais ni Mélanie ni son gendre ne l'interrogèrent.
Tout bavard qu'il fût, Lesprat ne parlait pas de ses
projets avant d'être certain de leur réussite. Il
sortit tôt le lendemain, et gagna la Bastide où il
visita ses prairies, en supputant une fois de plus la
contenance et la valeur. Comme il s'apprêtait à
retourner, il aperçut des bûcherons qui abattaient
des arbres, dans un clos voisin. Il s'arrêta pour les
regarder faire : ils taillaient un coin en biseau dans
le pied de l'arbre, du côté où la chute devait avoir
lieu ; puis, s'aidant de cordes, tirant dessus, ils
l'ébranlaient. On entendait un craquement ;
l'énorme tronc, débarrassé des plus fortes branches,
cédait au poids de ses hautes ramures, inclinait
doucement d'abord, s'écroulait ensuite avec un long
gémissement de feuilles froissées, un multiple pétil-
lement de rameaux écrasés. Lesprat interrogea les
bûcherons. Il apprit d'eux le prix d'un arbre, et fut
surpris de se voir désigner les peupliers de ses prairies comme fort beaux, bons à couper, et valant une
cinquantaine de francs pièce. Il revint sur ses pas,
et se mit à compter ses arbres. Il y en avait une
centaine.

— Vous en avez là une jolie somme, fit le bû-
cheron.

Lesprat rentra déjeuner chez lui fort guilleret.

— J'ai vendu pour cinq mille francs d'arbres ce
matin, dit-il en se frottant les mains avec la vivacité
du contentement.

Et il fit monter de la cave une bonne bouteille.

Trois semaines plus tard, le capitaine Coutre
quittait Bordeaux, à bord de *la Velleda*, avec une

excellente cargaison de céréales et de vins, acquise
de compte à demi avec Barthélemy Lesprat, à
destination de Christiania. L'opération ayant réussi
fut renouvelée. En un an, Lesprat était remboursé
et gagnait dix mille francs. S'avisant que ce gain
n'était u assuré que par le voyage d'aller de *la Velleda*,
qui revenait vide :

— Que diable pourrait-on bien rapporter de ce
Nord? demanda-t-il à Édouard Coutre.

— Du brouillard et des sapins, fit le capitaine.
Je ne vois rien d'autre.

Ce mot de sapins intrigua Lesprat, qui avait
pris beaucoup de considération pour les arbres
depuis la vente de ses peupliers. Il apprit qu'un sapin
ne coûtait, en Norvège, que la peine de l'abattre et
de l'emporter. Au retour de son troisième voyage,
la Velleda rapportait à Bordeaux une cargaison de
bois. Il fallait les laisser sécher avant de les vendre.
Lesprat les fit entreposer dans la partie non inondée
de ses prairies de la Bastide, débiter en planches
par les bûcherons qui lui avaient jeté à bas ses peupliers. Quand le bois fut sec, il le vendit fort bien.
Il ne lui avait presque rien coûté. Barthélemy Lesprat se frottait les mains, de plus en plus.

Il ne quittait pas la Bastide, où un chantier
s'était établi, au bord de l'eau. Presque sans y
songer, Lesprat était devenu, de marchand de toile,
marchand de bois. Il avait laissé à Julien le commerce de la rue Sainte-Catherine, où il ne rentrait
plus que pour coucher. A la fin, fatigué de ces allées
et venues incessantes, il prit une petite maison
à la Bastide, non loin de ses chantiers, et s'y installa
au printemps de 1830. La maison de la rue Sainte-
Catherine, trop étroite pour loger tout le monde,
suffisait juste désormais au ménage Brun, accru

en 1827 et 1829 de deux autres garçons, ce qui portait à quatre le nombre des petits-enfants de Barthélemy Lesprat, du côté Brun : une fille, Aricie, l'aînée,
et trois garçons, Paul, Émile et Melchior. Dans la
nécessité de déménager, Lesprat, sa femme et leur
cadette, Estelle, passèrent la Garonne, et vinrent
s'installer sur le quai entre la Souys et la Bastide.
Lesprat fût fort content d'avoir pris ce parti. Il
n'aimait pas la ville. La Bastide était la campagne,
pour lui ; il y respirait presque l'air natal, et s'y
trouvait sur place pour surveiller ses nouvelles
affaires. En outre, quand il se rendait à Floirac
il avait une bonne demi-heure de trajet en moins.

Cet établissement à la Bastide, qui d'abord
avait chagriné Mélanie, désolée de se séparer de
Caroline et de ses petits-enfants, permit à Barthélemy de donner une impulsion plus active à ses
bois. Il vit qu'il y avait intérêt pour lui à débiter
les immenses troncs qu'il recevait régulièrement de
Norvège. Il installa donc une scierie dans son chantier et construisit trois hangars pour l'emmagasi-
nement des planches, après qu'on les avait fait
sécher en camartaux. On les vendait ensuite aux
charpentiers, aux entrepreneurs. Une partie des
toits de la Bastide, à demi reconstruite à cette
époque, et à qui l'achèvement du pont de pierre
avait donné de l'extension, fut refaite avec les bois
de M. Lesprat. En trois ans, il avait acquis une petite
fortune, qu'il employa exclusivement à développer
son chantier. Il en était content. « Ce sera la dot
d'Estelle », disait-il. Il avait donné sa première
fille à un sans le sou, et ne le regrettait d'ailleurs
pas, étant bien tombé avec Julien ; mais la seconde
était devenue une héritière, et il entendait la marier
bien. Aussi ne cacha-t-il pas sa satisfaction lorsqu'au

début de 1832, le vieux Coutre qui s'était retiré
après une fructueuse opération sur une vente de
navires, où il avait quelque peu spéculé, vint lui
demander la main de la jolie Estelle pour son fils
Prosper. Ce garçon avait navigué ; c'est lui qui, dans
les derniers temps, rapportait à la Bastide les car-
gaisons de bois norvégien. Il s'y connaissait. La mer
ne lui valait rien, il y renoncerait, voulant s'établir
dans une occupation plus sédentaire. Il apporterait
cent mille francs dans la corbeille, en se mariant.
Le père Lesprat, fort séduit, s'avisa que ce jeune
homme, qu'il appréciait d'ailleurs depuis longtemps,
était charmant.

— Un garçon tout en or, ma fille, dit-il à Estelle,
quand il lui parla du projet des Coutre.

Les noces eurent lieu à la Bastide, au début du
mois de mai qui suivit.

Elles furent opulentes. Le ménage Brun y assista,
tout réjoui du bonheur d'Estelle. A l'occasion de ce
mariage, et pour faire plaisir à Édouard Coutre,
Lesprat prit un arrangement avec ses gendres :
Julien Brun continuerait à s'occuper du magasin
de toiles de la rue Sainte-Catherine. Prosper Coutre,
plus particulièrement intéressé par les bois, devait
dans la suite s'associer à son beau-père pour l'exploi-
tation du chantier. L'acte d'association fut d'ailleurs signé en même temps que le contrat : car il y
avait contrat, par-devant notaire, pour le mariage
d'Estelle et de Prosper. Dont le moins fier ne fut pas
Barthélemy Lesprat.

En outre, le soir des épousailles, Estelle partit
en voyage avec son mari.

L'ancien homme de confiance des marquis de La
Tresne conçut un vif orgueil de cet événement : sa
fille faisait un voyage de noces.

Il voyait là le symbole même de son élévation
et de la fortune, ne s'étant, pour sa part, jamais
donné huit jours de vacances et n'ayant jamais
voyagé pour le seul plaisir, autrement que pour
ses affaires.

M. Prosper Coutre emmena donc sa jeune femme
et la fit monter dans une calèche de poste, spécialement louée pour conduire les nouveaux époux à
Saintes, où les Coutre avaient des parents. Les
Lesprat, les Brun et toute la noce assistèrent à
l'embarquement. Mélanie était fort émue. Elle osait
à peine reconnaître sa fille dans cette belle dame
élégante, habillée selon le désir de Prosper, de la
manière la plus seyante, à la dernière mode de Paris :
car ce jeune homme ne jurait que par la capitale
où il avait fait un séjour ; et Lesprat en était
flatté. Estelle était charmante à voir : grande,
imposante, le visage assez long, le front arrondi
sous une opulente chevelure blonde, dont les boucles,
le long de ses joues, tombaient sous un large chapeau de paille noire orné d'un voile blanc. Elle avait
une robe d'indienne rose, à fleurettes ; et, par-dessus,
un vaste manteau bleu, rayé de noir.

— Tu es jolie comme une duchesse, lui dit Caroline Brun en l'embrassant, au moment du départ.

Elle était sincèrement heureuse du bonheur de
sa jeune sœur, et ne songea nullement à faire la
différence de son sort et du sien. Caroline était
contente de sa destinée. Elle aimait Julien, elle
était fière des enfants qu'elle lui avait donnés. Sans
doute, ils n'étaient point riches, et le petit commerce
de la rue Sainte-Catherine exigeait de Julien beaucoup d'énergie pour faire vivre la maisonnée. Mais
les Brun ne manquaient pas de courage, et comme,
en somme, Julien était parti de rien, il considérait

volontiers qu'il n'avait pas à se plaindre. D'ailleurs,
il n'avait pas d'ambition.

Il ne se mêlait donc aucune acrimonie dans ses
sentiments à l'égard de sa jeune belle-sœur et de
son beau-frère Coutre. Ils seraient plus riches que
lui, voilà tout. Caroline pensait comme son mari,
là-dessus. Et puis, tout ce qui arrivait de bon à
ceux qu'elle aimait lui faisait plaisir, et elle en bénissait Dieu comme d'un bienfait personnel.

Il arriva une assez glorieuse aventure aux jeunes
mariés. Le troisième jour de leur voyage, comme
ils approchaient de Saintes, s'arrêtant à Mirambeau,
pour changer de chevaux, le maître de poste crut
devoir demander aux voyageurs s'ils étaient allés
faire viser leurs passeports à la mairie.

— Ma foi non ! dit en riant M. Prosper Coutre.
Depuis quand faut-il un passeport pour aller de
Bordeaux à Saintes?

— Monsieur ignore peut-être que le département
est depuis huit jours en état de siège? fit l'auber-
giste.

— Je m'en soucie bien, repartit gaiement le
jeune homme en jetant un regard de tendre complicité à sa compagne.

Le maître de poste hocha la tête avec méfiance.

— Enfin, dit-il, on ne parle que de cela, ici.
Mais que vous vous en souciiez ou non, je ne veux
point avoir d'ennuis, et c'est trois cents francs
d'amende qu'il en coûte pour contrevenir au règlement. Allez vous arranger à la mairie. Je ne vous
donnerai pas de chevaux sans avoir vu vos passeports.

Comme ils tergiversaient, Prosper commençant à
élever la voix, un homme de figure assez louche,
sanglé dans une redingote sombre, boutonnée jusqu'au col, le gibus planté en arrière, et qui marchait
appuyé sur un fort gourdin, s'approcha de la voiture. Il paraissait depuis quelque temps fort intéressé par cette scène, et déplut extrêmement à
M. Coutre par la désobligeante insistance avec laquelle il dévisageait la jeune femme, qui, mal à l'aise,
détourna la tête pour éviter son vilain regard.

— En voilà assez, cria Prosper impatienté. En
route ! nous changerons de chevaux ailleurs...

Mais la voiture était déjà dételée. L'homme au
gourdin prit brutalement la parole.

— C'est ce qu'on verra, dit-il. Montrez-moi vos
passeports.

— Allez au diable ! je n'en ai pas. Je viens de
Bordeaux, avec ma femme, que voici, et...

— Vous expliquerez votre affaire à la gendar-
merie. Veuillez descendre. Madame aussi.

L'homme appuya sur le mot Madame, avec
intention.

— La prise est bonne, j'imagine, dit-il à l'auber-
giste en clignant de l'œil, tout en conduisant le
jeune ménage à la maison de poste, où il les fit
entrer dans le bureau, dont il ferma la porte rudement.

— En voilà d'une autre ! s'exclama Prosper en
voyant apparaître deux gendarmes.

L'argousin les avait envoyé querir. Ayant derechef
demandé leurs passeports aux prisonniers, mais en
vain, le brigadier tira de sa poche un papier qu'il se
mit en devoir de lire, tout en examinant Estelle,
après chaque ligne. Celle-ci était aux cent coups.
Prosper, qui ne comprenait pas, montrait une

fureur exaspérée. Mais cela ne servait de rien.

— Quatre pieds cinq pouces, yeux bleu clair un
peu éraillés... cheveux et sourcils blonds, front bas,
nez ordinaire... figure ronde... le teint pâle... chapeau de paille noire avec un voile blanc... manteau
noir rayé de bleu, lisait à mi-voix le gendarme, en
contrôlant chaque détail d'un coup d'œil inquisi-
torial sur la jeune femme.

Au dehors, les badauds s'étaient amassés. Le bruit
s'était vite répandu que l'on venait d'arrêter
Mme la duchesse de Berry, qui, débarquée le 28 avril
précédent à Marseille, venant d'Italie avec une poignée de partisans à bord du *Carlo Alberto* pour
renverser Louis-Philippe et rendre le trône usurpé
à son légitime propriétaire, Henri V, cherchait à
gagner la Vendée pour y allumer la guerre civile et
avait jusqu'alors échappé aux policiers de M. de
Montalivet.

Bien que l'émule de Vidocq eût déclaré qu'il
reconnaissait parfaitement la duchesse pour l'avoir
vue aux Tuileries quatre ans auparavant, la méprise
fut par bonheur dissipée, lorsque la garde qui devait
prendre livraison des fugitifs étant venue se ranger
devant la maison de poste, le jeune officier qui la
commandait eut pénétré dans le bureau. On lui
avait annoncé la duchesse de Berry et le duc de
Lorge qui l'accompagnait en se faisant passer pour
son époux. Il fut stupéfait de ne voir, au lieu de
Madame, qu'une jeune mariée rougissante à travers
ses larmes, et de reconnaître dans son fidèle compagnon... qui? son honorable et digne ami M. Prosper Coutre.

— Ah bah! fit-il en éclatant de rire, dès qu'il
eut aperçu Prosper... C'est toi, le duc de Lorge?
Voilà une bonne farce!

Les jeunes époux ayant été remis en liberté, au grand scandale du policier qui voyait déjà miroiter à ses yeux la fabuleuse prime promise par le ministre à qui capturerait la royale rebelle, ils dînèrent fort gaiement avec l'officier. Prosper l'avait autrefois connu au collège, et tous deux avaient mené quelque temps ensemble assez joyeuse vie. Puis leurs destinées les avaient séparés. Ils échangèrent des considérations philosophiques sur le hasard qui les remettait en présence. Prosper Coutre jouissait agréablement du plaisir que procure aux yeux d'un ami de jeunesse l'avantage de se montrer au bras d'une jolie femme, surtout quand cette femme est la vôtre. Sa vanité en était chatouillée.

Le reste du voyage de noces s'accomplit fort bien. M. Coutre était des plus satisfait de sa femme. Il lui devait, en somme, une aventure assez flatteuse. Mais c'est le vieux Lesprat qui en fut le plus rengorgé quand il apprit qu'on avait pu prendre sa fille pour une duchesse en rupture d'exil. Comme il aimait assez revenir sur les événements agréables à son orgueil, il ne laissait pas d'en rapporter souvent l'anecdote. Et chaque fois, avec un gros rire et une bonne reniflée de tabac fin, il allongeait en manière de conclusion une forte tape sur l'épaule de son second gendre, avec cette plaisanterie dont il était charmé :

— Ce farceur de Prosper ! Il n'est pourtant que Prosper Coutre, et on l'a tout de même pris pour Henri V !

IV

Cependant la vie était dure aux Brun.

A six heures, tous les matins, comme au temps où il n'était que le commis, Julien descendait au magasin. Depuis que son beau-père lui en avait laissé la charge, il n'avait pas changé ses habitudes, et, devenu patron, il restait le commis, cumulant. Il balayait lui-même la boutique, accueillait le client, écrivait aux fabricants. Caroline se bornait à faire les comptes chaque jour, inscrivant au grand livre les chiffres peu élevés que le bon Julien lui dictait : « Bonnets, Mlle Arnachon, six francs ; toile de Vichy, trois francs le mètre, dix mètres, M. Berrunot, trente francs ; une chemise d'homme, quatre francs ; fil blanc, douze sous ; ficelle, deux bobines, un franc cinquante... payé à MM. Girard frères, leur facture du tant : deux cents francs... »

— Deux cents francs, répétait Caroline. Après?

De l'autre côté de la table ronde, sous la lampe unique dont la salle commune de l'arrière-boutique était éclairée faiblement, on voyait luire les assiettes peintes sur le bahut ciré, les pots d'étain bien alignés au-dessus de la cheminée, les casseroles brillantes ; on entendait le tranquille tic-tac du cartel à fleurs, le chat ronronnant ; Aricie, l'aînée

des enfants, apprenait à lire à son plus jeune frère,
le second faisait un devoir, le troisième rêvait...
Patiemment, la jeune fille remplissait son rôle
maternel de grande sœur. Elle était l'aînée. Rôle
ingrat, dans les familles pauvres, qui consiste à
réparer les fautes des autres, sans avoir jamais
le droit d'en commettre, parce que personne ne serait
là pour y remédier ; à songer toujours à tout ce que
les autres ont oublié ; à voir, à prévoir, à penser
pour tous ; à se lever pour aller fermer la porte,
pour donner du pain ; à veiller le malade ; à sup-
pléer partout la mère occupée, le père à la tâche,
les petits dans la lune, et l'unique servante aux prises
avec son fourneau. Et comme de tout temps les
choses en étaient allées de la sorte, ces prévenances,
ces gentillesses d'Aricie lui étaient devenues une
obligation, une fonction, sa tâche. A quinze ans,
elle était raisonnable, une vraie petite femme. Et
déjà, à la voir sous cette lampe dont la lueur modeste éclairait la même scène chaque soir pareille,
et ces êtres égaux, paisibles, sans espoir de changer
jamais, déjà, chaque visage avait sa signification
profonde.

Julien Brun, le père, à quarante ans, paraissait
sans âge, le dos voûté, plié par l'habitude, sans
modification possible ; Caroline aux beaux traits
encore, mais fanée, et telle à trente ans qu'elle
serait jusqu'à la vieillesse, par le vieillissement
prématuré qu'apportent les soins d'une vie sans
loisirs aux êtres de tout temps rompus à la régularité morne des jours ; et jusqu'aux enfants, au doux
Émile, myope, appliqué, penché de trop près sur
son livre ; à Paul, rêveur, léger, et soudain plein de
pétulance inattendue, au petit Melchior taciturne,
à la diligente Aricie, toujours présente, active,

sérieuse et souriante, les caractères divers de ces
êtres étaient déjà lisibles sur leurs fronts, qui les
désignaient tels que les uns avaient été, tels que les
autres deviendraient dans leur développement
futur...

Avec son visage carré, ses gros yeux bleus à fleur
de tête et son nez court, on ne pouvait pas dire
qu'Aricie Brun fût jolie. Cependant elle avait du
charme, celui que donne le sourire au visage le plus
disgracié. On la sentait, en la voyant, franche,
affectueuse et bonne ; et, bien qu'elle fût réservée,
pleine de malice et de tendresse. Levée tôt, couchée
la dernière, occupée du bien de chacun, on ne l'entendait jamais se plaindre, soupirer. Elle mettait
à remplir sa tâche cette gaieté paisible et régulière
qui est le courage des femmes, et la tâche lui était
légère parce qu'elle la remplissait avec amour. Et
puis, elle était jeune, pleine d'aspirations, de rêverie cachée et tenue en réserve, dont elle ne laissait rien paraître, comme si c'eût été mal de s'attar-
der et de s'attendrir, alors que toute la maison
réclame vos soins. Mais un jour elle aurait sa revanche, et, patiente, elle disait : « Demain ! »

C'était une jeune fille comme toutes les jeunes
filles, éprise d'idéal et de poésie, un myosotis ignoré
dans le cœur, tout prêt à s'épanouir délicieusement
au premier rayon de soleil (1). Aricie eût été romanesque. Elle rêvait parfois d'un charmant jeune
homme qui viendrait un jour, l'enlèverait, l'élève-
rait, et lui enrichirait l'esprit comme il lui remplirait
le cœur. Comme elle se dévouerait ! Par avance elle

_____

(1) Aricie est née en 1824. L'auteur croit devoir faire ob-
server que de telles généralités ne sont valables que pour
l'époque à laquelle est situé le sujet de ce livre.

lui était reconnaissante de tout ce qu'il ferait pour
elle. Elle se sentait ignorante, et, confusément, un
grand désir de perfectionnement, de savoir, la remplissait d'attente, d'espérance... Pas plus qu'on ne
pouvait dire qu'elle était jolie, on ne pouvait dire
qu'elle était intelligente. Elle ignorait trop : l'ac-
caparement du ménage abêtit. Mais elle avait ce
don divin, sans lequel les autres ne sont rien : la
finesse. Et comme elle avait un grand cœur, à défaut d'esprit, c'était avec son cœur qu'elle pensait.

Elle avait des vues raisonnables sur les choses,
une raison chrétienne, l'habitude de réfléchir sans
cesse à la bonne tenue du cœur. Elle était reconnaissante aux siens, qui l'aimaient. Ils ne le disaient
pas ; car parler de ce qu'on éprouve dans ses plus
secrets mouvements est un luxe interdit aux pauvres,
faute de loisirs pour s'écouter eux-mêmes, se comprendre. Mais elle se savait chérie de son père.
Quand elle était petite et qu'il la regardait, un peu
étonné d'avoir une fille si accomplie, si « demoiselle », lui, l'ancien compagnon, le petit menuisier
rustique, elle était secrètement charmée de cette
tendresse admirative. Pour sa mère, c'était autre
chose. Elle était despote ; et, en vieillissant, ses
traits familiaux s'accusaient davantage en elle.
C'étaient la probité, l'application, la volonté, le
souci de tracer son sillon bien droit, la rigoureuse
conception de la chose due, le sentiment ancestral
du renoncement dévolu aux femmes, dès qu'elles
sont devenues mères. Tel était son lot, accepté
d'avance, qui la contentait. Caroline riait rarement,
ne souriait jamais. Elle aimait son époux, cela allait
de soi. Mais elle se sentait plus forte que lui, et tout
en s'effaçant le plus possible, l'âme de la maison,
c'était elle.

Elle ne se plaignait pas que la vie fût dure, ni
qu'elle pût avoir, pour d'autres, d'invraisemblables
indulgences. Si elle se fût plainte, elle aurait cru
offenser Dieu. Mais, trouvant naturel et léger
l'exercice de sa dure vertu, elle ne pensait pas qu'il
en pût coûter aux autres. Aricie serait et ferait
comme elle. Et sans sévérité, elle ne songeait pourtant jamais à être tendre. Une mère aime ses enfants, se dévoue pour eux ; pourquoi le dire? Cela
encore va de soi. Dit-on qu'on respire? Aricie en
souffrait un peu.

L'injustice seule affectait la jeune fille. Elle, qui
pensait tout le temps aux autres, et, parce qu'elle
était l'aînée, à tout ce à quoi les autres ne pensent
jamais, elle ne se faisait pas à cette idée que les
autres n'étaient pas comme elle. Aussi, quand,
faute d'attention ou de surveillance, quelqu'un
autour d'elle faisait un geste, une démarche, ou
laissait jaillir un propos injuste, elle éprouvait
au cœur un brusque mouvement de retrait, d'involontaire repliement, dont elle s'accusait aussitôt,
comme d'une exigence indue. Elle ne disait rien.
Elle avait une pudeur extrême, qui l'empêchait
toujours de faire état des modulations de son cœur,
et une modestie si totale qu'elle aurait pensé faire
preuve d'un orgueil insensé en ne se taisant pas.
Elle s'estimait si mince personne qu'elle croyait
fort peu important de faire connaître à l'univers
qu'elle avait été injustement traitée. Elle n'en
souffrait d'ailleurs pas moins. Mais suivant une
habitude ancienne, de même que lorsqu'elle se sur-
prenait à rêver elle s'arrachait brusquement à sa
rêverie comme à une volupté coupable, elle se
secouait en riant. « Allons ! Allons ! » disait-elle,
comme un cocher à son cheval, pour le réveiller,

s'il s'endort. Plus tard, elle prit une autre habitude.
« C'est ainsi », concluait-elle avec un sourire et un
petit hochement de tête, comme si, de toute évi-
dence, les choses ne pouvaient aller différemment.

Sans doute, on aurait beaucoup étonné Caroline Brun si on lui eût dit qu'elle était injuste. Elle
en eût été fort malheureuse. Elle l'était pourtant —
la rigueur est toujours injuste — à l'égard d'Aricie,
qu'elle traitait comme elle se traitait elle-même,
sans attendrissement, avec l'idée que dans sa famille, c'étaient les femmes qui avaient le moins
besoin de ménagements.

Aricie était sérieuse, solide. Ne devait-elle pas
trouver sa récompense en elle-même, dans l'idée
du devoir accompli? Tandis que ces pauvres garçons, Paul, Émile, Melchior, les pauvrets, eh ! ne
fallait-il pas leur rendre la vie plus chaude, plus
facile? Aux deux plus jeunes, à Paul et à Melchior
surtout, derniers nés, si doux, si rêveurs, qui avaient
tant besoin de protection, avec leurs airs délicats,
leur santé frêle.

— Ce sont des Brun, pensait Caroline. Aricie,
c'est une Lesprat.

Elle était Brun, en vérité. Mais, obéissant à son
cœur, par volonté, elle cherchait à se conduire en
tout comme sa mère : beaucoup moins par goût
naturel que par application, et parce qu'elle avait
de tout temps compris que c'était à sa mère qu'il
fallait ressembler, parce qu'elle se donnait le plus
de peine.

Des moments délicieux pour Aricie, c'étaient ceux
qu'elle passait, de temps à autre, à Floirac, chez
son vieux grand-oncle, l'abbé Omer.

Le vieillard avait reporté sur la jeune fille la
dilection particulière qu'il avait toujours marquée

à Caroline. Aricie était pieuse ; elle aimait les fleurs ;
et, patiente, ayant l'habitude des enfants, elle
savait accueillir avec un intérêt déférant les historiettes cent fois entendues du vieux curé, ses do-
léances éternelles, ses colères contre les jésuites, ses
observations sur la manière de repiquer les melons ;
et, particulièrement, le récit des prouesses du défunt
et toujours regretté Nestor, ce lièvre savant, si
cruellement mis à mort par la cuisinière de M. l'archevêque de Bordeaux, et trouvé si bon par l'abbé
lui-même, quelque vingt ans auparavant.

Quand elle allait le voir, le dimanche, avec ses
frères, par la diligence, aux beaux jours, quelle
impression charmante pour Aricie, d'évasion, de
liberté, d'air pur largement respiré, de jeunesse !
Là, dans le jardin fleuri, dans la petite église où
elle arrangeait les bouquets, sur l'autel, comme
avait fait sa mère dans le temps, elle goûtait à la
poésie de son âge, domaine interdit le reste de ses
jours ; elle avait vraiment dix-huit ans. Ses frères,
ivres aussi de liberté, couraient dans le jardin,
s'ébattaient, poussaient mille cris discordants,
faisant tourner le moulin, marcher la procession,
jaillir le jet d'eau de l'installation aquatique ingé-
nieusement entretenue par le vieux prêtre. Melchior,
le plus petit, considérait avec un intérêt sérieux ces
merveilles diverses. Paul, après les premiers ébats,
retombait dans sa rêverie, regardait les nuages, les
fleurs, écoutait la chanson argentine des cloches,
puis tout à coup, sortant de ses méditations se-
crètes, tirait un livre de sa poche, en cachette, et
lisait jusqu'au soir, jusqu'à l'heure de la diligence
qui ramenait à Bordeaux le petit groupe, sous la
conduite de la grande sœur.

Ces visites à Floirac alternaient avec les visites

à la Souys (1), quartier rustique de la Bastide où demeuraient les Coutre, avec le grand-père Lesprat.

Ils habitaient une vaste maison précédée d'un jardin abandonné, planté de fruitiers, auxquels Barthélemy donnait ses soins. Il y avait, exposée au midi, une melonnière. Barthélemy s'était mis en tête d'avoir des melons meilleurs que ceux de son frère l'abbé. S'en ensuivit une grande rivalité entre les deux frères. Au delà d'un petit mur bas, continué par une haie de saules, des prairies s'étendaient, puis la campagne. Et de l'autre côté, entre la Souys et la rivière, touchant à la maison, à l'est, il y avait les chantiers, la scierie ronronnante, les hangars où séchaient les bois, et puis encore, tout le long des quais, les camartaux rectangulaires des planches empilées bout sur bout, afin que l'air passant entre elles les aidât à sécher plus vite. Tout le quartier sentait la sciure, la résine, le bois frais coupé, humide. Et à ce parfum végétal, de la ville brumeuse et dorée au delà du fleuve, du fleuve lui-même, des eaux limoneuses, du pont encombré de navires, des docks, parfois le vent né de la mer venait mêler d'ineffables odeurs marines, de saumure, de salaison, de vins, d'épices, de fumées, qui parlaient de lointains voyages et remplissaient le cœur de mélancolie, d'infinie attirance vers ailleurs...

Aricie n'aurait pas pu dire pour quelle raison, elle si heureuse à Floirac dans le presbytère, elle se sentait gênée, étrangère à la Souys. Était-ce l'aspect de ces moroses bâtiments de planches, étendus à perte de vue sur les quais, couvrant les prairies, masquant les arbres, la campagne? Était-ce le bruit sourd, le clapotement des eaux qui mou-

(1) On prononce la Souille.

raient mornement sur la berge, avec de petites
vagues boueuses, tristes à regarder, qui lui serraient
ainsi le cœur? ou bien de se trouver en présence de
ses cousins Coutre? Ils étaient si différents d'elle !
Leur parler, leurs mœurs, leurs habitudes la chan-
geaient tellement de ce qu'elle entendait, voyait ou
faisait au milieu des siens, rue Sainte-Catherine,
chez elle !

A peine arrivait-elle :

— Bonjour, petite, disait le grand-père Lesprat,
sans se retourner.

Elle le trouvait toujours installé dans sa chambre,
qu'il ne quittait que rarement depuis son veuvage
(Mélanie était morte en 1835), enfoncé dans un profond fauteuil à oreillettes, le chef coiffé d'une calotte
brodée, à gland. Il était devenu gros, avec l'âge,
presque hydropique, à son grand scandale, n'ayant
jamais bu que du vin, disait-il, en bon Bordelais.
Son gendre l'avait peu à peu relégué, expulsé
doucement des affaires. Ce n'avait peut-être pas
été un mal, car chaque temps a ses mœurs, et celles
de Barthélemy Lesprat dataient d'un demi-siècle.
Toutefois, si, grâce à la direction de l'actif M. Prosper Coutre, la maison Lesprat et Coutre s'était
considérablement développée depuis dix ans, au
point de se classer parmi les cinq ou six plus importantes de celles qui font à Bordeaux le commerce
des bois, le caractère et la santé de Barthélemy
avaient été sensiblement modifiés par le changement
qui en était résulté, par contre-coup, dans ses habitudes.

Il avait conservé l'esprit net, et prompt. Mais
au lieu de porter maintenant sur les décisions à
prendre, cette promptitude se tournait sur le jugement à porter sur les décisions prises par les autres.

L'avantageux Barthélemy Lesprat était prêt à
juger de tout.

Il avait toujours le même parler bref, seulement
moins jovial que par le passé. Il finissait toujours
ses phrases par un catégorique : *j'ai dit*, un impé-
ratif : *ainsi soit!* dont il faisait sonner le *t* final.
Ainsi soitt. Sur quoi, il continuait à s'envoyer dans
les narines, d'un geste aussi sec qu'à trente ans,
ses habituelles pincées de tabac, et hochait la tête
avec la même vivacité. Mais maintenant, à chaque
hochement, on voyait trembler ses molles bajoues
bien rasées, sur un vaste col qui lui emprisonnait
cou et menton. Il passait toutes ses journées au coin
de sa cheminée sans feu, à regarder aller et venir
le balancier doré de la pendule, où, dans le bronze,
un jeune pâtre conduisait l'aveugle Homère. Deux
chandeliers la flanquaient, de part et d'autre ; et
sous des globes arrondis, il y avait deux coupes
d'albâtre, coiffées de bouquets de fleurs en papier.

Là, le vieillard, l'œil fixé sur l'âtre, évoquait
sans discontinuer un petit nombre de scènes, fort
restreintes et toujours les mêmes, qui avaient
marqué dans sa vie et lui fournissaient des repères :
le départ nocturne et précipité du marquis de La
Tresne, en 1792 ; son retour, en 1804 ; l'installation
de son jeune ménage rue Sainte-Catherine, l'entrée
des Anglais à Bordeaux en 1815, la rencontre de
Julien Brun sur la route de Floirac, la voiture
versée, le mariage de ses filles, l'arrestation d'Estelle, prise pour la duchesse de Berry, l'aisance,
la fortune entrant dans sa maison avec Prosper
Coutre... Et dans cette vie ralentie, les premières
et les dernières images étant les plus fortes, il finis
sait par songer qu'il avait toujours vécu ainsi ; et
ce n'était plus que par une espèce d'habitude qu'il

se répétait parfois, à voix basse, avec un hochement de tête approbateur, en se frottant les deux
genoux, de contentement, et riant d'un rire sans
bruit, pour lui seul :

— Tout de même... hé ! hé ! le petit Lesprat...
il a fait du chemin depuis La Tresne !

Sur quoi, invariablement, chaque jour, à la même
heure, sans seulement bouger de son fauteuil, il
tirait le cordon de tapisserie qui pendait au long
de la cheminée, à droite, et faisait retentir au rez-
de-chaussée une sonnette fêlée. Alors la servante
Félicité apparaissait, qui apportait à son vieux
maître un petit verre de malaga et un biscuit, et
le *Constitutionnel*, dont il faisait incontinent sauter
la bande, mais qu'il ne lisait d'ailleurs pas.

Quand Aricie venait le voir, Barthélemy l'accueillait d'un bref « bonjour, petite ! » Et aussitôt, il
ajoutait :

— Quoi de neuf ?

Aricie alors lui racontait la gazette de la semaine,
dont la vie sans événements du magasin faisait tous
les frais. Elle disait son père au comptoir, sa mère
au ménage, Émile et Paul au collège, les progrès en
lecture du petit Melchior. Si elle était allée à Floirac, elle en rapportait, avec un bouquet, les nouvelles. Puis elle s'informait des melons. C'était
le seul sujet qui occupât sérieusement le bonhomme,
et le fît bouger. Il aimait Aricie, de ce qu'elle
prenait de l'intérêt à leur culture et lui proposait
chaque fois, gentiment, de les aller voir avec elle.

Lesprat se faisait prier, tout d'abord ; puis gei-
gnant et s'arc-boutant, il s'arrachait à son fauteuil,
et escorté de sa petite-fille qui lui donnait le bras
et, dans l'escalier, comptait les marches, — « encore
une, grand-père... » — il se rendait à ses châssis.

Et ce qui étonnait la pauvre Aricie, ce qui lui donnait à penser que la maison de la Souys et l'existence qu'on y menait représentaient un luxe oriental, invraisemblable et sans pareil, c'était, à propos de ces fameux melons, ceci, qui avait lieu tous les dimanches, le matin, lorsque c'en était la saison. Vers onze heures, Félicité montait prévenir M. Lesprat que Firmin, le jardinier — il y avait un jardinier, chez les Coutre — était à l'office, avec les melons. M. Lesprat descendait. A l'office, auprès de la vaste cuisine, il trouvait Firmin, la casquette aux doigts ; et sur la table, six melons superbes, alignés.

— Mon frère l'abbé n'en a pas comme ça ! s'écriait Barthélemy à leur vue. Sont-ils bons ?

Et sans attendre la réponse, à deux mains, il s'emparait de chacun d'eux, successivement, le palpait, le retournait, le soupesait, le flairait, affirmant chaque fois cet apophtegme, au reste le seul vers qu'il ait jamais su :

C'est au cul qu'on sent le melon !

ce qu'il faisait aussitôt longuement. Ensuite, dans chacun, il enfonçait une mince sonde d'argent, et, par le pertuis ainsi pratiqué, il retirait un filament doré, juteux, qu'il goûtait à l'instant. Ainsi de suite jusqu'au meilleur, jugé digne de paraître à table. On le mettait alors à rafraîchir jusqu'au repas. Les cinq autres étaient jetés à la volaille.

Comme on ne mangeait pas de melons, rue Sainte-Catherine, Aricie en avait un peu mal au cœur.

Tout l'étonnait, d'ailleurs, chez les Coutre. La tante Estelle, si élégante, si jolie, avec ses belles robes de Paris, ses mains délicates, qui ne tou-

chaient à rien qu'avec des gants, aux ongles brillants comme des facettes, auprès desquelles la jeune
fille avait honte des siennes, laborieuses, qu'elle
cachait, qui étaient rougeaudes, souvent gercées ;
cette belle dame, eh quoi? c'était sa tante, la sœur
de sa mère?

Ses robes faisaient un bruit délicieux derrière
elle quand elle marchait. Elles dégageaient un parfum léger, mystérieux, de miel, de fleurs. Elle
riait souvent. Dans sa chambre, il n'y avait pas de
chaises, rien que des fauteuils, une bergère auprès
de la cheminée, des rideaux de soie, avec un store
de dentelles, et des coussins sur une méridienne ;
et des livres, des vases, des bibelots, des éventails
traînant sur des tables, à ne savoir qu'en faire...
Cependant Aricie ne redoutait pas cette tante si
charmante, aux manières si distinguées, à la voix
si douce, et qui souvent lui faisait des cadeaux, en
cachette. Elle regrettait de la voir si peu. Estelle
Coutre allait rarement rue Sainte-Catherine, s'en
excusant de la vie si occupée qu'était la sienne,
avec ses enfants, son mari, ses sorties fréquentes.
De quoi Caroline l'excusait tout naturellement,
quand elle la voyait :

— Va, va, je sais ce que c'est... les enfants, la
maison... mais nous nous aimons bien tout de même,
n'est-ce pas, ma bonne Telle?...

Pour Caroline, Estelle était toujours la petite
sœur, sa bonne Telle ; la plus faible, la moins dé-
fendue. Eussent-elles dû vivre centenaires toutes
les deux, il en fût toujours allé de la sorte. Estelle
serait toujours restée la petite sœur pour son
aînée : la petite sœur, celle pour qui rien n'est
jamais trop bon, trop beau, ni trop heureux.

Ainsi, ce qu'Aricie aimait à la Souys, c'était ce

qu'elle reconnaissait obscurément pour être de son
sang, son grand-père Lesprat, sa tante Estelle.
Quant aux Coutre, elle en avait peur. Elle voyait
en eux des étrangers, et elle se reprochait ce sentiment, qui lui faisait honte. Mais aussi, pourquoi
ses petits cousins, plus jeunes qu'elle de dix et six
ans, Eugène et Julie, l'abordaient-ils toujours avec
un « bonjour, petite ! » ironique, imité du papa
Lesprat, qui faisait dire nonchalamment à leur
frivole mère : « Mon Dieu, que ces enfants sont
donc moqueurs ! » et rire sèchement M. Prosper
Coutre, de sa bouche sans lèvres entre ses favoris
noirs?

Chaque fois qu'elle l'entendait, le rire bref de
son oncle Coutre faisait froid au cœur d'Aricie.
C'était une gaieté de coup de couteau, chaque fois
donné en plein dans un sentiment, dans une croyance.
Prosper Coutre ne sentait et ne croyait rien, si ce
n'est l'argent. Il n'aimait pas les Brun, qui n'en
avaient pas. Il faisait, à part lui, grief à son beau-
père d'avoir donné sa première fille à Julien, ne
supportant qu'avec beaucoup d'agacement, vis-à-
vis de ses collègues du haut commerce de Bordeaux,
où il fréquentait, l'obligation d'avoir à avouer
pour beau-frère un petit commerçant de toiles et
cordes du quartier de Saint-Michel, dont les habitants sont méprisés par les marchands de morue
du quartier de la Rousselle, lesquels apparais-
sent comme moins que rien aux opulents négo-
ciants en vins des aristocratiques Chartrons.

Lui, Coutre, il se trouvait fort bien de n'habiter
pas Bordeaux, mais la Souys, échappant ainsi à une
classification qui a ses désavantages, si, comme
c'eût été précisément le cas de M. Prosper Coutre,
l'on ne fait pas partie des seuls Chartrons, ce

gotha de la finance et du haut commerce bordelais.

Aussi, ce qui touchait aux Brun n'était guère sympathique à cet homme énergique, bien organisé, mais de sang-froid. Et, bien qu'il affectât toujours à leur égard, comme à celui de tout le monde, une correction britannique et cette fashionable froideur dont les tailleurs londoniens n'oublient jamais de mettre un petit sachet dans les vêtements qu'ils envoient aux dandies des bords de la Garonne, comme antidote à ce qu'un sang méridional pourrait avoir d'inconsidéré, de fâcheux et de pétulant, Prosper Coutre n'était pas fâché de voir son jeune fils marquer une certaine ironie à la pauvre Aricie, par l'imitation des manières de son grand-père à l'endroit de sa cousine; et la toute petite Julie emboîtait le pas, innocemment, à son frère, avec des mines ridicules. Ainsi voyait-il avec un contentement confiant, chez les siens, dans sa maison, le sentiment, parfaitement britannique, lui aussi, qu'il n'y avait rien dans le monde qui fût supérieur aux Coutre.

Prosper avait fini, ou plutôt commencé par faire partager cette manière de voir à Estelle. Il ne lui disait jamais que « ton pauvre père » ou « ta pauvre sœur » en parlant des siens. Et elle-même, docile, flexible, finissait par dire « mon pauvre papa », « cette pauvre Caro », avec autant de commisération et d'apitoiement que si elle avait eu la félicité ravissante et délicieuse d'être née Coutre.

Ces façons n'allaient qu'à demi à M. Lesprat. Cependant, la carrure et l'autorité de son gendre lui en imposaient. Il prenait le parti de se taire, quand il ne se trouvait pas de son avis. Quitte à grogner contre sa fille, par la suite; ou à accueillir Aricie

comme un chien quand elle venait le voir. D'ailleurs,
il s'en voulait aussitôt ; et ne sachant pas comment
revenir sur la parole dure ou injuste, malhabile à
réparer le mal fait, il bougonnait contre lui-même,
jusqu'à ce qu'il éclatât.

— Allons, petite, disait-il alors : sonne Félicité...
Félicité survenant :

— Ma fille, vous donnerez deux verres, et les
biscuits. Mademoiselle fera sa collation avec moi.

Aricie était attendrie aux larmes des attentions
de son grand-père. « Il est un peu rude, se disait-elle ;
mais, comme maman, il a bon cœur. » Et elle s'ac-
croupissait à ses pieds, sur un petit tabouret de bois,
pour lui lire le *Constitutionnel*, heureuse d'être
reconnaissante, et que cette lecture la fatiguât,
parce qu'elle était obligée de lire en criant, le vieux
Lesprat étant devenu dur d'oreille, avec l'âge.

*
* *

Quand, après ces visites à la Souys, Aricie rentrait
dans la maison si humble de la rue Sainte-Catherine,
il lui semblait, à peine elle en avait de loin aperçu
le colombage peint et l'enseigne où un singe roulait
une pelote, ou poussé la porte, qu'une douce vague
de chaleur fluait autour d'elle, l'accueillait, l'enve-
loppait amicalement. L'odeur même de la maison,
faite de goudron, de chanvre, de cendres, de fumée,
l'odeur de l'âtre, l'odeur de la rue, de l'épicerie
voisine, avec ses barils, ses épices, avait pour elle
la douceur plaisante des choses familières. Le tic-
tac de l'horloge, la gaieté des meubles luisants, le
comptoir brillant, l'ordre des étagères, la panse
rebondie des pots d'étain de la cheminée, l'escalier
à claire-voie qui montait aux chambres, tout

d'abord lui montrait cette figure amie des objets au milieu desquels on a toujours vécu, et c'était déjà pour elle mille présences affectueuses. Là, elle se retrouvait ; et, si timide, si craintive en face des étrangers, de ses parents si lointains de la Souys, elle redevenait aussitôt la gaie, courageuse et charmante Aricie que tous aimaient dans sa maison natale : celle dont tous avaient besoin, celle qui servait, et trouvait à servir par amour la paix et la volupté de son cœur.

— Comment va le grand-père? demandait Caroline avec son regard clair et droit, qui ne cachait rien.

— As-tu bien promené? demandait Julien.

Le petit Melchior se jetait sur sa sœur amie : il fallait qu'elle l'embrassât le premier, qu'elle regardât ses images, lui en expliquât le sens et lût la légende. Et tout cela rendait Aricie heureuse. Le malaise qui l'étouffait à la Souys disparaissait. Tout reprenait sa juste place en elle ; elle n'était plus qu'affection pour ses cousins, respect, amour pour son grand-père ; et c'est sans arrière-pensée qu'elle décrivait à ses frères la belle robe de leur tante Estelle.

Que la vie ne pouvait-elle continuer ainsi, douce, égale, heureuse et bénie dans cette maison ! Le malheur y entra un jour comme un aigle s'abat, avec un grand bruit d'ailes. Un soir glacé de 1843. on ramena Julien Brun expirant. Il avait été frappé de congestion dans la rue, tandis qu'il allait porter lui-même un ballot de linge à une pratique. Il mourut le lendemain sans avoir repris connaissance.

*
* *

Cette mort était un désastre. Qui, maintenant,
rue Sainte-Catherine, prendrait en main la direction des affaires, le père disparu? L'aînée des enfants, c'était une fille, Aricie. Paul, le second,
n'avait que dix-huit ans ; il venait de sortir du
collège, et rien, dans son caractère, ne le désignait
au commerce ; véritablement il n'était bon qu'à
rêver. Faisait-il pas des vers, de la peinture? Toujours un livre entre les doigts, et les propos les plus
saugrenus à la bouche, tout farci de ces dangereux
exemples, venus de Paris, et dont une censure
incapable avait laissé filtrer le poison jusqu'au fond
reculé des provinces ! Il se répandait sans cesse en
discours insolites, relativement à certains personnages diaboliques, dont les noms donnaient à
penser de quelques nouveaux Robespierres, dans
cette petite maison où l'on ne lisait guère, et qui,
dans son trantran honnête, ne recevait des bruits
du dehors qu'un écho déformé par la malignité
publique, ainsi que la coutume en va. Aussi, lorsque
avec la fougue de ses dix-huit ans, Paul Brun,
tout en secouant sa chevelure, qu'il portait très
longue et bouclée, comme le voulait la mode nouvelle, se déclarait en guerre ouverte contre les per-
ruques, et romantique, et nommait en se décou-
vrant avec respect MM. Lamartine, Victor Hugo,
Musset et Pétrus Borel dit le Lycanthrope, sa mère
hochait les épaules, et un chacun mettait aussitôt
la main à ses poches, ni plus ni moins que s'il eût
nommé Mandrin, Cartouche, les bandits de Malause
ou l'assassin de M. Fualdès. Il n'y avait point à
compter sur ce fou pour le gouvernement du petit

magasin de toiles. Ses frères y étaient pareillement
inaptes, pour l'instant, n'étant âgés que de seize
et treize ans, et tous deux encore au collège. Allait-on
fermer la boutique? Caroline se récria lorsque son
beau-frère Prosper Coutre eut émis cet insolent
propos. Elle déclara dans son chagrin qu'elle était
la fille de son père, et qu'elle ne l'avait pas aidé
pour rien, avant son mariage, lorsqu'il dirigeait ce
commerce. Au reste, du vivant de Julien, n'avait-
elle pas tenu les livres, scrupuleusement, chaque
jour? Elle reprendrait les affaires, voilà tout, avec
l'aide de Paul, intelligent en dépit de ses idées un
peu follettes, qui se rassiraient avec l'âge. Aricie
donnerait ses soins au ménage. Émile et Melchior
pourraient achever leurs études. L'avenir et Dieu
feraient le reste.

Devant ce courage tranquille, Barthélemy Lesprat sortit de sa torpeur : comme au temps de sa
jeunesse audacieuse, il prit un parti énergique,
et son gendre en fut médusé. Ce vieillard avait du
ressort. Il le montra en exigeant que Prosper Coutre
prélevât vingt mille francs sur la caisse de la maison
de bois Lesprat et Coutre, et les mît en commandite
dans la maison de toiles Lesprat et Brun.

Au reste ce n'était là qu'obliger Coutre à exécuter
une des stipulations de l'arrangement que Barthélemy avait pris avec lui lorsqu'il lui avait donné sa
fille en mariage et avait attribué aux Brun le
magasin de la rue Sainte-Catherine, et les chantiers
de la Bastide aux Coutre. Cette soulte rétablissait
la balance d'un partage inégal, mais elle n'avait
jamais été payée. Lesprat trouva l'énergie de con-
traindre Prosper à tenir sa parole. On conçoit que ce
dernier en ait été fort mécontent. Il ne le cacha
point. Mais le bon état des affaires lui permettait

cette opération, qu'il considéra toujours non comme
le règlement d'un dû, mais comme un prêt. Passé le
premier moment d'irritation, il y trouva même un
avantage dont son inflexible orgueil fut flatté. A
tant de raisons qu'il avait déjà de mépriser les
Brun, ces petites gens, il en ajoutait une nouvelle,
et sérieuse : ils étaient devenus ses obligés.

V

Sous le prétexte de manœuvres, il se fit de grands mouvements de troupes dans les provinces, au cours de l'été de 1847. On renforçait les garnisons des villes. Le pays, mécontent, réclamait des réformes : celles, entre autres, des finances, du Parlement, du système électoral. Et, afin de se faire entendre, les libéraux, qui les préconisaient, organisaient de vastes banquets dans les départements, où étaient conviés tous ceux qui, de près ou de loin, s'intéressaient à la marche des affaires publiques. Lyon, Marseille, Orléans avaient eu les leurs, où d'ardents partisans avaient acclamé les noms, de jour en jour plus répétés, de MM. Duvergier de Hauranne, Odilon Barrot, Ledru-Rollin, et quelques autres. Inquiet de cette agitation connue depuis sous l'appellation de la campagne des banquets, le gouvernement de S. M. Louis-Philippe prenait ses précautions, pour que l'ordre ne fût pas troublé. Mais sans doute les habitants du quartier de la Cathédrale, à Bordeaux, et de la rue Sainte-Catherine en particulier, n'établirent qu'une relation assez vague entre ces hautes préoccupations de la couronne et la brusque explosion de trompettes qui leur fit mettre le nez aux fenêtres, certain joli matin ensoleillé de la mi-septembre ; et c'est avec un vif

enthousiasme, comme la vue des soldats ne laisse
jamais d'en provoquer, qu'ils applaudirent au passage d'un fort beau régiment de hussards, qui, faute
de place dans les casernes de la ville déjà pleines,
venait prendre ses quartiers chez l'habitant, fanfare en tête, étendard déployé, la fine flamme triangulaire rouge et blanche frissonnante au sommet
des lances. Dans la longue rue étroite, remplie de
l'éclat déchirant des cuivres, du martèlement des
pavés sous les fers des chevaux, du cliquetis des
gourmettes secouées, des étriers entre-choqués, des
éperons heurtés contre les sabres, une foule pressée
aux fenêtres, sur les trottoirs et devant les portes
des maisons, assistait à ce martial défilé. Il y eut
un ordre, soudain transmis de bouche en bouche
par les maréchaux des logis et les brigadiers, des
bras levés : la colonne fit halte.

Et tandis qu'il regardait en souriant la foule
excitée, tout en contenant son cheval impatient qui
s'ébrouait, à la tête de son peloton, précisément
arrêté à la hauteur du magasin de toiles et cordes
Lesprat et Brun, dont l'amusante enseigne où un
singe dévidait une pelote attira un instant son regard, l'attention du sous-lieutenant Lautaret,
du 3e escadron, fut une seconde retenue par la
vue d'un charmant visage, apparu à la fenêtre d'un
premier étage, et qui, sous le rideau soulevé, montrait de fort jolis cheveux blonds et des yeux
d'une grande douceur. Un jeune lieutenant de hussards est, en général, sensible à un tel spectacle :
celui-ci, plus que tout autre, étant lui-même pourvu
d'une figure assez agréable, ce qui engage. Aussi
céda-t-il innocemment à ce plaisir auquel nul
cavalier n'a jamais su résister, qui consiste à cha-
touiller doucement son cheval de l'éperon tout en

le maintenant d'une main ferme. Le cheval piaffe,
encapuchonne, commence aussitôt à danser. Son
cavalier en tire avantage, se redresse, gourmande
la bête indocile. Les commères s'en épouvantent :
« Ah ! mon Dieu ! le bel officier... comme il est
jeune... si son cheval allait le faire tomber !... » et,
sous les rideaux écartés, les demoiselles, aux croisées, s'attardent. C'est ce qui arriva justement au
joli visage aux yeux bleus, apparu sous ses cheveux
blonds, à certaine fenêtre de la rue Sainte-Catherine, qui domine une enseigne où un singe dévide
une pelote, ce gai matin de septembre 1847.

C'est aussi l'agréable surprise de retrouver, par
le plus miraculeux des hasards, ce joli visage
timide entrevu dans la matinée, qui, tout hussard
qu'il était, fit à son tour rougir le sous-lieutenant
Lautaret, le soir du même jour, lorsqu'il se présenta poliment au seuil de la maison habitée par la
famille Brun, son billet de logement à la main, et
qu'il y fut reçu, dès l'abord, par la rougissante
Aricie.

— En voilà bien d'une autre ! pensa Mme Brun
quand elle fut avisée par sa fille que la mairie lui
envoyait un pensionnaire. Comme si nous n'avions
pas assez à faire sans avoir encore à loger de la
cavalerie !

Mais la maison Brun n'était pas la seule à recevoir
ainsi des militaires. Chacun des voisins avait son
hussard, parfois plusieurs, et même des chevaux,
suivant la place disponible. M. Lautaret fit d'ailleurs très vite la conquête de la maisonnée. Il n'était
pas gênant. Il n'arrivait rue Sainte-Catherine que
le soir, pour coucher, et en quittait de fort bonne
heure le matin, appelé au dehors par son service.
Quelquefois il rendait visite à ses hôtes, auxquels

il plaisait. Ses manières étaient décentes, délicates.
Ce contraste n'est pas fréquent chez les guerriers.
Mais tout jeune que fût celui-ci, il avait vécu. Il
avait même fait campagne en Afrique, assez récemment, et combattu ce redoutable Abd-el-Kader
qui venait justement de faire au roi des Français
une soumission éclatante. Le petit cercle des Brun
fut vivement intéressé par le récit que le hussard
fit, avec modestie, de ses campagnes. Il avait été
blessé, était tombé aux mains de l'ennemi, s'était
échappé. Il avait conquis ses galons sur le champ
de bataille, en vrai soldat. Et, des pays africains
traversés, des mœurs étranges des tribus au milieu
desquelles il avait séjourné, il savait, par une parole
facile, tracer avec gaieté des peintures vivantes,
aux couleurs un peu tranchées, mais vigoureuses
et nettes, pour le plus grand plaisir de ses hôtes,
ces citadins casaniers à l'horizon étroit, facilement
émerveillés. Paul surtout en était charmé. Il avait
du goût pour la vie romanesque, et bien que depuis
quelque temps, il aunât pacifiquement de la toile
et détaillât bourgeoisement de la ficelle, dans le
magasin, à des clients sans idéal, ses lectures favo-
rites n'en avaient pas moins continué à l'entretenir
dans la familiarité des lions superbes et généreux,
des bandits honnêtes gens, des courtisanes épurées
par l'amour, et autres poétiques héros qu'on ne
trouve guère, en vérité, qu'au théâtre et dans les
romans, mais il ne lui déplaisait pas de voir en chair
et en os, dans ce charmant hussard tombé du ciel,
un représentant de cette race supérieure et bénie
des dieux qui a couru des aventures, exposé son sang,
donné des coups de sabre et passé à travers la vie
sous le plus ravissant déguisement, et caracolant à
cheval. Au lieu que lui, Paul Brun, lui qui se sentait

dans la poitrine un cœur de lion ! dans les veines
un sang de lave ! et quels tourbillons dans l'esprit !
lui, qui eût tout donné pour avoir été matelot,
voyageur, naufragé, pirate, amant de reines ou
n'importe quoi, mais héroïque, mais sublime, lui,
enfer et damnation ! il aunait misérablement de la
toile dans une arrière-boutique, et n'avait commerce
qu'avec des bourgeois !

Émile écoutait aussi le hussard avec intérêt. Il
rêvait de lointains voyages, mais sans accidents.
Melchior, au tempérament pacifique, lui posait des
questions inquiètes sur les dangers qu'il avait
courus, et tout bas se félicitait, *in petto*, de son sort,
qui jamais ne l'exposerait à de semblables tribula-
tions. Pour Aricie, inclinée sous la lampe, et toute
à son ouvrage, elle écoutait le bel officier sans rien
dire. Parfois seulement, elle levait les yeux sur lui,
à la dérobée, puis elle les reposait aussitôt sur sa
dentelle ou son filet. Elle se taisait avec grâce, n'en
pensant pas moins. Mais le rôle des femmes n'est-il
pas d'écouter, de se taire? Cependant, ceux qui
savent se taire se parlent souvent à eux-mêmes,
au fond de leur cœur : ils jugent, voient, s'efforcent
de comprendre toute chose ; ils sentent, et tout en
s'interdisant de rien formuler de ce qui fait leur
rêverie silencieuse, ils s'en nourrissent en secret,
délicieusement. Aricie était de ces natures repliées
que l'accomplissement du devoir remplit d'une
joie innocente. Modeste, n'attendant rien de la vie,
elle avait une gaieté charmante, elle était le sourire
de cette vieille demeure noircie par le temps où chacun, depuis des années, avait sa tâche, son labeur.
Qui veillait, sinon elle, à ce que les étains fussent
brillants sur le buffet, les meubles astiqués, les
vases bien garnis de fleurs? Qui, de la pièce vide

affectée au jeune officier, le soir même de son arrivée,
avait fait, avec quelques riens, des rideaux propres
aux fenêtres, un napperon neuf sur une table, un bouquet dans une potiche, la plus jolie chambre de la
maison? Pas Caroline assurément, qui n'avait pas
de temps à perdre à des babioles ; ni les garçons.
Mais Aricie. Elle aimait naturellement l'ordre, la
propreté, les choses nettes ; et, pour tout dire, elle
avait cet orgueil des humbles, qui savent si bien
donner l'apparence de luxe, par le simple souci
d'avoir du soin.

Le fait est que l'arrivée de M. Lautaret rue
Sainte-Catherine avait transformé la maison. Dans
ce cadre médiocre où jamais nul souffle n'avait
pénétré, il s'était fait un grand déplacement d'air
dont chacun était étonné. Avec l'insouciance de
son âge et la saine gaieté de son état, sensible à la
sympathie de ses hôtes, M. Lautaret se trouvait
fort agréablement chez eux. Il demandait seulement
qu'on ne se dérangeât point pour lui. De temps à
autre, charmé de l'enthousiasme débordant du jeune
Paul à son endroit, il venait passer une soirée avec
les Brun. Il montrait même de l'intérêt aux études
d'Émile et de Melchior ; et bien qu'il eût rarement
rencontré des jeunes filles dans les diverses garnisons qu'il avait faites, il ne manquait jamais
d'adresser quelques mots gentils à la bonne et
secrète Aricie : tantôt pour la remercier des fleurs
dont elle avait orné sa chambre, en son absence ;
tantôt pour la féliciter de sa belle mine, ou de sa
robe, ou du bon ordre de la maison. Ces flatteries
délicates touchaient la jeune fille, qui répondait
en s'effaçant. Elle, si vive d'habitude, en présence
des étrangers, devenait réservée, muette. Mais sa
réserve n'était pas gauche. Elle se trouvait stu-

pide, cependant ; elle s'en voulait d'être à ce point
intimidée par ce hussard si preste ; et quand il lui
adressait la parole, elle se croyait bien sotte, à ne
savoir que lui répondre.

Il était si aisé, si naturel aussi ! Comme il paraissait intelligent, supérieur ! Aricie n'avait jamais
rien vu de comparable à ce beau jeune homme ;
rien, si ce n'est dans les contes de son enfance, ces
chevaliers délicieux dont la mission est de s'en aller
par le monde, à cheval, dans une cuirasse d'or et
la lance au poing, délivrer de tristes princesses,
captives d'affreux enchanteurs. A la cuirasse près,
M. Lautaret, aux yeux d'Aricie, était l'un de ces
chevaliers. Il en avait même la lance. Et quel pim-
pant costume, si seyant : le dolman noir à tresses
d'or, la fourragère, les épaulettes, et le vaste pantalon bleu céleste à basanes, à passe-poil noir, et
le shako d'azur !... Et quelle grâce, lorsque, descendant de cheval, jetant les rênes à son ordonnance,
il la saluait poliment ! Comme il se transformait
soudain, ce rude soldat à la voix brève, au regard
net, quand il s'inclinait devant elle, en entrant
dans le magasin, pour gagner sa chambre, et d'un
mot, avec un sourire, lui demandait de ses nouvelles,
ou vantait la beauté du jour !

Avant qu'elle eût vu ce brillant cavalier, Aricie
n'avait jamais rien admiré. Elle se contentait
d'aimer ce que Dieu avait mis autour d'elle : ses
parents, ses frères, le grand-père Lesprat. Ses cousins
Coutre l'étonnaient dans leur riche maison de la
Souys : pourtant elle ne les enviait pas, et, qu'ils
eussent une autre existence que la sienne, elle
trouvait cela naturel. Mais avec M. Lautaret, sans
se le dire à elle-même, Aricie découvrait un monde
nouveau dont elle n'avait point eu l'idée seulement,

jusqu'alors : un univers hardi, aux couleurs vives,
peuplé d'êtres au cœur généreux, dévoués à de
grandes causes où l'intérêt mesquin de l'argent à
gagner ne comptait pas, comme ce soldat coura-
geux et spirituel, aussi élevé au-dessus d'elle que
le champ de sa vie aventureuse était différent de
l'horizon borné de la rue Sainte-Catherine ; un
univers tout rempli d'actions sublimes, de gloire,
de grands sentiments tels qu'on en voit dans les
romans, aux héros desquels ce joli hussard la faisait penser, comme la vue d'une statue parfaite fait
penser aux dieux. Dans son esprit, Aricie était reconnaissante au jeune homme de lui avoir ouvert les
yeux sur cet univers qu'elle ne connaissait pas avant
lui, mais qui existait sûrement, puisqu'il existait,
lui, sur cet univers supérieur, admirable et parfait, dont elle découvrait la possibilité dans son
propre cœur, que chacun de nous porte en soi,
qu'un hasard souvent nous révèle, et qui s'appelle
l'idéal.

*
* *

Or, un matin, selon sa coutume, Aricie vaquait
aux soins domestiques, dans la salle commune qui
s'étendait au fond du magasin, au rez-de-chaussée.
Les fenêtres en étaient ouvertes sur la cour, où,
comme chaque jour, de bonne heure, un hussard
tenait en main le cheval du sous-lieutenant Lautaret.
Aricie vit M. Lautaret descendre, la saluer, puis
s'approcher de l'animal, dont il vérifia les sangles.
Elles n'étaient pas assez serrées. Relevant le quartier de la selle, qu'il tint soulevé sur son front,
comme le font les cavaliers, il saisit à pleine main
la courroie qui assujettissait la sangle, mais le cheval impatient fit un écart, et si brusquement que

l'ardillon de la boucle pénétra profondément dans
la paume du jeune homme, qui poussa un cri.
Aricie le vit, de sa fenêtre, qui secouait sa main
ensanglantée, elle pâlit aussitôt à son cri. Il se mit
à rire, et de loin, lui montrant sa blessure :

— Je me suis coupé, dit-il, ce n'est rien.

Puis il vint vers elle et lui demanda un peu d'eau.
Aricie s'empressa. Elle apporta un bol, un mouchoir,
un petit flacon d'arnica ; et elle-même, comme elle
le faisait à ses frères, quand ils étaient tombés,
s'étaient écorché le genou, elle se mit à laver la
plaie. M. Lautaret était debout à côté d'elle, près
de la fontaine ; elle tenait sa main, la paume en
dehors, et, penchée sur elle, elle la pansait. Ils ne
disaient rien. Les doigts d'Aricie tremblaient seulement un peu, mais comme il avait le front baissé
elle ne voyait pas le regard du jeune officier. Le
cœur lui battait cependant à l'aspect de ce beau
sang rouge qui colorait l'eau de son bol. Elle banda
soigneusement la main déchirée ; quand ce fut fini,
elle releva la tête. Alors elle découvrit le visage du
jeune homme et son air troublé. Et lui, la voyant
si pâle, il fit un pas vers elle. Elle demeurait
interdite ; elle ne s'était jamais connue si gauche,
si hésitante... De sa main valide, M. Lautaret prit
la main de la jeune fille, l'appuya vivement sur son
cœur. Il battait si fort ! Puis, l'ayant attirée brusquement, il l'embrassa très vite, sur le front, dans
les cheveux, et il se sauva, comme un fou.

*
* *

Aricie était bouleversée. Elle rêvait encore,
abîmée sur un escabeau, son mouchoir souillé de
sang aux doigts, un quart d'heure après, lorsque

sa mère descendit (Aricie était levée la première avant tout le monde). Caroline en l'apercevant crut qu'elle s'était blessée : Aricie dut raconter l'incident. Mais elle le fit d'un air si distrait, d'une voix si changée que Mme Brun regarda sa fille : elle ne la reconnaissait plus.

Toute la journée Aricie se tut. Elle se détestait ; elle ne savait que penser ; elle s'accusait dans son cœur, se trouvait fautive, elle avait honte d'elle-même. Le soir, elle ne voulut pas dîner, et monta dans sa chambre à cinq heures, prétextant qu'elle n'était pas bien : elle avait une peur affreuse de revoir M. Lautaret. Elle l'entendit rentrer, et le pas de son cheval dans la cour, et lui qui montait l'escalier. Elle était au pied de son lit, en prière. Toute la nuit, elle fut agitée. Elle rougissait toute seule, se croyait coupable ; et cependant, en repensant à ce baiser volé, elle frémissait, fermait les yeux : elle ne savait quelle chaleur se répandait en vague dans son cœur. Le lendemain, à travers son rideau, elle guetta le départ de l'officier. Elle ne lui en voulait pas, elle s'accusait d'avoir peut-être provoqué sa hardiesse. Elle seule. Elle ne descendit qu'après s'être assurée que Lautaret était parti, et trouva sa mère au comptoir.

— Je vais à Floirac, déclara-t-elle. Je vais voir notre oncle l'abbé. Il y a longtemps que nous n'avons reçu de ses nouvelles. Il est peut-être malade.

Caroline approuva le projet d'Aricie. En remontant dans sa chambre, afin de mettre son chapeau, Aricie trouva sous la porte un billet qu'elle n'avait pas aperçu en descendant. Elle l'ouvrit en tremblant. C'étaient deux lignes griffonnées : « Mademoiselle, pardonnez-moi. Il faut absolument que je vous parle. Ne vous croyez pas offensée. Croyez à

mon plus respectueux attachement. » Le billet
était signé Lautaret. Aricie le cacha dans son corsage. Elle s'habilla vite, n'avait qu'une idée : quitter
au plus tôt la maison, cacher son trouble à sa mère,
à Paul, aux enfants. Il lui semblait qu'il n'était
déjà que trop visible à tout le monde, et qu'elle en
portait la cause imprimée en rouge sur le front, sur
ce front où elle sentait encore, comme une brûlure
délicieuse, ce baiser.

C'était sa première pensée, quand elle éprouvait
un tourment, quand elle se sentait l'âme en peine :
aller à Floirac, voir son vieil oncle le curé, lui confier
son secret, lui ouvrir son cœur débordant. Le prêtre
la comprenait : il était si bon, si indulgent ! Il
savait si bien aider les âmes à se décharger ! Et celle
d'Aricie en avait tant besoin, elle qui jamais ne pensait à elle-même, et qui jamais ne se fût permis de
se plaindre. A qui, d'abord ?

A sa mère, elle n'eût pas osé, de crainte de lui
faire injure et de manquer de respect à son courage,
en le méconnaissant au point de venir s'ouvrir à
elle de maux légers, à elle qui en avait supporté
de si grands. Pour ses frères, ils étaient gentils
avec elle, bons et doux. Mais les sérieux secrets
d'une fille, comment les pénétreraient-ils ?... Seul
le digne curé de Floirac, nonobstant ses soixante-dix
ans, demeurait, parmi tous les siens, pour Aricie,
le seul être humain qui sût la comprendre et la consoler. Aujourd'hui, dans son trouble et dans son
remords, elle venait à lui, lui demander secours,
protection et lumière dans ses ténèbres. Elle y
pensait dans la diligence qui mène à Floirac, taciturne en son petit coin, inattentive aux conversa-
tions de ses compagnons de route. Elle se disait :
« Mon bon oncle me conseillera, me viendra en aide.

Que dois-je faire? je lui dirai tout... » Elle se confes-
serait au vieillard, elle poserait sa tête sur ses genoux, assise par terre à ses pieds, comme quand
elle était petite ; là, elle pleurerait, tout à son aise,
et lui, elle entendait déjà sa voix un peu chevro-
tante, qui la bercerait, ferait à nouveau la clarté
en elle ; elle sentait déjà les caresses dont il lui
tapoterait les joues.

Et cependant, elle sentait sous son corsage,
contre sa peau, le billet de M. Lautaret qu'elle avait
trouvé sous sa porte. Il fallait qu'il l'eût déposé
avant de partir, le matin. Elle ne l'avait pas entendu
passer. C'est qu'il l'avait porté pendant la nuit,
tandis qu'elle était assoupie. Pourtant elle avait si
peu dormi... Ainsi, il n'avait pas dormi, lui non plus.
Il pensait à elle. Qu'avait-il cru en ne la voyant pas
attablée, au milieu des siens, la veille au soir?
Qu'elle était malade? irritée? Elle imaginait sa
peine ; elle en souffrait. Il n'était pas coupable ; il
avait été bien hardi, mais enfin... Un soldat est
bien pardonnable. Et celui-là, si charmant, si beau,
si doux, bien plus qu'un autre. On avait dû l'aimer... Et sa main blessée? Elle ne s'était pas enve-
nimée, au moins? Qui l'avait pansée à nouveau?

Aricie revoyait la scène ; elle réentendait le cri,
et son cœur battait en désordre, au seul souvenir
de ce cri. Elle se voyait debout, et lui près d'elle ;
elle sentait sa main dans la sienne, cette main
mâle et douce à la fois, et ce sang qui ruisselait.
Puis, soudain, sa main posée de force sur ce dolman,
à la place du cœur qu'elle avait senti battre à
coups sourds, puissants, sous les boutons dorés
et la passementerie des soutaches... et ce mouvement irrésistible dont il l'avait attirée à lui : son
baiser... Aricie se cachait le visage dans ses mains,

en l'évoquant ; il lui semblait que chacun, dans la
diligence, devait deviner sa pensée, saisir la raison
de son trouble.

...Le jour touchait à sa fin, dans le jardin du
presbytère, et Aricie n'avait pas encore parlé. Elle
ne savait comment s'y prendre, maintenant, ayant
si longuement tardé. Deux fois déjà, faisant
effort sur elle-même, elle avait ouvert la bouche,
auprès du prêtre, mais s'était arrêtée aussitôt,
avait parlé d'autre chose. Le bonhomme était
demeuré bavard : il était aussi un peu sourd. Le
moyen d'aller crier une confidence qui voudrait
n'être faite qu'à voix basse, et dans l'ombre, à
quelqu'un qui n'entend plus guère ! Et dans ce
jardin lumineux ! La malheureuse Aricie avait le
cœur bien gonflé de ce secret si difficile à dire. Elle
cueillait des fleurs, les dernières nées de l'automne,
dans le jardin à l'abandon. L'abbé Lesprat, avec
l'âge, ne leur prodiguait plus que des soins avares,
économisant ses forces pour ses seuls melons, qu'il
continuait d'entretenir comme par le passé, avec
une tendresse touchante. Par contre, il avait cessé
de s'intéresser à la mécanique, la machine de Marly
ne fonctionnait plus, le chemin de croix était dé-
moli, la scierie arrêtée.

A côté du prêtre, Aricie revenait doucement, à
petits pas. Devant ses melons, il s'arrêta pour
enlever du doigt les feuilles déjà jaunies.

— Ce pauvre Nestor, soupira-t-il en pensant à son
défunt lièvre. Ce pauvre Nestor... comme il serait
content s'il pouvait manger ces bonnes fanes !...

— Comment lui parlerai-je ? se demandait Aricie,
dans l'angoisse. Si je ne lui dis pas tout aujourd'hui,
je ne reviendrai pas avant huit jours...

Cette pensée lui donna des forces, elle ne pouvait
supporter l'idée de rester si longtemps avec ses
scrupules. Et quelle conduite à tenir, si le prêtre
ne la conseillait pas, ne venait pas à son secours?
Elle cueillit encore une fleur.

— Eh! petite... tu m'en laisseras! fit l'abbé en
apercevant la gerbe que sa nièce tenait dans ses
bras. Mlle Escoube se marie demain. Avec quoi
garnirai-je mon autel, si tu me prends tout?

Une cloche se mit à sonner. « C'est Caroline », fit
le prêtre. Il hochait la tête, avec un sourire béat,
en suivant du doigt l'argentine chanson de bronze,
dans la paix du soir.

Aricie l'écoutait aussi, le cœur gros. Mlle Escoube
se marierait demain. Il faudrait lui laisser des
fleurs.

— Je vais les mettre moi-même dans les vases,
dit-elle.

Et tandis qu'elle arrangeait les fleurs rustiques,
elle fit un effort, et d'une voix qu'elle ne reconnut
pas :

— Ah! mon oncle... où avais-je la tête! Je ne
vous ai pas dit... Il est arrivé de la troupe à Bordeaux... Nous logeons un hussard rue Sainte-Catherine.

Elle n'en dit pas plus long, car elle éclata en san-
glots, en tombant dans les bras du prêtre.

C'est de la sorte qu'Aricie s'aperçut qu'elle avait
un cœur.

VI

LES FIANÇAILLES

Comment cela s'était-il fait? Aricie elle-même n'en savait rien. Le papillon dont on voit miroiter au soleil la diaprure de ses ailes, sait-il ce qui l'a transformé? Aricie n'aurait pu davantage expliquer le changement qui s'était en si peu de temps produit dans sa vie. Elle aimait, elle était heureuse ; elle était aimée ! A peine parvenait-elle à retrouver les diverses étapes qu'elle avait si rapidement franchies, tant les choses avaient été vite.

Le lendemain de sa visite à l'oncle curé, — il s'était montré si humain, si finement intelligent ! — le sous-lieutenant Lautaret qui la guettait au rez-de-chaussée, quand elle descendit, l'avait surprise : tout de suite, il lui avait demandé d'être sa femme. Il l'aimait depuis le premier jour, depuis qu'il avait aperçu son visage, à la fenêtre de la rue, le matin de son arrivée. Il avait longtemps réfléchi, il était las de la vie instable, jamais reposée, du soldat. Demi-orphelin, maître de lui-même, il désirait de se fixer : l'amour lui avait dessillé les yeux. Il suppliait très humblement Mlle Brun de le vouloir bien accepter pour époux... Aricie n'avait pas dit non. Et, sauf qu'il en fallait d'abord parler au grand-père, Caroline non plus n'avait pas élevé d'objections à ce projet, quand Aricie, toute trem-

blante, lui en était venue confier l'émouvante nouvelle. Paul exultait à la pensée d'avoir pour beau-
frère un héros. Barthélemy Lesprat accorda son
consentement. Aricie en fut transportée. Tout le
monde en cette occasion paraissait heureux : Aricie
se sentait aimée, chère à tous. A tous, jusqu'aux
cousins Coutre, en dépit de quelques sourires dont
l'ironie dissimulait mal une secrète jalousie : ces
gens-là ne pouvaient jamais se faire à l'idée du
bonheur des autres. Mais va-t-on sentir ces nuances
quand on est aussi pleinement enivrée que l'était
Aricie? Son visage radieux illuminait la sombre
maison de la rue Sainte-Catherine. Où donc avait-
elle appris à être tout à coup si jolie, la petite
Aricie, jusque-là timide, modeste, effacée? Elle
devenait distraite, dans sa joie, s'oubliant parfois
jusqu'à ne rien faire, enfoncée dans une rêverie
si pleine, si riche, si débordante. Toute la tendresse
inemployée de son cœur, ses réserves inépuisables
d'affection trouvaient maintenant leur utilité. Elle
était amoureuse. Elle se regardait au miroir, de
temps en temps, sans se reconnaître ; elle riait,
elle ne retrouvait plus rien d'elle-même. Quoi?
Ces yeux ravissants, d'un bleu si fin, si transparent,
c'étaient les siens? Ces cheveux, d'un or si doux
sous leur double bandeau, c'étaient ses cheveux?
Elle se voyait avec étonnement presque jolie, elle
qui ne s'était jamais regardée dans une glace ; et
puis soudain elle s'attristait. Non, elle n'était pas
jolie, elle était laide, elle se trouvait le bout du nez
carré, les cils courts ; elle aurait voulu être brune,
et que ses yeux fussent noirs et brillants. Elle se
détestait de n'être point belle à ravir pour ce charmant cavalier, si supérieur, qui voulait bien l'aimer,
qu'elle plaçait si haut et voyait si grand à côté

d'elle qu'il lui semblait toujours qu'il était obligé
de se baisser pour lui parler, comme on fait aux
petits enfants... Le bel officier paraissait-il, le pas
de la jument *Fanfare* retentissait-il dans la cour,
le chagrin d'Aricie s'envolait, elle était toute à son
amour, à son bonheur. Elle éclatait de rire, séchait
une larme au bord de ses cils, puis elle se mettait
à chanter... Aricie était amoureuse.

La maison participait à ce bonheur. Caroline
attendrie devenait indulgente, se laissait aller à
sourire. Elle se rappelait son bon temps, son émoi
aux premières paroles de Julien. Elle se rappelait
le petit jardin de Floirac, où avaient fleuri ses
amours, et elle ne disait rien quand Aricie, la tête
ailleurs, oubliait de mettre la nappe, ou descendait
un peu plus tard que de coutume. La pauvre
enfant découvrait la coquetterie. Sa mère hochait
doucement les épaules et laissait faire. Aricie était
émue aux larmes de cette indulgence : elle n'y
était pas accoutumée. Elle voyait ses frères joyeux,
et elle les en aimait davantage. Paul surtout montrait un contentement enfantin, à croire que c'était
lui, l'amoureux. Sa gaieté était héroïque. Il décla-
mait en rugissant des vers enflammés, et son
lyrisme étonnait au comptoir les modestes clients
qui lui venaient demander du madapolam, qu'il
leur mesurait généreusement au nez, sur le mètre
fixé au plafond, au bout d'une tige de fer, avec des
gestes emphatiques. C'était un garçon spirituel en
dépit de son romantisme. Il excellait à croquer les
gens, en faisait de narquoises caricatures, et jusqu'à
celle du grand-père Lesprat, particulièrement dans
la scène, maintes fois mimée, où le vieillard avait
donné son consentement à M. Lautaret. En cette
remarquable occurrence, Paul avait accompagné

l'officier à la Souys. Il singeait de façon comique
le bonhomme aux bajoues engoncées dans son
vaste col, fort ému au fond de lui-même, nonobstant
l'air condescendant qu'il se donnait.

— Monsieur, avait dit Henri Lautaret, j'ai
l'honneur de vous demander la main de mademoiselle votre petite-fille.

Et Paul, imitant la voix, les gestes, la tenue des
interlocuteurs, répétait la scène, à laquelle, témoin
malicieux, il avait assisté, d'ailleurs attendri.

« Asseyez-vous, monsieur », disait le grand-père.
Puis : « Jeune homme, votre procédé m'est sensible,
et les sentiments d'honneur que vous a inculqués
l'uniforme dont vous êtes revêtu... » De doctrinal,
devenant paternel, il nommait le jeune hussard
« mon cher enfant », puis, bientôt « mon cher monsieur Henri », puis « Henri » tout court. L'entretien
épuisé, il se levait, serrait son futur petit-fils sur
sa poitrine, appelait Félicité, réclamait des biscuits, levait son verre à la santé des fiancés, à la
prospérité du roi, à la gloire de l'armée française.
Puis, fatigué d'un si long discours, il avait emmené
M. Lautaret voir les cloches à l'abri desquelles
avaient mûri, l'été précédent, ses derniers melons,
et il l'avait ensuite congédié sur un « bonsoir, monsieur » très digne, dont l'irrévérencieux Paul Brun
faisait la parodie à mourir de rire.

— Ah ! mon Paul, que tu es taquin ! disait Aricie.
Et Caroline souriait. « Ce Paul, tout de même !... »
Lautaret écoutait la comédie en s'amusant, et sous
cape, à la dérobée, il envoyait des baisers muets à sa
fiancée.

Son père, ancien officier de Napoléon, était mort,
jeune encore, en 1820, du chagrin de ne plus servir.
Il avait été mis en demi-solde après les Cent-Jours.

Élevé par sa mère, remariée depuis, Henri Lautaret
s'était engagé à dix-huit ans. Il avait conquis ses
galons en Afrique, au feu, sous Lamoricière et
Bugeaud. Deux fois blessé, à l'Isly d'abord, puis
dans un combat d'avant-postes, aux alentours de
Tlemcen, rebuté par quelque injustice et les difficultés d'un avancement qui, désormais, serait
d'autant plus long à obtenir que les opérations
militaires paraissaient être terminées en Algérie
depuis la reddition d'Abd-el-Kader, et que d'ailleurs
il avait été renvoyé en France, il voulait sortir de
l'armée. Il avait vingt-huit ans, un petit pécule, et
se sentait du goût pour tenter la fortune commerciale ; Lesprat avait parlé de l'intéresser à ses
affaires. Comme il connaissait l'Algérie, on pourrait
peut-être trouver là un débouché nouveau pour la
maison Lesprat et Coutre. L'avenir s'ouvrait sous
de bons auspices au jeune ménage. Lesprat et Caroline Brun se félicitaient de l'événement. On pensait
que les épousailles auraient lieu dans les premiers
mois de 1848. Il fallait seulement que Lautaret
démissionnât au préalable. Il fut décidé qu'il demanderait un congé en janvier et irait lui-même à
Paris solliciter du ministère la faveur d'être rayé
des cadres. Le mariage se ferait à son retour.

Ce jour-là, il y eut un grand branle-bas rue
Sainte-Catherine. On y devait célébrer dans un
dîner les fiançailles officielles d'Aricie Brun et de
M. Henri Lautaret. Ainsi en avait décidé le despotique Barthélemy Lesprat, de qui ces nouveautés
avaient ragaillardi l'ardeur, un peu tombée au cours
des années précédentes. Bien qu'il habitât désormais la Souys, son cœur était demeuré dans la
vieille maison bordelaise où sa carrière avait tout
d'abord débuté. « Aricie est Brun, avait-il dit ;

qu'elle se marie dans la maison où est mort son père. » Peut-être à part lui jugeait-il qu'il n'était plus assez le maître, à la Souys, pour y fêter selon son cœur sa petite-fille. Les Coutre avaient tout envahi.

Le magasin resta donc fermé le jour des fiançailles d'Aricie. Dès l'aube, elle-même et sa mère donnèrent tous leurs soins à préparer la cérémonie du soir. L'ordonnance de Lautaret aida la servante Bernarde. Barthélemy Lesprat s'était réservé le délicat travail d'ordonner lui-même le menu, de surveiller les vins. Les étains brillaient, les meubles étincelaient sous l'encaustique. On avait, pour la circonstance, emprunté au comptoir la plus fine nappe du magasin, et bien que l'on fût en hiver, les vases étaient garnis de fleurs. En donnant le dernier coup d'œil à la table dressée, Aricie se laissa aller à un excusable mouvement de vanité, et se dit que ses cousins pouvaient venir : si difficiles qu'ils pussent être, ils seraient reçus dignement.

Lesprat arriva le premier, imposant, soufflant, lourd de majesté patriarcale. Il portait une sérieuse redingote étroitement boutonnée, à la Guizot, sur son gros ventre ; il avait le menton enfoncé dans une cravate à triple tour, un pantalon avec des sous-pieds. Tout son air respirait la gravité, l'importance, la considération de soi-même, la juste notion du devoir longuement accompli. Quand il recevait une adresse, aux Tuileries, le roi lui-même devait montrer moins de componction. L'abbé Lesprat arriva avec son frère. Il fallait un tel événement que le mariage d'Aricie pour le déloger de son presbytère, d'où il se flattait de n'avoir pas quitté depuis la mort de Louis XVIII. On installa les deux vieillards dans des fauteuils, de part et d'autre de

la cheminée ; ainsi casés, chenus et dignes, ils y
avaient un air de meubles. Et tandis qu'au dernier
moment Caroline était montée mettre sa robe,
qu'Aricie recommençait pour la troisième fois sa
coiffure, que M. Lautaret veillait au débouchage
des bouteilles, que le jeune Melchior méditait de
rien, dans un coin, selon son usage, Paul tenait
compagnie à son grand-oncle et à son grand-père.
Quant à Émile, il était parti depuis deux mois
déjà pour l'Amérique, avec une petite pacotille.
On l'avait embarqué le jour de ses vingt et un ans.
Comme il voguait encore en mer, et ne pouvait
recevoir de nouvelles, il ignorait le grand événement
qui portait tant de trouble chez les siens. L'absence de ce frère bien-aimé était la seule ombre au
bonheur d'Aricie.

A sept heures, une calèche s'arrêta devant le
magasin. C'étaient les Coutre. Les enfants descen-
dirent d'abord, Eugène et Julie, comme d'une
boîte, sans songer seulement à donner la main à
leur mère pour l'aider à sortir du véhicule, nonobstant ses amples atours. Ils s'arrêtèrent un instant au seuil du magasin. Ils n'y avaient jamais
encore mis les pieds, et, dans leur orgueil, ils souf-
fraient de s'abaisser jusqu'à venir dîner dans une
boutique. Eugène surtout, dont le dandysme était
la grande affaire. A quatorze ans, c'était un jeune
homme fashionable, déjà vêtu de la façon la plus
cherchée. Bien qu'il ne fût pas des Chartrons, il y
était reçu, et tenait cet extraordinaire privilège
autant de la situation que son père occupait depuis
quelque temps à la Chambre de commerce, qu'au
soin avec lequel il choisissait ses relations, exclusivement composées des fils des grands marchands de
vin, cette aristocratie bordelaise ; lorsqu'il parlait de

ses amis, il avait toujours l'air d'inventorier une cave.

M. Prosper Coutre parut derrière lui, les favoris plus sombres que jamais, les lèvres pincées, une large chaîne d'or à breloques tendue autour de son ventre imposant, qui semblait toujours le précéder d'un pas ; le visage exact et glacé de l'homme d'affaires, à qui nul n'en saurait remontrer et que rien, jamais, ne surprend. Sa femme le suivait, vaine, charmante et parfumée, en crinoline, le bout de ses mains délicates apparaissant sous ses mitaines de dentelles, l'air agréable et nonchalant, cet air de duchesse, dont Lesprat était fier. Pour un peu, s'il n'eût craint d'être rabroué par son gendre, qui ne trouvait pas de bon ton d'entendre raconter des anecdotes, le bonhomme, en la voyant entrer, eût été tenté de rappeler l'histoire de la duchesse de Berry, et comment, sur la route de Saintes, on avait arrêté sa fille, au lieu et place de la petite-fille de saint Louis.

Estelle Coutre avait apporté des cadeaux pour Aricie : de la dentelle, un châle merveilleux de Cachemire, une boucle de ceinture ornée d'un camée, une robe de taffetas changeant, avec des ballons et des ruches, le tout en de vastes cartons, comme pour un déménagement. Après que se furent calmées les effusions qui accompagnèrent leur entrée, Prosper fit apporter les cadeaux par le cocher. Il avait demandé le silence, aimant à donner à ce qu'il faisait un caractère impressionnant. A l'occasion du mariage d'Aricie, il entendait se montrer généreux et qu'on pût dire qu'il avait très bien fait les choses.

Tandis qu'Aricie ouvrait les cartons, aux cris admiratifs des assistants, Prosper, imperturbable,

jouissait de leur étonnement. Il savourait assez
d'humilier autrui par son luxe et que ses présents
disproportionnés accusassent davantage encore le
grand honneur qu'il accordait à sa belle-sœur, à
sa nièce, en se mêlant avec les siens à leurs agapes.

L'innocente Aricie, trop droite pour sentir si
loin, se récriait. La robe lui parut divine. Jamais
elle n'oserait la porter.

— Mais, ma tante ! c'est trop beau... c'est trop
beau pour moi ! Que vous êtes bonne !... Jamais je
n'oserai mettre cela.

Caroline gronda doucement sa sœur, pour ses
folies.

— Bah ! tais-toi... tu n'aimes pas le luxe, toi !
fit rudement le vieux Lesprat, que la prodigalité
des Coutre étonnait, autant qu'il était flatté par le
bon goût d'Estelle.

Aricie esseya le châle. A cause de ses riches couleurs, il détonnait sur ses épaules, le contraste était
trop vif avec sa simple robe d'organdi. Le jeune
Eugène en pouffa malhonnêtement dans ses mains.
Il donnait de grands coups de coude à sa sœur, avec
ironie, et contrefaisait son grand-père : « Tu n'aimes
pas le luxe, toi !... » Ce qui excitait sa verve, surtout,
c'étaient les mains de sa tante Caroline, ces rudes
mains de ménagère, robustes, jaunes et tannées.
Sa mère dut intervenir, assez mollement, pour le
faire taire : « Allons, finis de te moquer... » Le dandy
n'en continua pas moins de ricaner.

— A table ! fit Barthélemy, quand on eut
admiré les cadeaux. Il avait repris de l'autorité, à
retrouver les aîtres qui avaient été les siens, s'y
sentait chez lui. Il se mit à la place d'honneur,
entre ses deux filles, Aricie en face de lui, son
fiancé à côté d'elle. L'abbé Lesprat était à sa droite,

Prosper Coutre près de l'officier ; les enfants s'installèrent aux bas bouts. On dut séparer Eugène et
sa sœur Julie. Eugène, dépité, se prit à bouder, et
ne dit plus rien de tout le dîner. Henri Lautaret
était calme, Aricie vaguement troublée, Paul ner-
veux. Il tortillait un papier entre ses doigts, sous la
table, et par instants y jetait un regard, à la dérobée.

Le potage fut d'abord absorbé en silence. On
n'entendait que le bruit des cuillers et la déglutition
des convives. En bons Bordelais, ils mangeaient et
buvaient sans parler autrement que dans l'intervalle
des services, tout à la dégustation de leurs vins.
Barthélemy produisait en mangeant un bruit épais
de mandibules ; à la réprobation dégoûtée de Coutre,
au sourcil froncé, il ne se prétendait gêner en rien :
c'est un privilège de l'âge. Après le potage, il se
renversa dans sa chaise, et dégrafa le premier bou-
ton de son pantalon, qu'il appelait le bouton-
maître. Puis il apostropha son frère :

— L'abbé, c'est grand dommage que la saison
en soit passée : nous aurions pu comparer nos
melons !

Il s'excita sur ce sujet, qui lui tenait à cœur.
Échauffé par les premiers vins, Prosper Coutre
entreprit Lautaret, jugé seul digne d'une conversation un peu suivie, sur les débouchés que la nouvelle
colonie d'Algérie pouvait procurer au commerce
des bois. Il haussa rapidement la question jusqu'aux
vues les plus élevées sur la politique pratiquée
depuis trop longtemps par le gouvernement, relativement à l'exportation, critiqua avec l'accent
d'une fermeté attristée la conduite des affaires
publiques, se plaignit avec amertume de l'incapa-
cité de ceux qui font les lois, du mauvais état des
affaires, de la récolte insuffisante et de la baisse

générale des valeurs. Pour se désennuyer, il parla
longtemps. Il vitupéra les scandales, déplora la
publicité des récents procès intentés pour préva-
rication à MM. Teste et Cubières, membres de la
Chambre des Pairs, et regretta que la justice du
roi n'eût pu empêcher le duc de Choiseul-Praslin
de se donner la mort dans sa prison, se privant
ainsi du moyen de faire un exemple : si M. le duc
et pair avait été guillotiné sur la place publique,
pour l'assassinat de sa femme, comme un vulgaire
malandrin, le prestige de la justice en eût été accru
et rehaussé, les principes d'autorité consolidés.
Au reste, tout allait mal. Le pays était inquiet, la
société malade. Prosper Coutre ne cachait pas son
mécontentement. Cependant, en homme d'ordre,
il ne voyait pas d'un bon œil l'agitation se propager
dans toute la France, et blâmait avec énergie la
funeste campagne des banquets, dont le susdit
principe d'autorité, déjà nommé, était ébranlé.
Il tenait MM. Odilon Barrot, Duvergier de Hauranne et consorts pour de dangereux pêcheurs en
eau trouble ; il lâchait le mot, des jacobins. Quant
aux écrivailleurs de feuilles publiques, un Louis
Blanc, un Michelet, dont les noms commençaient
à se répandre, c'étaient des insulteurs gagés. D'ailleurs, la presse devait être muselée. L'avenir lui
paraissait sombre, l'étranger hostile ou méfiant.
Selon lui, il fallait procéder à des réformes radicales.
Il ne disait pas lesquelles.

L'éloquence de M. Prosper Coutre fut inter-
rompue par la nécessité de donner son avis sur
l'ordre dans lequel les vins devaient être servis.
Les huîtres voulaient le Barsac : l'accord était fait
sur ce point. Il fut moins aisé de l'établir sur celui-
ci : fallait-il boire avec la première entrée (c'étaient

des quenelles) le Château Yquem 1815, ou bien le
réserver pour la seconde, constituée par une alose,
et débuter par le Haut-Brion 1837 ? Barthélemy
tenait pour l'Yquem tout d'abord, et Prosper pré-
conisait le Haut-Brion : il émit gravement que les
vins se doivent goûter dans l'ordre progressif de
leur chaleur et de leur bouquet, le Haut-Brion
cédant le pas au Château Yquem. M. Coutre fils
sortit alors de son mutisme. Donnant tort à son
père, il se rangea, non sans humeur, à l'opinion
de son grand-père, ayant toujours vu servir le
Château Yquem en premier sur la table de tous ses
amis, « qui s'y connaissaient, je suppose. »

Cette autorité l'emporta. M. Prosper Coutre
haussa les épaules, d'un air de commisération, et
déclara que pour sa part il ne consentirait jamais
à ce crime de lèse-majesté vinicole. On trancha la
difficulté en servant les deux vins litigieux en même
temps. Un émouvant silence s'établit. Barthélemy
le rompit seulement pour annoncer l'année de ces
crus vénérables. Chacun se plongea dans son verre.

Lesprat buvait, bien enfoncé dans son fauteuil,
le coude sur la table, l'œil émerillonné : il prenait
une petite gorgée, l'avalait, faisait claquer sa
langue, hochait du chef. Prosper faisait artistement
tourner le nectar dans son verre, en examinait la
couleur, en supputait la siruposité à l'adhérence du
liquide sur la paroi du récipient, en reniflait ensuite
le parfum, et puis il y trempait ses lèvres, et, avant
que de l'absorber, il se rinçait la bouche à gros
bouillon, avec la gorgée qu'il avait prise. Puis il
restait en arrêt un instant, l'œil abstrait et sans
voir personne. Il opinait ensuite, froidement, en
se gardant de tout excès d'enthousiasme, en homme
qui en a bu bien d'autres. Eugène réclama un bol

pour y rincer son verre, après avoir bu comme il
l'avait vu faire aux amateurs : il demanda même
un verre de cristal, « ne pouvant pas boire là dedans »,
dit-il avec une moue, en repoussant le simple go-
belet qui se trouvait devant lui. Mais il n'y avait
pas de cristal dans la maison ; et son incongruité
attira au jouvenceau une verte semonce de son
grand-père, au gré duquel un vin digne de ce nom
n'a pas besoin d'être versé dans un hanap d'or
pour être dégusté par un connaisseur : un simple
bol y suffisait.

L'abbé renchérit sur ce propos, en citant ces vers
qui divertirent l'assistance :

Tous les pots sont égaux, ce n'est pas la faïence,
C'est ce qu'on met dedans qui fait la différence!

Pour sa part, il buvait à petits coups, en tenant
son verre à deux mains, l'index et le pouce tournés
à l'intérieur, à la manière d'un calice et comme s'il
célébrait la messe.

Mais il y eut un grand scandale, et ce fut M. Lautaret qui le produisit, en coupant d'eau son Château
Yquem. A cette détestable vue, toute la table
se récria. Barthélemy fusilla sévèrement du regard
l'officier, l'abbé leva les bras au ciel, Prosper
Coutre prit de l'œil à témoin son fils, qui eut un
brusque haut-le-corps. Lautaret s'excusa gaiement
de sa distraction en se tournant vers Aricie.

— M. Lautaret est sans doute un homme du
Nord, émit ironiquement M. Coutre.

— On voit bien, jeune homme, que vous êtes
amoureux ! fit avec indulgence M. Lesprat.

Ce propos fit rougir Aricie.

Mis en verve par l'incident, Prosper Coutre

rappela un scandale analogue soulevé quelques
années auparavant dans la Gironde par M. le
comte de Montalivet, alors ministre de l'Intérieur,
qui, lors d'un banquet officiel où Bordeaux avait
voulu célébrer dignement sa venue, avait pareillement arrosé un Château-Lafite unique, à la honte
de tous les assistants. Il conta une autre anecdote,
dont il avait été témoin dans sa jeunesse : à un
fameux dîner de vins qu'on lui offrait, un convive
ayant eu la malhonnêteté de souiller d'eau un
nectar parfait entre tous, fut provoqué en duel
par un des dîneurs indigné. Le duel eut lieu le lendemain. L'amateur d'eau fut tué raide. M. Prosper
Coutre conclut de la sorte :

— Et c'était justice, car les méchants sont
buveurs d'eau.

Nonobstant le froid que jeta cette sombre histoire, le dîner s'acheva gaiement. Il avait été longuement préparé, médité et choisi avec soin. La
liste des plats tenait bien douze lignes, non compris
le dessert, les vins énumérés à part, sur le menu,
élégamment entouré d'un encadrement gothique.
Après les fruits, Paul lut le compliment en vers
qu'il triturait depuis le potage. La chaleur de ce
beau repas lui donna les forces nécessaires pour
surmonter son émotion. Il trouva des accents
lyriques pour vanter la douceur de l'amour con-
jugal, compara Lautaret à Persée, quand il vient
délivrer Andromède, et sa sœur à Béatrice, à Laure,
à Psyché tout ensemble. Aricie pleura, Lesprat
exultait. Prosper Coutre sourit avec négligence, et
l'abbé se permit de faire remarquer à son neveu
que ses vers étaient fort jolis, mais qu'il donnait
fâcheusement dans la funeste erreur des modernes,
ayant en deux endroits négligé de marquer un temps

de repos après le premier hémistiche, ce que les
meilleurs écrivains condamnent et qui est tout à
fait contraire aux lois de la saine prosodie.

*
* *

Peu de temps après ces agapes, environ la fin du
mois de janvier 1848, ainsi qu'il était convenu,
Henri Lautaret muni d'un congé partit pour Paris
où il devait porter sa démission au ministre, et
profiter de l'occasion pour voir sa mère et la mettre
au courant de ses projets. Bien que son absence
dût être courte, le départ du jeune homme fut un
chagrin pour Aricie. Cependant, elle cacha sa peine
à son fiancé, et aux siens. Quand Lautaret eut quitté
la rue Sainte-Catherine, ce fut comme si une lumière s'était éteinte brusquement dans la maison
Aricie y reprit, pour tromper l'attente, ses occupations avec son exactitude habituelle. Mais son cœur
gonflé d'espérance lui semblait bien lourd. Toutefois,
quand elle descendait de sa chambre, nul autour
d'elle ne s'apercevait qu'elle avait pleuré.

VII

CONTRE-COUPS D'UNE RÉVOLUTION

On a justement observé que les révolutions n'intéressent généralement, à l'heure où elles se produisent, qu'un petit nombre de personnes, celles qui en sont les victimes et celles qui savent en tirer profit. Le reste du pays, indifférent aux grands remuements de la politique, ne semble pas, du moins en apparence, atteint par ces prodigieuses catastrophes. C'est pourquoi les événements du mois de février 1848, qui valurent au roi Louis-Philippe la perte de son trône et à la France l'avènement de la deuxième République et ce qui s'en ensuivit, seraient probablement passés inaperçus des familles Brun, Lesprat et Coutre, comme de beaucoup d'autres, s'ils n'avaient indirectement fait porter sur elles leur contre-coup, en deux occasions que voici.

L'année qui précéda la révolution, Prosper Coutre, esprit fort pratique, et, nonobstant quelque parti pris, volontiers ami du progrès quand il fait immédiatement gagner de l'argent, en cela parfaitement représentatif de cette génération à laquelle, du haut de la tribune, le dogmatique M. Guizot avait méprisamment jeté le conseil plus facile à donner qu'à suivre : « Enrichissez-vous ! » Prosper Coutre avait pris une détermination audacieuse.

Depuis que le vieux Lesprat avait eu la géniale
idée de laisser le médiocre commerce du fil et de la
corde pour se consacrer à celui des bois, le chantier
de la Bastide avait toujours présenté l'inconvénient
habituel aux installations de fortune qui ne se sont
développées qu'à la longue, avec des moyens
insuffisants, hors de tout plan initial. La scierie,
qui en constituait le principal établissement, n'était
qu'un vaste hangar où vingt-cinq à trente ouvriers
découpaient les bois à la main. La main-d'œuvre
devenue plus chère par la difficulté des temps, le
travail, irrégulier, pour céder aux idées nouvelles,
Coutre avait résolu de remplacer ce personnel peu
satisfaisant et ces méthodes lentes et coûteuses, par
des machines qu'il fit, dans ce dessein, venir d'Angleterre. C'était hardi. A la Chambre de commerce,
il en reçut maint compliment, de la part de ses plus
jeunes collègues ; les vieux se contentaient de hocher
la tête avec méfiance. Cependant l'effet fut considérable, à Bordeaux, dans le monde des marchands
de bois, et M. Coutre, en se rengorgeant, passa aussitôt pour un homme allant, énergique, conscient
du siècle, et de vaste esprit. Par malheur ses ouvriers
prirent la chose au plus mal. Ils n'admettaient pas
les machines, qui rendaient leurs bras inutiles.
Leur hostilité s'accrut encore de ce fait que le jour
même où la première scie mécanique fut installée,
l'un de ceux qui avaient justement montré le plus
de violence contre ces modifications apportées
dans le vieux chantier, soit maladresse, soit inatten-
tion, se fit happer par une courroie, tomba entraîné
sous l'immense roue dentée qu'elle actionnait, et
y eut le bras coupé net. Cet accident renforça le
mécontentement des ouvriers : ils exigèrent la sup-
pression pure et simple des machines et le retour à

l'ancien usage. Coutre n'y voulut pas consentir et
mit son personnel en demeure de choisir entre ses
machines ou la porte. Les ouvriers durent céder,
à l'exception d'une demi-douzaine qui furent
aussitôt congédiés, en dépit de l'intervention de
Barthélemy Lesprat. Il ne voyait pas non plus d'un
très bon œil les incessantes modifications apportées
par l'aventureuse volonté de son gendre dans les
installations et les méthodes surannées auxquelles
il avait dû, en des temps moins durs, sa première
fortune. Mais Coutre, fort de la quasi-impotence
du vieillard non moins que de la prospérité qu'il
avait su donner à son commerce, et, d'autre part,
prenant prétexte que les vingt mille francs qu'il
avait dû mettre à la disposition des Brun lui rendaient la suprématie dans le chantier de la Bastide,
l'emporta. C'était un homme buté, autoritaire et
violent, sûr et content de soi. Il avait agi : on l'aurait coupé en morceaux plutôt que de l'obliger à
faire un seul pas en arrière. Lesprat eut tort, les
ouvriers eurent tort ; il fallut céder, et ceux qui ne
le voulurent pas furent renvoyés. Environ le dîner
des fiançailles d'Aricie, c'est-à-dire au milieu du
dernier mois de 1847, Coutre eut gain de cause, et,
grâce à lui, le machinisme compta une victoire de
plus, à la Bastide.

Or, le 25 février, vers sept heures du soir, comme
Prosper Coutre revenait de Bordeaux, où il était
allé aux nouvelles, et, sans savoir encore s'il fallait
se féliciter de ce changement de régime, avait
assisté sur la place de l'Hôtel-de-Ville à la proclama-
tion de la République, au milieu des acclamations
populaires, il fut surpris, en cherchant ses clefs
pour ouvrir la porte de la maison qui donnait sur
le quai, d'apercevoir, à peine y eut-il pénétré, une

lueur insolite éclairer subitement le couloir. Levant
les yeux, par la porte vitrée qui communiquait
avec le jardin, il vit le ciel rouge et plein de fumée.
C'était le chantier qui brûlait.

Il y courut, criant au feu, appelant à l'aide sa
femme, les enfants. Enfermés aux appartements
dont les fenêtres closes, à cette heure tardive, les
avaient empêchés de voir les débuts du feu, ils ne
se doutaient de rien. Celui-ci, allumé à l'intérieur
des baraquements où séchait le bois débité, avait
dû couver depuis longtemps : la scierie, les trois
hangars étaient la proie des flammes. Elles se pro-
pageaient déjà aux pieds de ces piles quadrangu-
laires de planches entassées, de l'air entre chacune
d'elles, afin qu'elles séchassent plus vite, que l'on
appelle camartaux ; et à ces courtes traînées de
flammes bleues, rapides, qui s'allumaient de place
en place sous chaque cube de bois, Coutre reconnut
la flamme qui naît du pétrole. De tous côtés, en
dehors du foyer principal, et même assez distant
de lui, un foyer nouveau jaillissait, dont les souples
langues s'allongeaient, multipliées, irrésistibles. Pas
de doute : on avait mis le feu.

Aux appels de Prosper, Estelle d'abord, ahurie,
puis les enfants étaient accourus, montrant des
figures épouvantées à la lueur des brasiers épars.

— Sauvez-vous par le quai ! hurla Coutre.

Il y courut lui-même, par la grille attenant la
maison, qu'il trouva ouverte contrairement à la
coutume : cette porte, qui servait au passage des
ouvriers, restait fermée les jours de chômage. Parvenu au quai, Prosper s'aperçut que la tourelle
de la maison, qui était comme elle de bois, du côté
des camartaux, commençait aussi à flamber. Les enfants habitaient dans cette tourelle. Il se précipita

vers la maison, pour presser de fuir les habitants.

— Où est ton père? cria-t-il à sa femme.

Celle-ci, tête nue, affolée, pâle, avec des mots sans suite, l'œil hagard, courait dans l'escalier rempli de fumée, perdait la tête.

— Occupe-toi des enfants, lui jeta Coutre. Je préviens ton père.

Il courut à la chambre de Barthélemy. Le vieillard somnolait au coin de la cheminée, le *Constitutionnel* sur ses genoux. Il ne se doutait de rien.

— Qu'y a-t-il? fit-il, brusquement tiré de sa somnolence, à l'irruption de son gendre.

— Il y a que la maison brûle, et tout le chantier ! Ces misérables ont mis le feu !... Pas une minute à perdre, il faut sortir.

Et saisissant Lesprat à bras le corps, sans s'occuper de ses gémissements, il l'entraîna.

Sur le quai, des passants tardifs, quelques rares voisins accourus de la Souys entouraient Julie, Estelle en pleurs, Félicité, la servante. Eugène avait couru à la Bastide, chercher des secours ; et de même Jean, le valet de chambre, à la Souys. Au milieu des assistants qui criaient, Julie tremblait, épouvantée ; Estelle stupide et silencieuse, contemplait en grelottant l'immense bûcher maintenant rayonnant de toutes parts, couvrant deux cents mètres de façade. Prosper avait remis son beaupère à la protection de sa fille ; le pauvre homme faisait peine à voir, sanglotait devant le désastre et gémissait comme un enfant. Ayant mesuré le progrès du feu, Prosper se jeta de nouveau dans la maison ; il voulait prendre, dans sa chambre où on l'apportait tous les soirs, le grand livre, de l'argent, les bijoux de sa femme. L'escalier charbonnait déjà : il le gravit cependant, malgré la fumée

qui le suffoquait. Le feu sourdait partout avec une
rapidité incroyable. Coutre, en passant, poussa la
porte qui conduisait à la tourelle : elle était fermée,
la clef enlevée. Dans la chambre, il ouvrit son secrétaire, et, par la fenêtre, sur le quai, il en jeta
les tiroirs, au hasard, sans prendre le temps de cons-
tater ce qu'ils contenaient. Puis il s'empara du grand
livre relié de peluche verte, aux coins sertis de
cuivre, et, le tenant à deux bras, il voulut descendre. Les flammes, dans l'escalier, l'en empê-
chèrent. Il dut revenir dans la chambre, porta un
bref regard autour de lui, comme pour chercher
quelque chose encore qu'il pût arracher au désastre,
puis ne sachant que choisir, par la fenêtre, il lança
le livre d'abord ; la fumée redoublant, il apparut
un instant dans l'embrasure, debout sur le rebord,
découpure fantastique et noire sur la pourpre de
l'incendie, et il sauta. Estelle à cette vue poussa
un cri et s'évanouit. Par bonheur la fenêtre n'était
pas très haute, Prosper ne se fit pas de mal. La
tourelle s'écroula presque aussitôt, dans un grand
fracas, avec une gerbe considérable d'étincelles
et de fumée. Le vent la rabattit sur la maison,
s'engouffrant dans un formidable appel d'air, par
les vitres qui avaient craqué : elles se brisaient
avec un bruit sec, puis s'éparpillaient en pluie
argentine sur le pavé. Les flammes, à travers la
fumée, éclairaient dans le ciel de lourds nuages bas,
de ouate orangée et sanglante, et la rivière était
toute rouge, elle aussi, et malgré la nuit, par delà
le fleuve limoneux, à la lueur de l'incendie, on apercevait Bordeaux, sur la rive opposée. A la Bastide
les cloches sonnaient le tocsin. La chaleur était si
violente, à cent mètres, que les malheureux Coutre
durent reculer. Ils reculaient sans se retourner, les

yeux fixés sur le désastre ; ils ne disaient rien. Des
femmes avaient emmené Estelle et Julie. Prosper
Coutre s'épongeait le front avec son mouchoir, et
considérait la scierie, ses machines perdues. Lesprat
seul pleurait, avec des geignements ridicules. On
dut l'emporter, lui aussi.

L'incendie dura toute la nuit. Et pendant trois
jours, des tas de cendres qui représentaient le
chantier, les hangars, la scierie, la maison disparue,
d'où émergeait seule la carcasse tordue des machines
de fer, la fumée monta, et le feu continua de ronger
ses cendres. On n'avait pu porter aucun secours à
la maison, presque tout entière de bois, et que les
Coutre parlaient toujours de reconstruire. Dans
le désordre de ces jours agités, les pompes mêmes
n'avaient pu être mises en batterie, les pompiers
occupés ailleurs à célébrer la République.

Lesprat et les Coutre furent d'abord recueillis
à la Bastide, par des amis qu'ils y avaient. Caroline
Brun offrit aussitôt sa maison. Lesprat et Eugène
Coutre vinrent s'installer seuls rue Sainte-Catherine.
Aricie abandonna sa chambre à son grand-père ;
elle dressa son lit dans celle de sa mère, comme
autrefois son berceau d'enfant. Eugène, bien qu'à
contre-cœur, humilié de s'abaisser à la compagnie
de ses cousins Brun, Eugène eut la chambre occupée
par Henri Lautaret, et demeurée vide après son
départ : c'était tout de même un toit. Par ailleurs,
il ne fut pas fâché d'habiter Bordeaux. La rue Sainte-
Catherine est plus agréable que la lointaine Souys,
pour un jeune élégant ami des plaisirs.

Coutre et sa femme avaient préféré de rester à
la Souys : Coutre, pour surveiller le déblaiement de
ses décombres, et déjà, après le premier abattement,
songeant à reprendre sa revanche sur le sort qui

l'avait frappé. Estelle ne voulut pas l'abandonner,
et demeura auprès de lui, à la Bastide. Elle gardait
sa fille avec elle.

*
* *

Henri Lautaret avait quitté Bordeaux dans les
derniers jours de janvier. A peine arrivé à Paris,
il parut aussitôt que l'affaire de sa démission le
retiendrait plus longtemps qu'il n'avait d'abord
supposé. La première lettre qu'il écrivit à Mlle Aricie,
bien que tendre, était embarrassée et assez triste.
Il n'avait pas été reçu par le ministre, mais les bu-
reaux élevaient des difficultés. On n'acceptait
aucune démission pour le moment : il faudrait
revenir à la charge. Henri, d'autre part, avait vu
sa mère. Sur cette entrevue, la première depuis
longtemps (la mère de l'officier était remariée et
Henri ne s'entendait pas avec son beau-père), Lautaret ne s'attardait pas. Aricie en reçut une impression pénible. Elle eût été heureuse que l'annonce
de ses fiançailles rapprochât Henri de sa mère, et
que celle-ci l'en aimât un peu, sans la connaître.
L'incendie de la Souys survint dans ce moment et
le chagrin profond qu'elle ressentit à la nouvelle
du désastre des siens la détourna de l'ennui où l'absence de ce qu'elle aimait avait si complètement
plongé son cœur. Allez donc rêver, cultiver avec
tendresse, avec délice, les mélancolies de l'amour
naissant, quand aux occupations déjà si lourdes du
ménage, d'une comptabilité, d'un commerce, il
faut encore se voir ajouter le soin d'une maison
accrue de deux hôtes nouveaux ! Bien qu'elle fût
heureuse d'apporter un peu d'aide au secours des
siens, la venue du grand-père Lesprat et du cousin
Eugène fut un surcroît pour l'amoureuse Aricie,

d'autant que le jeune Eugène était difficile. Quant
au pauvre Barthélemy, la ruine de sa maison l'avait
effondré. A peu près tombé en enfance, il ne cessait
de geindre, avait besoin de compagnie, était agité
de frayeurs continuelles dont il ne sortait que
prostré, demeurant des heures l'œil fixe, hébété,
tremblant. Joint à cela quelque déchéance physique abjecte, qui nécessitait les soins les plus répu-
gnants, auxquels Aricie se plia. Deux jours après
son installation rue Sainte-Catherine, Lesprat fut
complètement paralysé des jambes. Comme il ne
pouvait supporter de rester couché, il fallut l'installer dans un fauteuil. On le roulait à la fenêtre,
afin qu'en regardant par l'entre-bâillement du rideau, il pût trouver quelque distraction dans le spectacle de la rue. La maladie ne fit que renforcer son
caractère despotique. Il ne tolérait que les soins
d'Aricie, il la voulait sans cesse auprès de lui. Il
n'était content qu'avec elle, la présence de la jeune
fille l'apaisait. Alors, elle assise à côté du fauteuil
où il somnolait, il se taisait, replié en lui-même,
dans un silence hostile, isolé du monde et har-
gneux.

Là, cousant, penchée sur l'ouvrage, Aricie trouvait quelquefois un moment de détente : c'est
qu'elle pouvait alors entretenir son amour dans
son cœur, cristalliser autour du nom de l'absent
bien-aimé, sourire à ses beaux souvenirs, pleurer en
attendant ses lettres.

La dernière datait déjà de deux semaines : cette
révolution avait mis la poste à l'envers, parmi tant
d'autres choses. Aricie se disait cela, sans parvenir
à chasser ses craintes. Ce grand mot de révolution
ne la touchait guère, elle n'y voyait qu'une de ces
affaires de la politique, qui n'est pas du ressort des

femmes. Elle savait que les soldats ne s'en occupent
guère, eux non plus, et qu'Henri n'y pouvait pas
être mêlé. S'il était demeuré à Bordeaux, elle se fût
peut-être inquiétée, à le voir, comme elle voyait
la troupe journellement sous les armes, partir en
quelque patrouille par la ville agitée... Mais il était
en congé, il allait donner sa démission. Sans doute
la chose était-elle déjà faite, elle le verrait revenir
bientôt, non plus revêtu du dolman à tresses, sous
le shako, l'épée au flanc, mais en habit civil. Aricie
l'imaginait même, habillé de la sorte, tel qu'elle ne
le connaissait pas encore. Elle s'amusait à ces détails,
pour tromper son ennui cruel...

Il y avait huit jours que la maison de la Souys
avait brûlé, un capitaine du régiment où servait
Henri Lautaret se présenta rue Sainte-Catherine,
l'air embarrassé et fort pâle. Ce fut Aricie qui le
reçut. Elle le reconnut pour le capitaine commandant l'escadron d'Henri. A son visage, elle comprit
aussitôt qu'un malheur était arrivé. Malhabile à
feindre, l'officier ne le cacha pas. Le lieutenant Lautaret avait été fait prisonnier par des insurgés, à
Paris, aux environs du Château-d'Eau, emmené en
otage sur une barricade, et fusillé pour n'avoir pas
voulu saluer le drapeau rouge. Le colonel du régiment venait seulement d'en être avisé. Sachant
le projet qui devait unir Lautaret à Mlle Brun, il
avait envoyé le capitaine prévenir la famille de
l'affreux malheur. L'ayant entendu, Aricie tomba
comme une masse.

On lui avait caché la vérité, plus horrible encore :
Lautaret désigné par son uniforme à la colère popu-
laire, insulté, frappé au visage, ses épaulettes arra-
chées, assommé ensuite par des femmes, et atroce-
ment mutilé.

Quelques jours après avoir appris la mort de son
fiancé, Aricie reçut du capitaine qui la lui avait
annoncée, et à qui les papiers trouvés sur le cadavre
du malheureux avaient été envoyés, une enveloppe
qu'elle ouvrit d'abord en tremblant. Elle contenait
une lettre où elle lut son nom et son adresse, écrits
de la main d'Henri. C'était une lettre datée du
20 février, qu'il n'avait sans doute pas eu le loisir
de confier à la poste, écrite seulement deux jours
avant sa mort, où, en termes embarrassés, il la
priait de renoncer à leur projet, et de lui rendre sa
parole. Sa mère s'opposait au mariage, et lui-même,
au moment de changer de vie, moins assuré de faire
son bonheur...

Aricie n'en lut pas plus long. Ses larmes l'empê-
chaient de voir. Elle ne comprenait pas que le destin
fût si méchant. N'était-ce donc pas assez que son
Henri fût mort? Fallait-il encore qu'elle apprît
qu'il ne l'aimait plus? Ainsi, même s'il eût vécu,
elle n'aurait pas été sa femme. Elle aurait dû renoncer à lui... Elle sentit qu'il mourait une seconde
fois pour elle. Mais elle ne dit rien à personne de
cette lettre qu'elle avait reçue. Il aurait fallu laisser
comprendre aux autres que celui qu'elle avait aimé
n'était pas vraiment digne d'elle, et peut-être
l'entendre blâmer.

DEUXIÈME PARTIE

I

LA CRÉMAILLÈRE

Les Coutre avaient décidément bon vent. La revanche leur était venue, vite. Il n'est, peut-être, que de la désirer, pour l'obtenir. La volonté comptait au premier rang des vertus de Prosper Coutre, surpassait, en les absorbant, toutes les autres. Il sut l'employer à tirer le meilleur parti de ce qui, pour beaucoup, eût été la ruine.

D'abord, sur une dénonciation anonyme, trouvée dans son courrier environ un mois après le désastre, l'incendiaire fut découvert. C'était un des ouvriers congédiés à la fin de l'année précédente. Il reconnut son crime et fut condamné à dix ans de bagne.

« Et d'un », se dit Prosper Coutre, après ce premier résultat, qui, s'il ne l'avançait guère en ses affaires, satisfaisait du moins à ce désir si naturel de la vengeance, douce au cœur de fer de ces hommes d'ordre pour lesquels le livre de la destinée n'apparaît jamais que comme un grand livre, où chaque événement de la vie donne lieu à l'ouverture d'un compte nouveau.

Le plus important fut que la maison de la Souys, les chantiers, leurs installations et leur contenu se trouvant régulièrement assurés, leur perte fut très largement couverte par les quatre cent mille francs que les diverses compagnies se virent dans l'obligation de verser à MM. Lesprat et Coutre, après un procès qu'elles perdirent. Le premier soin de Coutre fut de rétablir aussitôt ses chantiers, la scierie. Les frais n'en étaient pas extrêmement élevés ; il ne s'agissait que d'un dispositif assez simple, les hangars étant faits de planches. Le dommage fut réparé en un an. Et Prosper se frotta les mains, car ce malheur avait été bon, qui, faisant table rase d'une installation défectueuse, l'en indemnisait assez largement pour y substituer une usine nouvelle, commode et pourvue de l'outillage le plus moderne. Une fois les chantiers et les magasins reconstitués, on put songer à la maison détruite. Mais, plutôt que de la relever de ses ruines, Prosper décida de la faire édifier d'après un nouveau plan, sur le quai même, en ménageant sur ses derrières un jardin qui la séparerait des chantiers. Un des meilleurs architectes de Bordeaux reçut le soin d'en étudier le plan et les devis. Commencée en 1852, en belle pierre de taille, avec deux étages, balcons de fer forgé, tourelles en poivrière recouvertes de fines ardoises, grille à deux battants, et, de l'autre côté du jardin, un joli chalet de bois découpé, pour la remise et les écuries, la maison fut achevée au milieu de 1853. La prodigalité de Coutre, en cette occasion, effraya chacun dans son entourage, et Bordeaux jasa. Comment payerait-il ?

Encore qu'il fût charmé de l'étonnement, mais blessé du doute, cet homme calme laissa dire. Mais lorsque la guerre de Crimée eut été déclarée, et qu'à

la faveur de la réquisition de tous les navires, il
apparut que les commerçants qui possédaient des
stocks allaient voir leur fortune décupler sans avoir
seulement à lever le petit doigt, on commença de
penser que M. Prosper Coutre avait prévu l'événement, et que c'était décidément un homme très
fort. En effet, à l'ouverture de la campagne, il avait
deux cent mille francs de bois dans ses chantiers.
Il sut attendre. Faute de mouvement dans les ports,
tous les navires disponibles se trouvant affectés
au ravitaillement du corps expéditionnaire, au
transport des troupes et à l'évacuation des malades
et des blessés de Sébastopol, faute par suite d'en
pouvoir importer du Nord, le bois de construction
devint excessivement rare. Sur les seuls stocks
qu'il avait dans ses magasins en 1853, Prosper
Coutre, à la fin de la guerre, se trouva avoir fait
rentrer dans ses caisses deux millions net, soit
dix-huit cent mille francs de bénéfice. Il affecta la
plus parfaite indifférence à l'égard de cette prodigieuse réussite. Son regard demeurait aussi distrait
que par le passé, son air aussi froid, ses lèvres aussi
serrées. Un observateur diligent aurait seulement
pu remarquer que ses favoris semblaient chaque
jour un peu plus noirs, et que ses cigares devenaient
plus gros, ce qui d'ailleurs faisait beaucoup tousser
Estelle, qui n'en pouvait supporter l'odeur, mais se
fût bien gardée de le laisser paraître.

*
* *

A Bordeaux, comme on l'a déjà fait remarquer, la
société se divise en trois catégories nettement
tranchées. Les habitants du quartier des Chartrons,
qui vendent le vin, ignorent les habitants du quar-

tier de la Rousselle, qui vendent la morue ; ces derniers méprisent ceux du quartier de Saint-Michel,
qui vendent ce qu'ils peuvent ; et ceux-ci méprisent
le reste de la terre, qui n'est pas de Bordeaux et
ne vend rien. Ces divers échelons dans la mésestime
publique établissent depuis toute éternité dans cette
ville une hiérarchie à ce point respectée et admise
que les plus vieilles castes de l'Inde n'en ont jamais
connu de plus marquée. Il suffit de savoir ce détail
pour comprendre aussitôt les raisons qui font que,
jusqu'à l'époque où ce récit est arrivé, les familles
Lesprat, Brun et Coutre n'ont pas eu le moindre
rapport avec la plus haute société bordelaise.

La rapide ascension des Coutre allait poser un
problème nouveau aux yeux d'une partie de cette
société. Jusque-là, des gens qui habitaient la Souys,
de l'autre côté de l'eau, n'importaient que fort peu
aux regards des opulents propriétaires de l'Entre-
Deux-Mers, tous possesseurs, aux Chartrons, de
charmants petits hôtels élevés par Louis et ses
successeurs, quand ils ne sont pas hérités des plus
élégantes époques classiques. Mais la plupart
d'entre eux rencontraient M. Prosper Coutre à la
Chambre de commerce, voire au cercle de la Maison
Gobineau, dont il s'était mis, après s'être habilement fait présenter par des parrains de poids et de
tout repos, enfin même dans les coulisses du Grand-
Théâtre, où depuis quelque temps il fréquentait,
non point tant, il faut bien le dire, par amour désintéressé de l'art dramatique, que par amitié pour
la danse et pour les danseuses. M. Prosper Coutre
avait une maîtresse, rousse et bête, il est vrai,
répondant au nom de Célénie Murier ; il l'avait
choisie dans les premiers sujets, ne pouvant mieux ;
et, de même, ses cigares venaient tout droit de la

Havane, comme son fusil de chasse à deux canons damasquinés, d'Angleterre, où il l'avait payé dix-huit cents francs.

Le succès de cet homme adroit avait ébloui, autant que Bordeaux pouvait l'être. Bien qu'il ne fût pas des Chartrons, les gens des Chartrons ne lui faisaient pas trop grise mine. Sa position intermédiaire d'habitant de la Souys aida les plus intransigeants à passer sur ce fait qu'il ne devait pas sa fortune au commerce des vins, qui seul ennoblit, en Gironde. Du moins n'était-il point de la Rousselle, ni de Saint-Michel ; c'était beaucoup. En outre, pour ces notables bordelais qui pensent tous tirer leur origine des compagnons d'armes du Prince Noir et font au moins remonter leurs papiers de famille à la domination anglaise du quinzième siècle — ce sont les croisades de cette aristocratie locale — Prosper Coutre avait ce particulier mérite de faire paraître en toute chose une anglomanie décisive, la plus glaciale correction. Les dernières objections à lui accorder le traitement d'égalité avec n'importe quel ressortissant des Chartrons tombèrent d'ailleurs sans retour lorsqu'il eut annoncé à quelques amis de coulisses et de cercle son intention d'envoyer son fils Eugène terminer ses études en Angleterre. C'était la plus profitable manière de se débarrasser pour un temps de ce grand garçon qui commençait à donner de la tablature, et que son père rencontrait à son gré un peu trop souvent dans les loges des petits théâtres où il fréquentait, voire même du grand. Prosper Coutre n'envisageait pas d'un bon œil que son fils pût ainsi prendre à son endroit des prétextes à familiarités déplacées.

*
* *

Pour en revenir à sa plus constante préoccupa-
tion, qui était de se pousser au premier rang de la
société bordelaise, M. Prosper Coutre résolut de
frapper un grand coup, et de clore par une mani-
festation d'importance la série de ses successives
démarches, dont l'admission au cercle, quelques
parties fines avec Célénie, où avaient été invités,
sans qu'ils pussent se dérober, les cinq ou six
membres les plus influents de la Chambre de
commerce, et enfin l'annonce du prochain départ
d'Eugène pour l'Angleterre composaient les étapes
savamment échelonnées. Prosper était un homme
beaucoup trop avisé pour ne pas se rendre compte
que faire un whist au cercle avec d'honorables
vieillards, ou traiter quelques relations de cabinet particulier en compagnie de jolies filles
ne constitue pas un titre suffisant pour vous faire
obtenir un véritable droit de cité. Au cercle, dans
les coulisses, il n'était que M. Prosper Coutre,
membre de la Chambre de commerce. La seule
façon de s'affirmer et de faire tomber d'un coup
les dernières réticences était de traiter audacieuse-
ment d'égal à égal les puissances à conquérir, en
les obligeant à passer l'eau et à venir dîner chez
lui. Ce projet longuement mûri, M. Coutre en voulut
d'abord faire l'essai dans sa famille. Non qu'il
considérât que les femmes, et la sienne en particulier, eussent des manières de voir susceptibles
d'entrer jamais en ligne de compte, ni que des enfants pussent avoir en rien voix au chapitre. Mais
enfin, c'était un public ; et, exprimer pour la première fois, quand ce serait devant des bœufs, une

idée longtemps méditée, c'est la faire sortir des
limbes, entrer dans le monde des réalités, prendre
corps. La pensée de M. Prosper Coutre prit corps
un certain dimanche de janvier 1855, dans sa nouvelle maison de la Souys, au moment que la famille Coutre achevait de dîner dans la petite salle
à manger du rez-de-chaussée qui donnait sur le
jardin.

— Estelle, fit M. Coutre.

Estelle eut un sursaut, suivi d'un battement de
cœur. C'était toujours le premier effet qu'exerçait
sur elle la voix glacée de son mari.

— Estelle, reprit-il, Eugène va avoir vingt ans
dans un mois aujourd'hui, n'est-ce pas?

— Le 23 février, précisa Eugène, exactement.

— Eh bien ! ma chère amie, à l'occasion du ving-
tième anniversaire de ton fils, j'ai l'intention
(M. Coutre s'arrêta un temps, et répéta en scandant
le mot) l'in-ten-tion de réunir ici quelques-uns de
ses amis, dont les parents ne manqueront certainement pas de les accompagner. J'aurai également
quelques-uns des miens, auxquels je dois depuis
trop longtemps une politesse. Ce ne sera pas un
dîner, simplement une petite réunion intime dans
la soirée. Le préfet viendra.

— Le préfet? répéta Estelle.

— Le préfet, reprit Prosper. Je lui en ai touché
deux mots, au dernier banquet de la Chambre de
commerce. C'est entendu.

— Mais... qui comptes-tu inviter?

— Je te l'ai dit. Les amis d'Eugène, et les miens,
MM. d'Entremer, Sarlance, Cadillac, le président...

— Mais... mon ami... je ne sais pas... les domestiques... émit timidement Estelle, effrayée de la
nouveauté.

— La maison est assez grande, j'imagine? conclut sèchement M. Coutre.

Cependant il était content de l'effet produit.
Julie paraissait charmée de la perspective, si sa
mère l'était un peu moins. Quant à Eugène, flatté
dans sa vanité de ce qu'il se voyait le prétexte de
cette réception, il marquait toutefois une réticence.
Son père en comprit la raison, et le regardant, en
clignant de l'œil, pour parer d'avance une objec-
tion :

— Tu peux y aller. Ce sera bien. Les amis de
M. Eugène Coutre peuvent venir passer la soirée
chez son père, je suppose?

Eugène rougit légèrement et protesta. Il invite-
rait ses amis, dès le lendemain. Sans doute, il eût
mieux aimé n'en rien faire. Accoutumé au luxe de
ses camarades, fils de vins illustres, de compagnies
de navigations tentaculaires, de banques millionnaires, il n'était pas très sûr de ne pas paraître
médiocre à côté d'eux et redoutait pour la demeure
paternelle des comparaisons désobligeantes.

Prosper sentit qu'il fallait ébranler les derniers
scrupules de son héritier.

— Tu as une excellente occasion dans ton départ
pour Londres. Avant de quitter Bordeaux, tu reçois
tes amis chez ton père, pour leur dire adieu.

Il ajouta, avec une gravité dont l'accent de confiance émut la vanité d'Eugène :

— Entre nous, je ne serai pas fâché de voir ces
messieurs ici. Tu comprends? Des gens du même
monde...

Puis il détourna la conversation.

— A propos, ton ami Sarlance a un petit cheval
bien mignon... Je l'ai aperçu ce matin, qui descendait de voiture, devant chez Gazeau.

Eugène rougit à nouveau, mais de plaisir cette
fois, car il se trouvait dans la voiture de Sarlance,
et ravi que son père l'y eût vu, ce dont il doutait.

***

Coutre manœuvra fort habilement. Il sut laisser
entendre au général commandant la place de Bordeaux que le préfet avait accepté son invitation ; et
au préfet, que le général lui faisait un pareil honneur.
De sorte que tous deux viendraient. Au cercle, une
série de schelems malheureux, utilement perdus,
assura à M. Coutre la sympathie des partenaires
gagnants. Plusieurs d'entre eux avaient des fils
amis d'Eugène, dont le départ était si approuvé.
Le récent achèvement de la maison Coutre, seule
visible de Bordeaux, avec ses tourelles élégantes,
entre les camartaux, sur le quai presque inhabité
de la Souys, fournit un excellent prétexte. On parlait de grosses dépenses. Le bruit se répandit en
outre dans la ville que les Coutre allaient prochai-
nement pendre la crémaillère. La discrétion de
Prosper le servit. Plusieurs personnes qui n'avaient
pas reçu d'invitation, à qui peut-être, crainte de
faire un pas de clerc, on n'en avait pas envoyé,
s'arrangèrent pour laisser entendre qu'elles n'auraient pas été fâchées d'être de la fête. On connaissait les bonnes relations de Prosper Coutre avec le
préfet. Sa présence à la soirée Coutre, sue tout de
suite, influença les hésitants.

Dans ces premiers temps de l'Empire, beaucoup
qui ne demandaient qu'à se rallier au nouvel ordre
de choses, qui ne l'avaient pas fait encore, faute
de confiance d'abord, d'occasion ensuite, en trou-

vèrent là une excellente pour nouer plus commodé-
ment connaissance avec le représentant du pouvoir,
sur ce terrain neutre et neuf. C'était peut-être
aussi la raison de l'acceptation du préfet. Et Coutre
fit d'une pierre deux coups. Avant 48, il n'avait
jamais eu d'opinion politique bien déterminée.
Louis-Philippe lui paraissait ridicule : 1º parce que
son beau-père Lesprat affichait des sentiments
orléanistes ; 2º parce que M. Prosper Coutre avait
une instinctive horreur pour les vaincus. Les journées de Février lui avaient inculqué un profond
dégoût pour les républicains allumeurs d'incendie.
En outre, lors de son passage à Bordeaux et de sa
réception par la Chambre de commerce en 1852, le
prince-président avait publiquement serré la main
de M. Coutre. De sorte qu'à des raisons toutes sentimentales de bienveillance à l'égard du prince, il
n'eut, pour en ajouter une nouvelle d'accueillir
l'Empire, qu'à écouter parler en lui les naturelles
sympathies du commerçant pour un gouvernement
dont la première parole avait été : « L'Empire,
c'est la paix. » Il n'en avait pas voulu à cet Empire
d'un manquement à sa parole, quand l'Empire
avait fait la guerre, puisque c'est à la guerre qu'il
devait sa soudaine élévation et sa fortune. Enfin,
le loyalisme tôt manifesté de M. Coutre lui avait
valu quelques témoignages de sympathie de la
part des pouvoirs publics. Il avait rendu maints
services, entre la préfecture et la Chambre de commerce. On lui sut gré de n'avoir pas longtemps
balancé. Il entrevit un jour la possibilité d'exercer,
à Bordeaux, une influence, et peut-être autre chose
encore, un rôle à jouer, des honneurs, la croix.
Ces combinaisons, ces soucis, ces intérêts, le soin
minutieux qu'exige la conduite d'une telle diplo-

matie, expliquent la facilité relative avec laquelle
Prosper Coutre réussit à assurer le succès de son
ambition mondaine à l'égard de la haute société
girondine, et justifient le violent accès de mauvaise humeur qui fit un instant sortir de lui-même
un homme aussi maître de soi, au point qu'il laissa
voir dans sa colère la véritable forme de sa bouche
(mais il la repinça tout aussitôt, sévèrement), lorsque
l'innocente Estelle, si distraite, crut pouvoir lui poser
la question qui, depuis si longtemps, la préoccupait : c'est à savoir si Prosper comptait inviter
les Brun à sa crémaillère.

M. Coutre n'y avait pas songé un seul instant.
Au premier abord, la question lui parut absurde.
Naturellement non, les Brun n'étaient pas invités.
Ce n'était pas une soirée de famille. Quelle figure
feraient-ils au milieu des représentants de l'aris-
tocratie bordelaise, les pauvres cousins de la rue
Sainte-Catherine?

— Caroline ne viendra sûrement pas, hasarda
Estelle. Mais les enfants... il me semble... Aricie et
Paul... on aurait pu...

Il fallut beaucoup de courage à Estelle pour abor-
der ce sujet difficile. D'elle-même, elle n'y eût
certes pas songé. Mais son père, préoccupé de la
réception, et qui, depuis qu'il avait été mis au courant de ce projet, ne cessait de le retourner dans sa
tête, avec cette persistance des vieillards à fixer
sur un seul point l'inquiétude de leur esprit vague,
son père paraissait beaucoup tenir à la présence de
ses petits-enfants Brun. Il ne doutait pas de cette
présence. Et en somme, encore que débile, c'était
lui le maître de la maison, le chef de famille. Il
entendait bien figurer lui-même à cette fête.
Coutre l'avait forcément prévu, mais il en avait

écarté le souci, remettant à plus tard d'y parer.
La question était posée. L'ambitieux marchand de
bois en eut un vif mouvement de colère. Il dit des
choses fort pénibles à Estelle sur les siens en particulier, et sur la sottise des femmes en général, qui
ne comprennent rien à rien, s'embarrassent de scrupules ineptes, prétendent tout envisager du point
de vue du sentiment.

— Aricie a l'air d'une bonne... Et cet imbécile
de Paul... ce poète... ce républicain !... Il n'a seulement pas de frac, je parie ! Il viendra en veste,
avec sa tignasse ébouriffée, et il faudra que je le
présente... « Monsieur le marquis, je vous présente
mon neveu,. monsieur Paul Brun, marchand de
ficelle... » Ah ! non, non et non !

— Allons, Prosper... calme-toi, disait Estelle,
ce sera comme tu voudras ; je ne te force pas... tu
sais bien !

Dès que l'irascible M. Coutre ne sentit plus de
contradiction devant lui, son irritation tomba.

— Au fait, pensa-t-il, qu'est-ce que cela me
fait? Ils seront là... je ne les verrai pas... Personne
ne s'avisera d'eux dans cette foule... (l'idée de foule
le fit sourire ; il vit en pensée la maison remplie,
les lustres allumés, le scintillement des lumières,
la longue rangée des voitures devant la porte, sur
le quai). Oui, reprit-il à haute voix en s'adressant
à son épouse, eh bien ! soit, ils viendront, tes neveux,
ta nièce. Mais je ne les verrai pas... je ne ferai pas
attention à eux. Ils ne comptent pas. Est-ce qu'ils
comptent, voyons? Pff !...

Il sortit, haussant les épaules, claquant la porte.
Mais il s'arrêta dans le vestibule aux stucs neufs,
considéra la noble révolution de l'escalier blanc,
revêtu de placages de bois bien cirés, sous son

plafond peint. et au milieu, cette nymphe de bronze
qui élevait un lampadaire. Il fut satisfait de l'effet,
et calmé, silencieusement, se prit à sourire.

* *
*

Visite d'Aricie à la Souys.

— Mais, ma tante, disait Aricie, je n'ai rien à me
mettre ! Vous êtes bien bonne d'avoir pensé à nous
inviter... Paul viendra, certainement, et Melchior
aussi... Moi, je resterai avec maman. Elle me fait
peine. Vous ne l'avez pas vue depuis un mois? Oh !
vous la trouverez bien changée... elle est fatiguée,
vous savez.

— Mais si, tu viendras, ma chère Aricie, répondait Estelle. Ton grand-père y tient par-dessus tout...
ton oncle aussi, naturellement.

— Je suis si sauvage... et puis, ma tante... je n'ai
pas de robe !

— Comment, pas de robe? Et celle que je t'ai
donnée... pour tes fiançailles? Tu ne l'as jamais
mise...

Aricie baissa tristement la tête.

— C'est vrai, tante... je n'y pensais plus...

Quand Aricie sortit, elle fondit en larmes et pleura
tout le long du chemin.

« Elle n'est pas méchante, tante Estelle, pensait-
elle. Mais elle m'a fait de la peine. Cette robe...
comme elle m'a dit cela !... Mon Dieu, elle trouve
cela naturel... Elle a oublié, elle ne peut imaginer
que je pense toujours à... »

Elle ne disait pas de nom. Elle pleurait seulement sur une place vide dans son cœur. Elle fran-
chit le long pont de pierre sans s'apercevoir du chemin parcouru. Dans l'ombre, parmi l'odeur salée

des bateaux amarrés, chargés d'épices, de morues,
de câbles sentant le goudron, l'eau du fleuve invisible, en se brisant contre les piles des arches, ruisselait avec un bruit monotone, argentin et froid ;
et de temps à autre, une vague plus lourde cla-
quait un ponton, une chaîne grinçait. Des barques
glissaient sur l'eau noire, dont on n'apercevait que
le feu de proue... Aricie s'arrêta un instant, s'appuya sur le bord du pont, soupira profondément :
il lui sembla que tout l'air venu de la mer entrait
en elle, elle en éprouva un soulagement, une détente.
Puis, elle-même étonnée de cette minute de vacances
qu'elle avait prise, elle se tamponna doucement les
yeux de son mouchoir. Elle ne voulait pas qu'en
rentrant, on pût voir qu'elle avait pleuré. La
petite phrase maladroite distillait toujours le poison
dans son cœur... « Celle que je t'ai donnée pour
tes fiançailles... tu ne l'as jamais mise... » Non,
elle ne l'avait jamais mise et ne la mettrait jamais.

Elle l'avait rangée dans un tiroir, cette belle
robe inutile, comme le symbole de ce qui n'était pas
fait pour elle. Parfois, seule, dans sa petite chambre
froide, elle ouvrait le tiroir, et regardait longtemps
la robe, en pleurant, comme si c'eût été la robe
d'une morte, conservée avec piété. Et depuis sept
années déjà, elle était comme morte, en effet...
« C'eût été ma robe de jeune femme », pensait Aricie.
Jamais elle ne se disait le nom d'Henri Lautaret.
Seulement, elle restait en contemplation, le regard
perdu, l'âme ailleurs, tout entière avec son chagrin.
Elle disait elle-même « mon chagrin ». C'était tout.
Nul autour d'elle ne s'apercevait de son changement. Elle avait déjà quelques fils d'argent dans
ses cheveux.

*
* *

Ce fameux 23 février arriva. Le long effort de
Prosper fut couronné d'un plein succès. Sur trente
personnes invitées, deux seulement s'étaient
excusées. C'étaient des gens sans conséquence :
un ami d'Eugène et Melchior Brun, qui profitait
d'un rhume pour rester auprès de sa mère. Prosper
Coutre eut la satisfaction de voir son neveu Paul
arriver correctement vêtu d'un frac. Il fut, à cet
aspect, déchargé d'un si grand poids qu'il poussa
l'amabilité jusqu'à faire compliment à la pauvre
Aricie qu'il trouva tout à fait charmante. Elle l'était
réellement ; mais, dans son cœur, bouleversée : il
lui avait fallu mettre la robe donnée par la tante
Estelle. Sa mère l'y avait obligée, par scrupule
envers sa sœur, afin de ne pas l'offenser. Aricie
avait fait seulement quelques retouches, elle-même.
C'était une robe de soie, vert pâle, avec des ruches ;
cette couleur allait fort bien avec le visage blond
de la jeune fille. Bien qu'elle eût trente ans, elle ne
paraissait pas son âge. Elle portait autour de son
cou le petit collier de corail que son père avait autrefois offert à sa mère, le jour de son entrée dans la
maison. Sa timidité ajoutait un charme délicat
à sa physionomie, elle lui donnait un petit air
rêveur. Estelle Coutre, en l'apercevant, fut stupé-
faite de la transformation, et, à part soi, elle regretta de lui avoir fait cadeau de cette robe si
jolie. A la fois elle était jalouse de sa nièce — on
pouvait être jaloux d'Aricie ! — et pour elle-même
et pour sa fille Julie, éclipsée soudain à ses yeux
par la cousine pauvre.

La réception fut de tous points parfaite. Prosper

Coutre, sous une correction glacée, éclatait d'un
orgueil ingénu. Un laquais annonçait les invités,
comme, dans les dîners, les grands crus. Les noms
de M. le marquis d'Entremer, de M. le comte de
Saint-Estèphe, du vicomte de Brion, du baron de
Sauternes sonnaient agréablement aux oreilles. On
était seulement étonné de ne pas entendre, après
ces syllabes illustres, énoncer la date de la cuvée.
Mais les titres remplaçaient le chiffre éloquent des
années, et cela faisait une compensation. D'autres
noms, pour ne pas évoquer de vins, n'imposaient
pas moins. MM. Durand, Lopès, Picaille et Santa-
Maria, qui représentaient la finance, figuraient,
bout à bout, un demi-milliard; et vingt-quatre
heures après, pour sa seule part, M. Durand, en se
faisant sauter la cervelle, faisait un honorable
pouf de cent millions. La Brède et Cadillac eussent
de leurs flottes assemblées couvert la Gironde, du
pont Marengo à la pointe de Grave. M. de Sarlance, à lui seul, eût pu alimenter Bordeaux de prés-
salés pendant deux mois, en cas de siège. Auprès
de ces notabilités, sans doute, M. Barthélemy Lesprat faisait une figure un peu bien roturière. On lui
sut gré néanmoins de représenter si exactement,
depuis un demi-siècle, l'activité, le bonheur et la
réussite. Immobile dans son fauteuil à roues que
l'on avait poussé près de la cheminée, ce vieillard
sourd, un peu gâteux, cravaté de blanc, sévèrement
boutonné dans sa redingote à la Guizot, c'était,
aux yeux de ces aristocrates commerçants, le type
le plus achevé du siècle, le bourgeois riche, l'homme
du Tiers, parvenu au plus haut de l'échelle. A la
fois ils le méprisaient, parce qu'il était Lesprat,
tout court; et il entrait une certaine admiration
dans leur façon de lui donner son nom, « monsieur

Lesprat ». Ce « monsieur », dans leur bouche avait
une valeur de titre de noblesse. Quant à Prosper
Coutre, le sentiment était à son endroit des plus
divers. Il était désormais admis qu'il avait gagné
sa partie. On le considérait comme un égal ; et
comme un égal, maintenant, on pouvait être son
ami, ou son ennemi, selon le cas. C'était une autre
affaire.

Le préfet vint tard, comme les jeunes gens dan-
saient, et que des groupes s'étaient formés, dans
les coins, où certains échangeaient des chiffres,
évaluaient sur d'imperceptibles indices le degré
de fortune des uns ; où d'autres, avec une gravité
de diplomates, disputaient de la chaleur d'un vin,
de son bouquet, de son arome. On entendait des
mots techniques, mêlés d'images singulières : tel
vin faisait robe de velours, ou queue de paon ; tel
madérisait, en bouteille ; un troisième avait une
belle jambe, un autre méritait cette appellation :
jolie fille ! A l'arrivée du préfet, M. Coutre fut sou-
lagé d'un grand souci. Il craignait que l'absence
de cet important fonctionnaire ne fût interprétée
comme un échec, un désaveu. Il lui sut un gré
particulier d'être venu, d'autant qu'un mouvement
se dessinait parmi certains convives, où l'arrivée du
représentant de l'autorité avait subitement enlevé
toute espèce d'intérêt à la question du fret, à la dis-
cussion sur la supériorité de tel cru, sur telles
méthodes de cépage, voire même à la médisance. De
nouveaux groupes se formaient, insensiblement
rapprochés, l'œil sur le préfet, pour le moment
gracieusement occupé à présenter aux dames ses
hommages. Il avait été nommé à Bordeaux depuis
peu. On ne le connaissait pas très bien encore ;
dans l'attente, on lui passait un peu de fantaisie.

C'en est une que de placer les dames en premier.
Toutes les personnes sérieuses savent, à Bordeaux,
qu'elles ne viennent qu'en troisième. Le vin d'abord,
et puis le fret : la bagatelle ensuite.

Or, quel n'eût pas été le scandale, si l'on eût su,
du côté des personnes sérieuses, de quoi le préfet
entretenait si galamment la jeune comtesse de Brion,
et tout autour de lui, à la manière parisienne, un
cercle charmant de jolies femmes ! Ce sujet eût paru
ridiculement insolite. Il s'agissait de poésie. Le nom
de Lamartine fut prononcé, Mme de Brion en raffo-
lait. Niedermeyer lui avait envoyé sa mélodie
du *Lac*, avec une flatteuse dédicace. C'était une
souple créole, brune et blanche, nonchalante, aux
yeux de velours.

— Oui, oui, disait le préfet, en caressant ses
favoris d'une belle main, un grand poète, assurément... L'homme politique me plaît moins... Il
prétend siéger au plafond, dans les nuages. Hi !
Hi !... On dit qu'il a deux millions de dettes. Il a
fait appel au public pour les payer... Cet homme-là,
ce n'est plus une lyre... c'est une tire-lire !

Bien que le mot ne fût pas tout neuf, on rit. Ce
préfet était spirituel.

— J'ai souscrit, dit Paul Brun, que le nom du
poète avait attiré du côté des dames.

— A quoi? demanda Coutre survenant.

— A la souscription en faveur de Lamartine.

M. Prosper Coutre n'était pas au courant. Il fit
une moue.

— Deux millions de dettes? Peste ! Et un poète,
encore? C'est peut-être une canaille, ce n'est sûrement pas un imbécile...

Il n'en revenait pas qu'un poète pût avoir deux
millions de dettes. L'importance de la somme

mêlait à son mépris une certaine considération.

— Comme si le gouvernement n'aurait pas dû
éviter cette humiliation à l'immortel chantre
d'Elvire ! Mais non... il exile Victor Hugo et laisse
crever de faim Lamartine ! s'écria Paul Brun avec
vivacité.

L'enthousiasme du naïf garçon parut de mauvais
goût, et jeta un froid. Le préfet leva légèrement les
sourcils, diplomatiquement désapprobateur. Cependant, Mme de Brion regarda le jeune M. Brun avec
sympathie.

— Vous aimez la poésie, monsieur? dit-elle en
battant des cils.

— Ce jeune homme a du feu, c'est bien, émit le
préfet avec ironie. Qui est-ce?

Prosper Coutre était furieux. Il prit le préfet
sous le bras, l'emmena.

— Une tête brûlée... un enfant... excusez-le... je
suis désolé... Voilà bien le fruit de ces campagnes
scélérates !

Paul Brun se trouva tout seul, dans une embrasure, avec un jeune homme à lorgnon, d'air timide.
Paul, excité, s'efforçait de communiquer sa flamme
à ce bénévole interlocuteur. A ses professions de
foi républicaine et romantique, le jeune homme
au lorgnon répondait avec politesse, en acquies-
çant : « Certainement... sans doute... en effet... »

— Si nous allions nous rafraîchir? proposa Paul
à bout d'éloquence, en entraînant son nouvel ami
vers le buffet.

Ils y retrouvèrent Julie Coutre, avec Aricie, au
milieu d'un groupe.

Julie s'amusait beaucoup, parlait haut, artifi-
cielle et animée. Aricie était réservée. La tête lui
tournait un peu, à cause de tout ce monde aux

voix perçantes, assurées. Le jeune homme à lorgnon salua Julie, qui le présenta. Il était ingénieur, en relations d'affaires avec la maison Coutre, et, bien que timide, important. Il s'occupait de la construction des chemins de fer du Midi. Comme il avait fait récemment passer une grosse commande de traverses aux chantiers de la Souys, M. Coutre le tenait en grande estime, avait prédit son avenir. Il s'appelait Marcelin Jouvenet. Paul lui serra la main. Marcelin s'inclina devant Aricie, et perdit un gant qu'il ramassa en s'excusant. Puis il se mit à rire de sa maladresse. Aricie sourit avec bienveillance. Ce grand garçon gauche ne lui était pas antipathique. Il avait de bons gros yeux bleus derrière son lorgnon. Au milieu des amis d'Eugène, arrogants et fats, il était le seul qui fût naturel.

II

Caroline Brun n'allait pas bien. Elle avait le
cœur fatigué. Naturellement, elle n'entendait pas
se soigner, encore moins prendre du repos. Le magasin avait besoin d'elle : elle n'avait pas le temps
d'être malade. Et de fait, elle était l'âme de la
maison, toute la journée allant et venant, au comptoir ; le soir, revisant les comptes au grand livre,
mollement tenu par Paul, tandis que Melchior
entretenait les relations avec les représentants et
les fabricants, visitait les dépositaires, à Bordeaux
et aux alentours. Émile était toujours en Amérique.
Il avait fondé, à San Francisco, un comptoir
d'exportation, où l'on trouvait de tout, du vin,
des cotonnades, de la toile et jusqu'à des baraquements, spécialement construits à la Souys, pour les
émigrants. On les envoyait là-bas démontés, il n'y
avait qu'à les rajuster sur place. Les affaires n'étaient
pas mauvaises. Dans ses lettres, Émile se plaignait
seulement du climat et de l'ennui d'être si loin
des siens. Aussi, pour le réconforter dans son exil,
chaque bateau qui partait emportait à destination
de ce pauvre Émile une longue missive d'Aricie.
Longues, tendres, consolantes confidences, minutieux journal d'une vie sans événements, d'une
répétition morne, où tous les jours sont pareils à

eux-mêmes, se consument d'eux-mêmes, sans espoir d'aucun changement. Et cependant ils passent,
du même pas égal, indifférent. Et, les jours ajoutés
aux jours, les années s'effritent, le cœur s'use et
vieillit.

A force de ruse, d'insistance, Aricie obtint de
sa mère qu'elle consentît à voir un médecin. Il fallut
recourir à un subterfuge. Estelle vint avec le sien,
sous prétexte de rendre visite à sa sœur, un jour
qu'elle était de passage à Bordeaux et devait
ramener le docteur, un vieil ami, dîner à la Souys.
Le médecin ne trouva aucun mal particulier à
Mme Brun. Elle était fatiguée, voilà tout, elle se
surmenait. Il conseillait un peu de repos, et, si
c'était possible, un petit voyage, un changement
d'air.

— Il est fou, répondit Caroline, avec un haussement d'épaule, quand l'homme de l'art fut parti.

Et puis, où aller? Il y avait bien Floirac, où, en
d'autres temps, le vieil oncle curé aurait été heureux
de recevoir Caroline. Mais l'abbé Lesprat avait
lui-même bien baissé, ces dernières années. Il
était podagre, perclus.

— J'ai une proposition à te faire, dit à Aricie
la tante Coutre, un jour que sa nièce lui rendait
visite à la Souys. Je passerai l'été avec Julie à
Arcachon. Ton oncle reste à Bordeaux pour ses
affaires, il ne viendra que le samedi. La chambre
d'Eugène est vacante. Pourquoi ne viendriez-vous
pas, ta mère et toi, passer quelques jours près de
nous? Julie en serait bien contente. Le magasin...
eh bien! Melchior et Paul s'en tireraient. Il faut
bien qu'ils apprennent les affaires tout seuls...

Caroline se laissa corrompre. Sa sœur lui repré-
senta avec habileté qu'Aricie avait besoin de ce

changement. Prosper insista même auprès de sa
belle-sœur avec une affabilité inaccoutumée. Il
n'était pas fâché de savoir sa femme et sa fille en
compagnie à Arcachon.

Depuis le départ d'Eugène pour Londres, assuré
de ne point s'exposer à de fâcheuses rencontres
familiales dans les coulisses où il fréquentait, il
avait une fringale de liberté. Mlle Célénie Murier
tenait une place importante dans sa vie. Le mois
d'août vit donc cette chose singulière : pour la
première fois de leur existence, Caroline Brun et sa
fille franchirent le seuil de la maison à colombages
de la rue Sainte-Catherine, et n'y revinrent pas
coucher le soir. C'était le premier voyage d'Aricie.
Devant la nouveauté de l'aventure, elle croyait
aller au pôle. Elle avait une petite trousse, avec un
flacon d'arnica, du taffetas, de l'eau de mélisse en
cas qu'il n'arrivât un accident ou qu'on ne fût
malade en chemin de fer.

Ces vacances furent délicieuses pour Aricie. Du
jour au lendemain, comme transplantée par le
pouvoir magique d'une fée, elle connut une vie
oisive, élégante et douce, où nul soin ménager ne
la venait distraire et réclamer. Les premiers temps,
à peine était-elle assise dans un fauteuil, elle se relevait brusquement tout soudain, et demeurait
coite, étonnée de n'avoir rien à faire, honteuse
aussi d'être inutile. Alors elle se rasseyait auprès
de sa charmante tante Estelle, parfumée, dolente
et placide, s'éventant avec une grâce un peu molle,
dans la véranda. De là, entre les stores surchauffés,
qui dégageaient une odeur tiède de résine, à travers
les fûts des pins qui touchaient presque à la maison,
de ce côté, on apercevait la mer étincelante, et,
de temps à autre, une voile triangulaire et penchée,

le vol souple et sinueux d'une mouette. Le chalet
n'appartenait pas aux Coutre. Ils le louaient
depuis des années, ils avaient une promesse de
vente. Aricie était étourdie du luxe qui l'environ-
nait, mais une surprise plus délicate la ravit. Grâce
à l'intimité de ce séjour, elle découvrit le véritable
caractère de sa tante. Rendue à elle-même, dès que
la présence du terrible Prosper cessait un instant
de la méduser, Estelle se retrouvait, paraissait
alors ce qu'elle était réellement : la meilleure des
femmes. Elle avait le cœur bon, c'est la revanche
des gens faibles. Aricie s'éprit d'une vive tendresse
pour cette tante si peu connue. Julie même lui
parut charmante. Était-ce l'absence de son frère?
l'effet de la solitude, où les êtres se reprennent, et,
privés du contact du monde et de sa déformante
influence, reviennent à leur vrai naturel? Elle était
tout autre, affectueuse, spontanée. Dès cet instant,
les deux cousines furent amies. Julie était musi-
cienne, elle peignait à l'aquarelle. Elle avait dix-
neuf ans, beaucoup d'enfantillage dans le caractère,
des foucades d'enfant gâtée. Elle voulait que tout
lui cédât. Peu de santé avec cela. Brusquement
entichée d'elle, il fallait qu'Aricie ne la quittât
plus. Et devant les dons de Julie, sa facilité, sa jeune
grâce d'animal bien né, Aricie montrait une sorte
d'étonnement admiratif, cette sorte de tendresse
passionnée que les âmes très hautes, mais naïves,
ressentent souvent pour des êtres qui ne les valent
point, mais dans lesquels elles admirent un bonheur, une réussite qu'elles ne connaîtront jamais
pour leur part, et que leur excessive modestie leur
fait prendre, chez les autres, pour des qualités.

Souvent, toutes les deux, elles allaient se promener ensemble, à travers les pins, du côté de Picaye

ou de Mouleau, choisissaient un endroit sauvage à
l'écart, et, assises sur le sol couvert de fines aiguilles
desséchées, où les pas glissaient, longuement regar-
daient, par delà le bassin fermé, l'immense étendue.
Là, dans la paix otieuse, à peine troublée par les
grands coups de vent dans les branches et le gémissement des flots déferlant à leurs pieds sur le sable,
Aricie s'abandonnait avec délices au bonheur de
se confier. Pour la première fois, elle avait une amie,
avec qui parler, se détendre. Elle disait alors sa
vie, ingénument, son secret excepté. Elle parlait
à Julie des siens, des souvenirs de sa petite enfance,
du presbytère de Floirac, des fleurs cueillies dans le
bourdonnement des cloches, des amusantes inven-
tions de l'oncle curé, de leur grand-père. Julie ne
connaissait en lui que le vieillard déchu : à cette
image triste, Aricie substituait à petits coups un
portrait plus vivant, plus gai. Elle parlait aussi de
ses frères, de son cher Paul, si généreux, si intelligent, toujours plongé dans ses lectures, en correspondance avec des poètes, Paul, si haut placé
dans son esprit, supérieur à elle ; du bon Émile,
parti un jour sur ces flots qui venaient mourir
devant elle, au delà desquels il vivait, d'une vie mystérieuse, aventureuse et inconnue. Elle rapportait
son voyage, qui avait duré cinq mois de traversée,
les détails qu'elle en avait elle-même appris par ses
lettres, et San Francisco, et le passage de la ligne,
et les bancs de poissons volants rencontrés du côté
de la Guadeloupe. Ces humbles détails amusaient
Julie. Par l'entremise d'Aricie, elle accédait à un
monde imaginaire, surprenant d'étrangeté, dont nul
ne l'avait jamais entretenue ; et de la personne
même d'Aricie, de sa façon de s'exprimer, simple
mais juste, de son air enjoué, de son cœur partout

présent, jusque dans ses plus modestes paroles,
naissait pour la jeune fille un charme d'une secrète
influence dont elle se sentait touchée et pénétrée,
comme d'une musique céleste. Si elle avait su discerner la raison de ce qu'elle trouvait de si attachant
dans sa cousine, elle aurait compris qu'Aricie avait
un cœur tout embaumé de poésie.

D'autres fois, Mme Coutre voulait descendre sur
la plage. Elle se faisait chercher en voiture. Caroline
restait au jardin ; Aricie accompagnait sa tante et
sa cousine. On faisait d'abord un tour dans la forêt,
et l'on revenait ensuite auprès du bassin, pour
goûter. C'était l'heure mondaine. Les baigneuses
étonnaient bien un peu Aricie, avec leurs peignoirs
aux vives couleurs, et leur indifférence à se laisser
indiscrètement examiner des spectateurs, au moment qu'elles entraient dans l'eau, ou en sortaient,
vêtues de tenues de bain sombres, avec des jupes
courtes de cantinières. Une fois, il y eut un scandale,
produit par une dame qui avait osé se montrer
sur les planches en maillot rouge. Arcachon en jasa
longtemps. A l'extrémité du petit golfe, on apercevait le bain des hommes, éloigné, dont les femmes
n'approchaient pas. Par ailleurs, le spectacle était
fort joli, d'une gaieté pimpante pour l'œil, avec le
bariolage des tentes éblouissantes au soleil, la vivacité des ombrelles, les toilettes claires des femmes,
et, par delà le sable jaune et scintillant, la frange
blanche de l'écume, le vert phosphorescent des
flots. Sur le bassin, on voyait virevolter comme des
mouettes les fines barques bien gréées, luisantes,
nettes et rapides sur les eaux, prenant des bords
avec une précision délicate ; les voiles aiguës contre
le bleu du ciel avaient une blancheur lustrée ;
d'autres, à l'extrême horizon, se confondaient

avec la crête mousseuse d'une vague, ou l'aile d'un
oiseau marin. L'air sentait l'eau, le sel, l'odeur
balsamique des forêts de pins avoisinantes. Et tout
autour d'elle, Aricie admirait avec un étonnement
naïf les élégances balnéaires des promeneuses en
cerceaux, en cages, en crinolines, maniant de minuscules ombrelles de dentelles, à volants. Parmi elles,
on reconnaissait des Parisiennes, qui surprenaient
par l'étalage de modes nouvelles, portaient avec dé-
sinvolture le « costume », la jupe cavalièrement re-
levée sur le jupon de ton contrarié. Au milieu de ces
nonchalances, les visages hâlés des hommes tran-
chaient. Certains étaient encore revêtus de leurs su-
roîts cirés, ruisselants. Des cavaliers descendaient à
cheval jusqu'à la terrasse du chalet des gaufres.

C'était là que Mme Coutre, à cinq heures, achevait sa promenade. On y goûtait de gaufres, de si-
rops. On était sûr d'y rencontrer des personnes de
connaissance, toute l'oisiveté bordelaise, un petit
monde en raccourci. Étonnée des relations nombreuses des dames Coutre, Aricie eut la surprise
de se voir une fois saluée par un jeune homme
qu'elle reconnut aussitôt à son lorgnon d'or. C'était
M. Marcelin Jouvenet. Aricie, qui, un peu à l'écart,
attendait sa cousine et sa tante échangeant des propos divers avec des amies, Aricie crut d'abord que
ce salut ne lui était pas adressé. Mais voyant ses
parentes occupées ailleurs, elle dut bien se persuader que c'était elle qu'avait reconnue M. Jouvenet. Elle le salua à son tour avec modestie.
Mme Coutre et Julie arrivèrent dans cet instant.
M. Jouvenet vint leur présenter ses hommages.
Il était à Arcachon depuis deux jours. Il sollicita
l'honneur d'aller rendre visite à Mme Coutre,
demanda si M. Coutre était avec ces dames. Ayant

appris qu'il ne venait que du samedi au lundi,
M. Jouvenet promit sa visite pour le dimanche.

Il vint le dimanche. Prosper Coutre le retint
dîner. Prosper Coutre était d'une humeur charmante. Il avait appris la veille, à la Chambre de
commerce, le naufrage d'un navire apportant à
Bordeaux un important chargement de bois pour
une maison concurrente. Le chargement avait été
complètement perdu ; et de cette perte, la maison
Lesprat et Coutre avait reçu l'heureux contre-coup.
Prosper fit part de cet événement qui n'était pas
fâcheux pour tout le monde, le soir même, à M. Jouvenet, tout en fumant un cigare dans le jardin.
Quand le jeune ingénieur voulut prendre congé,
M. Coutre l'invita très aimablement à venir voir
ces dames, en son absence. M. Jouvenet remercia
beaucoup. Après qu'il se fut retiré, M. Coutre dit :

— Ce jeune homme a beaucoup d'avenir. Il est
sorti de l'École centrale avec le numéro deux.
J'aurais moins confiance en lui, s'il avait eu le numéro un. Il est mauvais d'être le premier trop jeune.
On jette tout son feu. On se croit arrivé. Le numéro
deux, c'est très bien.

M. Marcelin Jouvenet revint au chalet Coutre.
Il y revint même plusieurs fois. Il était de bonnes
manières, un peu timide, on le savait riche. Son
lorgnon prévenait en sa faveur, il annonçait un
homme rassis. Estelle fut sensible à l'assiduité de
cet ingénieur en qui son mari avait découvert un si
brillant avenir. Elle crut devoir avertir Prosper.

— Je ne vois pas de mal au plaisir que M. Jouvenet peut prendre à venir chez vous, répondit
M. Prosper Coutre avec une froideur diabolique.

Et, à part lui, il pensa que sa femme était irré-
missiblement idiote.

*
* *

Aricie était très troublée ; cette existence si nouvelle, l'absence de soins ménagers laissaient des
loisirs jusqu'alors inconnus à son esprit. Elle goûtait avec une sorte de vertige inquiétant à cette
activité du cœur si folle dès que, la discipline d'une
tâche se dénouant, la rêverie lui succède avec ses
pièges dangereux. Depuis qu'elle avait momentanément cessé de servir — rue Sainte-Catherine,
elle servait — Aricie se voyait envahie par une
extraordinaire puissance d'imagination. Certes, son
chagrin ne l'avait jamais abandonnée, elle n'avait
jamais cessé de nourrir dans son cœur le souvenir
de son amour rompu, de son impossible bonheur.
Cependant elle s'était résignée, à la longue ; elle
n'avait pas de révolte, elle ne faisait nul grief au
destin. Elle acceptait sa solitude, et, chrétienne,
puisait dans sa foi la force de cette acceptation.
Mais ce brusque changement de régime avait
tourné depuis quelques jours toute son activité
accoutumée au service exclusif de la vie intérieure,
et, à la réflexion, elle se sentait moins certaine d'être
résignée. Son cœur ne saignait plus, mais il était
lourd, comme gonflé, avec au fond elle ne savait
quoi d'inassouvi qui appelait. Elle avait cru longtemps son cœur à jamais mort, en elle. Et voilà
qu'il recommençait de remuer ; de nouveau elle
l'entendait battre. L'espérance rouvrait ses ailes.
Elle n'était donc, depuis si longtemps, qu'assoupie?
Ce fut avec une véritable terreur et le sentiment
d'une monstrueuse découverte qu'Aricie s'aperçut
enfin de la particulière sympathie qui l'entraînait
vers M. Jouvenet.

Il ne lui avait rien dit. Ils n'avaient pas eu d'occasions de se trouver ensemble seuls. Il n'avait rien laissé paraître. Mais Aricie n'avait pas besoin qu'on lui expliquât les choses qui intéressent le cœur. Elle devinait si bien! L'étrange assiduité du jeune homme avait une raison facile à comprendre, et si modeste qu'elle fût, Aricie ne pouvait douter qu'elle était la cause de cette mystérieuse attirance. M. Jouvenet ne le savait peut-être pas lui-même. Mais il était si gauche en la regardant, il paraissait si malheureux quand il lui fallait adresser la parole, si troublé quand il s'apercevait qu'elle regardait de son côté! Par contre, si naturel avec Julie, avec les autres. Oui, M. Jouvenet aimait Aricie. Aricie aimait M. Jouvenet. Elle l'aimait parce qu'il était comme elle timide, et comme elle tendre, comme elle simple et vrai; parce qu'il ne ressemblait pas aux autres. Et se surprenant elle-même à penser de la sorte à lui, Aricie se disait avec angoisse qu'elle n'avait pas le droit d'aimer, d'aimer jamais un autre que celui auquel elle avait donné sa foi. Que pouvait faire qu'il fût mort, Henri Lautaret? Que pouvait même faire qu'avant de mourir, il se fût dégagé et lui eût rendu sa liberté? Vaine précaution, inutile. A jamais, dans son cœur, Aricie demeurait fidèle au souvenir de son premier et de son seul amour. Henri Lautaret ne comptait pas. Ce qui comptait, c'était l'amour qu'elle lui avait juré, auquel elle s'était juré de rester à jamais fidèle. Et voilà qu'un autre trouble la gagnait. Elle n'avait pas le droit d'y céder. Le faisant, elle eût été parjure, sacrilège. Elle n'y pouvait consentir. Cependant elle avait le cœur déchiré.

Et puis, d'autres scrupules ajoutaient à son

intransigeance. Avait-elle davantage le droit de
songer à M. Jouvenet? Elle était pauvre, l'horizon
de sa vie médiocre. Lui, un brillant destin l'attendait; chacun en convenait. Elle serait un fardeau
pour lui, elle ne pourrait pas le servir, elle entrave-
rait sa carrière. Raisons absurdes, qui n'avaient
de force et de poids que ceux qu'elles empruntaient
au scrupule sentimental d'Aricie. Un autre encore
pesait sur elle. Julie avait insensiblement changé,
paraissait triste, assez rêveuse, avec des brusque-
ries subites. Aricie en était surprise. Elle voyait sa
cousine chercher souvent l'isolement, dans le jardin,
l'éviter même. Un soir après dîner, Julie était sortie
de la maison, tardait à rentrer. Mme Coutre s'inquiéta. Aricie, restée seule entre sa mère et sa tante,
s'offrit à aller chercher sa cousine. Elle la trouva
sur la terrasse, au clair de lune, accoudée et rêvant.
Elle l'appela. Julie ne répondait pas. Mais quand
Aricie se fut approchée, elle se leva farouchement,
et sourdement cria :

— Que me veux-tu?... Laisse-moi !... Laisse-moi !

Déjà elle faisait un mouvement pour s'enfuir.
D'une voix d'affectueux reproche, Aricie mur
mura :

— Julie...

Julie tomba en sanglotant dans les bras tendus
de sa cousine. Elle y demeura longtemps. A la fin,
en larmes, elle dit :

— J'ai du chagrin.

— Je sais... je sais... dit Aricie avec douceur.

Et comme une enfant, dans la nuit, la tenant bien
serrée contre elle, elle lui caressait les cheveux et la
berçait pour consoler ce grand chagrin.

***

Dès lors, sa résolution fut prise. Malgré la douceur du sentiment nouveau qui l'emplissait, et cet
appétit de bonheur réveillé en elle, la brève scène
avec Julie dans le jardin fit jouer un ressort secret
au fond de sa conscience clairvoyante. Sur l'idée
de cette possibilité de bonheur, se greffa aussitôt
cette seconde idée, indissolublement liée à la première, qu'après ce qu'elle avait découvert de Julie,
ce bonheur entrevu n'était possible qu'à la condition
de faire le malheur de sa cousine. Aricie conçut
nettement avec force, le caractère exceptionnel
de l'occasion qui s'offrait à elle de refaire sa vie.
Elle n'était plus jeune. Si elle écartait Marcelin de
sa route, elle percevait qu'il lui faudrait désormais continuer sa route toute seule, sans espoir
de mieux. D'autre part elle savait qu'il ne pourrait
jamais être de bonheur pour elle, si ce bonheur
était, à sa naissance, empoisonné par la pensée
qu'une seule personne au monde en pourrait avoir
du chagrin. Elle se vit, par une imagination romanesque, un couteau à la main, sur le point d'égorger
Julie, interposée entre elle et son amour : cette
image lui fit horreur. A son affection pour sa cousine, à l'émotion qu'elle avait ressentie en apprenant
qu'elle était malheureuse, le sentiment profond du
devoir, tel qu'elle le nourrissait de toute éternité
dans sa conscience, ajouta contre elle-même un
argument nouveau : une fois de plus, comme dans
toutes les circonstances de sa vie où son intérêt
s'était trouvé mis en balance avec l'intérêt des
autres personnes, autant par politesse et par bonté
que par cette totale humilité qui faisait le fond même

de sa nature, elle s'effaçait. Sur le pont d'un navire
en perdition, au moment de prendre sa place dans
un canot de sauvetage, elle aurait regardé derrière
elle pour voir s'il n'y avait personne à laisser passer
en premier. De même qu'elle se donnait toujours
tort dans les discussions, préférait croire à la supériorité des raisons qu'on lui opposait, plutôt qu'à
la bonté des siennes, elle mettait au-dessus du sien
l'intérêt des autres. Il y avait dans son cas de la
charité, de la modestie et de la faiblesse, la faiblesse
des êtres délicats qui ne sauraient donner une piche-
nette quand même il s'agirait pour eux de ne pas
mourir. L'extrême rigueur de ce caractère allait jusqu'à ne jamais penser à ces devoirs envers soi que la
religion même range au nombre de ses vertus. Il y
avait dans Aricie les signes évidents de cette défor-
mation professionnelle que l'on voit parfois à ces
vieilles sœurs de charité, inhumaines par l'excès de
leur altruisme, au point de n'y être soutenues que
par une si haute conception de leur tâche qu'elles
trouvent à la fin leur récompense dans le sentiment
qu'elles ont de la beauté du sacrifice. Placée entre son
amour, son intérêt et ses scrupules, Aricie ne céda
qu'à ceux-ci. Elle fut folle d'héroïsme à l'idée de se
sacrifier une fois encore, et que cette fois-là pût être
si importante et si décisive. C'est dans l'exagération
même de ce sacrifice qu'elle puisa la force indispensable pour l'accomplir. L'y ayant trouvée, elle rede-
vint calme. Et nul ne se douta jamais du combat
qu'elle avait livré.

*
* *

— Monsieur Jouvenet, j'ai à vous parler, dit
Aricie à Marcelin, le jour suivant, au moment qu'il
poussait la grille.

Aricie guettait sa venue, au bout du jardin. Et elle emmena le jeune homme à travers les pins, par une allée transversale. Ils firent d'abord quelques pas sans rien dire. Maintenant, au moment d'agir, Aricie hésitait. Toutefois, elle n'était pas faible, ayant pris sa résolution. Elle en était même exaltée les mots seulement lui semblaient difficiles. Elle avait fait le premier pas, en abordant Marcelin. Cela l'engageait, cette idée lui donna la force nécessaire.

— Ce que j'ai à vous dire n'est pas très commode, monsieur Jouvenet. Il faut que vous m'aidiez un peu. Vous seul pouvez m'aider, d'ailleurs. Je ne pense pas me tromper, la sympathie ne trompe pas...

M. Jouvenet était extrêmement pâle. Il ôta son lorgnon, le remit.

— Mademoiselle... moi aussi... J'ai quelque chose à vous dire... je ne pensais pas, en venant, que ce serait si tôt... Mais me voilà seul avec vous... Ne croyez pas... Je ne sais pas si je dois... vraiment... Vous savez peut-être ce que je voulais vous dire... C'est quelque chose de grave... d'important... oui, d'important, c'est cela... Vous ne savez pas?...

Il paraissait très malheureux, embarrassé.

— J'aurais dû... peut-être... il eût fallu... j'aurais dû avoir une conversation... préalable... préalable... avec M. Coutre... Il m'aurait conseillé... Il vous aurait prévenue... oui, cela eût mieux valu... Mais enfin, puisque vous voilà, puisque c'est vous qui m'avez offert cette occasion... je...

Aricie posa sa main sur le bras du jeune homme, et fit un effort pour formuler ce qu'elle avait à lui apprendre. Mais elle n'eut pas le courage de le regarder, et c'est les yeux baissés qu'elle parla.

— Il y a ici quelqu'un qui vous aime, monsieur Jouvenet.

— Ah? fit Marcelin désorienté, sans comprendre.

— Peut-être ne le saviez-vous pas, reprit Aricie.
On ne m'a pas chargée de vous le dire. Mais il m'a
semblé qu'il était de mon devoir, à moi, de vous
prévenir...

M. Jouvenet était dérouté. Il répéta :

— Quelqu'un qui m'aime?

Soulagée d'avoir exprimé l'irrémédiable, Aricie
leva son regard sincère vers les yeux de M. Jouvenet,
et cette fois, pour qu'il ne pût pas se méprendre,
elle dit, avec calme, en le regardant :

— Oui... Julie... ma cousine, enfin.

Marcelin ouvrit la bouche pour parler mais il
ne proféra aucun son.

— Il faut bien que vous le sachiez, dit Aricie
doucement.

Elle était déchirée, mais en même temps, surex-
citée d'être héroïque, elle s'enivrait d'allégresse à
se sacrifier.

— Oui, oui... certainement, fit Jouvenet. Je vous
remercie... Je ne savais pas. J'avais pensé une autre
chose...

Il demeura un instant rêveur, faisant des raies
avec sa canne dans le sable, parmi les brindilles.
Puis il releva son regard, et le portant sur le visage
d'Aricie, il demanda :

— Mais... vous?

— Je ne me marierai jamais, répondit-elle.

— Pourquoi?

Aricie ne répondit pas. Elle secoua seulement la
tête en fermant les yeux.

Ils se turent longtemps ensemble. Ils n'avaient
plus rien à se dire.

— Il faudrait rentrer, maintenant, fit Aricie.

Puis après quelques pas :

— Cela ne doit pas vous faire de la peine.

Jouvenet eut un grand geste vague, de ses bras.

— Nous serons bons amis, conclut Aricie, tout en s'efforçant de sourire, afin de dissimuler une émotion que le pauvre M. Jouvenet était trop myope pour apercevoir. Mais le soir, quand elle fut seule, elle tomba au pied de son lit, et, longuement, elle sanglota.

III

Depuis son retour d'Amérique, Émile Brun s'était établi à Toulouse, en 1856. L'amour n'avait pas été étranger à ce retour et à cet établissement. L'année même qu'il revint en France, après avoir cédé à son associé, M. Baptistin Poujoulade, sa part de droits dans le comptoir qu'ils avaient ensemble fondé à San Francisco, Émile avait demandé et obtenu la main de Mlle Sextia Poujoulade, propre nièce de l'associé précité, brune et accorte Toulousaine, dont les yeux noirs n'avaient cessé de réconforter, par le souvenir, le jeune voyageur en son exil. A la vérité, le projet de cette union avait été formé avant le départ d'Émile Brun pour les Amériques. Mais diverses circonstances avaient obligé ce dernier à y demeurer plus longtemps qu'il n'avait d'abord imaginé. Il fut fidèlement attendu par la jeune fille. Le mariage eut lieu dans le mois qui suivit le retour d'Émile, à Toulouse, où Brun se fixa. C'était la seule condition posée par le futur beau-père, M. Alcide Poujoulade, gros entrepreneur de travaux publics dans la capitale du Languedoc, et vieux client de la maison Lesprat et Coutre, de Bordeaux. Ce mariage assurait une situation à Émile Brun, trait d'union naturel entre les chantiers de la Souys et les vastes entreprises de M. Poujou-

lade. Rien à mentionner, pour le surplus, quand on
aura dit que M. Émile Brun était fort satisfait
d'avoir remis le pied sur le sol natal, avec le ferme
propos de ne le plus quitter jamais. M. Brun l'Amé-
ricain n'était pas fait pour le voyage et les aventures. Il n'en avait pas couru de bien périlleuses à
San Francisco, où pendant ces six années de séjour,
il n'était pas une fois sorti de la ville, tout occupé
qu'il était par la bonne marche des affaires de sa
maison de représentation, sa correspondance avec
ses répondants bordelais, et la certitude où il se
trouvait de ne pas faire de vieux os en Californie.
Il en revint comme il était parti, fort amoureux,
avec seulement quelques anecdotes en plus sur la
manière dont se découvrent les mines d'or et les
puits de pétrole. Pour les mines, il suffit de tirer
un coup de fusil chargé de poudre d'or dans une
carrière ; on en expédie ensuite des fragments de
roche en Angleterre, des experts viennent examiner
sur place le gisement, rédigent un rapport favorable,
reçoivent leurs parts de fondateurs, et la société
est constituée. Quant aux puits de pétrole, Émile
en avait vu certain changer quinze fois de propriétaire en un mois : le dernier, un imbécile, fit rater
l'affaire de ce fructueux lancement, faute d'avoir
mis du pétrole dans le puits, comme les autres.
Outre ces historiettes, Émile Brun rapportait un
poignard espagnol ébréché, qui lui servait de coupe-
papier, un sale petit bloc de minerai jaunâtre, qui
était un lingot d'or vierge, et le souvenir de deux
épouvantables traversées. Cet homme casanier
devait conserver longtemps l'étonnement d'être
allé si loin. Mais il ne tirait pas vanité de ses voyages,
et ne cherchait jamais à en imposer par des récits
trop pathétiques. Non qu'il fût dépourvu d'imagi-

nation : mais il n'avait pas le goût du danger, ni de
l'extraordinaire. Il n'était pas un romantique,
comme son frère Paul. Des orages essuyés dans le
Pacifique, il ne retenait qu'une désagréable impression de mal de mer. Il n'avait pas vu de sauvages
et n'avait fréquenté pendant six mois que des
consuls, des douaniers et des gens d'affaires. De
tout quoi, pour se consoler, outre les lettres de
Mlle Sextia, il n'avait demandé de distractions qu'à
trois livres qui ne l'abandonnaient jamais, où cet
aimable homme un peu froid, mais non dépourvu
d'ironie, trouvait une suffisante nourriture intellec-
tuelle : le théâtre de Molière, l'*Esprit des lois* de
Montesquieu, et les lettres de Paul-Louis Courier.

La première année de son mariage, il eut un fils,
qui fut prénommé Henri. Quinze mois plus tard
Mme Émile Brun mettait au monde une petite fille,
qui reçut le nom d'Alida. Aricie fut la marraine de
son neveu Henri. De ce jour la vie d'Aricie fut régie
par un nouveau pôle.

* * *

Lettre d'Aricie à son frère Émile.

« *Monsieur Emile Brun,*
place Sainte-Scarbe, à Toulouse.

« Bordeaux, 12 mai 1860.

« Mon bien cher frère,

« Il y a quinze jours que notre pauvre mère est
morte. Suivant la promesse de ma dernière lettre,
je veux te faire le récit de ses derniers instants. Il

faut que plus tard ses petits-enfants qui ne l'auront pas connue sachent quelle femme et quelle chrétienne elle était. Je te dirai donc comment les tristes choses se sont passées, sans rien y mêler de mes sentiments et de ceux de notre bon Paul et de notre bon Melchior. Leur douleur est, comme la mienne, insurmontable, mais tu peux la mesurer d'après la tienne. Il n'y a qu'une idée qui soit capable, je ne dirai pas de nous consoler, car rien ne saurait consoler de la perte d'une mère aussi chérie, mais de nous aider à supporter le chagrin que sa mort nous cause : c'est de penser qu'elle est désormais auprès de Dieu et que ses souffrances sont terminées.

« Oui, auprès de Dieu : notre bonne mère nous a quittés comme une sainte. Mais plutôt, je vais te dire comment les choses se sont passées. Notre mère avait été bien heureuse de te voir, mon cher Émile, et elle a répété plusieurs fois qu'elle comprenait que la mauvaise santé de Sextia ne t'ait pas permis de prolonger plus longtemps ton séjour auprès d'elle. Après ton départ, elle s'est trouvée mieux, elle a même voulu se lever, et nous l'avons installée dans un fauteuil auprès de la fenêtre. Mais elle avait toujours les jambes si enflées qu'elle n'a pas pu supporter cette position, et il a fallu la coucher de nouveau. Elle ne devait pas se relever. Elle est tombée très bas en peu de temps ; elle se plaignit d'abord beaucoup de ne pouvoir rien faire dans la maison, et s'inquiétait sans fin de ne servir à rien, de nous être à charge. Puis elle s'est aperçue que cette idée, sur laquelle elle revenait sans cesse, nous faisait de la peine à tous, et elle a pris sur elle de se taire et de se résigner, et d'accepter d'être soignée par tes frères et par moi. Le docteur venait tous les

jours. Il ne nous a pas caché qu'il redoutait le pis ;
le cœur était pris, il fallait s'attendre à tout instant
à voir la pauvre femme expirer. C'est horrible de
voir un être chéri vivant près de vous, vous parlant,
comme si rien n'était, et de se dire en l'écoutant,
en le regardant, qu'il est condamné, qu'il va mourir,
sans que ni les prières, ni les soins y puissent quelque
chose. Le mardi matin, le docteur est venu, et j'ai
vu tout de suite à son air qu'il trouvait dans notre
malade un grand changement depuis la veille. Il
me dit que ses forces s'épuisaient ; elle était très
lasse. Le docteur revint dans l'après-midi, avec
un autre médecin, en consulte ; notre mère fut
étonnée. On lui dit qu'elle ne s'effrayât point, que
c'était par prudence. Alors pendant que les médecins parlaient ensemble à demi-voix dans un coin,
à l'écart, j'étais à côté du lit de maman ; elle me serra
la main et dit : « Aricie, prie la sainte Vierge de les
éclairer, afin qu'ils connaissent ma maladie, car
j'ai plus de confiance en elle que dans leurs remèdes ;
mais puisque ces messieurs prennent leurs précautions, je veux prendre aussi les miennes. Il faudra
que je me confesse, va faire chercher l'abbé Marcel. »
C'est le vicaire de Saint-André. Melchior alla à sa
recherche. Le docteur lui mit plusieurs vésicatoires
sur les jambes pour les dégonfler, et me dit de lui
donner une nouvelle potion qu'il avait apportée.
A la première cuiller, maman fit une grimace, la
trouvant mauvaise, mais, par un souvenir chrétien,
elle prit la seconde sans se plaindre, et accepta tout,
dès cet instant, sans la plus légère observation.
L'abbé Marcel vint dans la soirée, et reçut sa con-
fession. Quand il se retira pour aller chercher les
huiles, il me dit que notre mère était une sainte, et
qu'il était édifié. Je retrouvai notre mère calme et

sereine. Elle me dit de préparer aussitôt ce qui était
utile, car on allait lui apporter le bon Bieu. Elle
m'embrassa et me témoigna sa joie, puis elle demanda ses fils, et les fit approcher d'elle. Nous ne
pouvions retenir nos larmes. Notre mère fit alors
son acte de contrition à voix haute, et demanda
pardon à Dieu de tous les péchés qu'elle aurait pu
oublier. L'abbé était revenu sur ces entrefaites et la
communia, puis il lui annonça l'extrême-onction.
A cette annonce, notre mère parut bien surprise,
et murmura : « Déjà? » mais elle ne parut pas
effrayée. Elle renouvela son acte de contrition,
récita tout haut plusieurs prières avec le prêtre. Il
voulut lui donner à baiser un Christ qui contenait
de la vraie croix. Elle répondit qu'elle en avait
aussi un petit morceau dans un scapulaire à son
cou, et le prit elle-même dans ses mains. Depuis ce
moment, elle est toujours restée unie à Dieu, et
prononça plusieurs fois des paroles sans suite, mais
justes, toutes pleines d'humilité, de piété et d'amour
pour nous. Une fois elle dit : « Oh ! que c'est beau !
que c'est beau !... » Que vois-tu? lui dis-je. « Je vois
le ciel... je vois une belle couronne... Elle est au
pied de la croix. J'en ai eu beaucoup, de croix, mais
Dieu les récompense bien... Ah ! qu'on est heureux
de bien servir Dieu ! comme il récompense bien tout
ce qu'on fait pour lui !... la justice, la justice de Dieu,
la simplicité, la paix du cœur... Ah ! que c'est beau...
la vie est courte... » Plus tard, elle dit encore : « Ah !
je vois la sainte Vierge... elle me fait signe .. je suis
avec elle et j'emporte mon paquet... » Puis, de ce
moment, elle a déliré, et a fini par s'assoupir.

« Dans ces cruels instants, rendus plus déchirants
encore par la connaissance que notre pauvre mère
avait de son état, et les paroles sublimes qu'elle

nous adressait pour nous consoler de la voir partir
et nous parler de son bonheur à l'idée qu'elle allait
enfin approcher du ciel, nous n'avons pas, tes frères
et moi, cessé de nous tenir auprès d'elle. Elle avait
conservé ses esprits ; jamais elle n'a cessé de nous
reconnaître, de nous nommer, et même pendant
son délire, de nous faire ses recommandations,
comme si, sur le point de nous quitter, il ne s'était
agi pour elle que d'un voyage.

« Tu n'apprendras pas sans larmes, mon cher
Émile, que notre mère t'a nommé à plusieurs reprises, qu'elle a manifesté bien des regrets à l'idée
que tu ne pouvais recevoir avec nous ses derniers
soupirs, qu'elle-même ne pouvait te donner son dernier baiser. Mais elle ne s'est pas plainte, elle a
répété plusieurs fois qu'elle comprenait bien que
l'état de santé de la bonne Sextia t'empêchait de
revenir à Bordeaux, qu'elle était heureuse de t'avoir
vu le mois dernier, et qu'elle offrait à Dieu ce chagrin comme une pénitence.

« Dans le milieu de la nuit, elle a de nouveau
ouvert les yeux et nous a appelés. « C'est la fin,
cette fois, je le sens. Mes enfants, priez bien pour
votre mère, et aimez-vous bien. » Ensuite elle nous
a demandé pardon de tous les tracas qu'elle nous
avait donnés dans sa maladie ; elle a répété le mot
de pardon plusieurs fois. Il nous a fait de nouveau
fondre en larmes, quelque chose que nous fissions,
tes frères et moi, pour lui cacher notre désespoir et
que nous sentions qu'elle avait dit vrai, que la fin
approchait. Mais comment résister à l'idée d'une
mère si bonne, si chérie, qui n'avait jamais fait que
du bien à ses enfants, et qui leur demandait pardon ! Elle est morte un instant après. Le dernier
mot qu'elle a prononcé a été pour nous nommer

tous, nous dire qu'elle nous aimait bien et qu'elle avait beaucoup de confiance dans la clémence de Dieu.

« Dans la matinée, notre tante Estelle est venue, accompagnée de Marcelin Jouvenet. Notre tante a beaucoup pleuré avec nous, au pied du lit où reposait sa sœur, notre mère chérie. Notre cousin Marcelin était bien ému et nous a parlé avec bien de la tristesse et de l'affection. Il nous a dit qu'il n'avait pas pu connaître beaucoup notre mère, mais qu'il l'aimait et savait mesurer sa bonté à la grandeur de notre chagrin ; enfin il a été bien bon et bien affectueux. Il nous a transmis les regrets de Julie, que son état de grossesse avait empêchée de venir avec lui nous embrasser. Mon oncle Prosper est venu aussi. Il a été bon et attentionné. Les obsèques ont eu lieu le surlendemain à Saint-André. Nous avons accompagné notre mère à sa dernière demeure. Je ne te dirai pas combien cette cérémonie a été horrible pour moi, tu le comprends. Tu connais mes sentiments là-dessus ; il ne sert de rien de s'élever contre la volonté du ciel. Il n'y a qu'à accepter le sort commun, mais c'est bien dur de ne pas pouvoir faire autre chose que de pleurer et de s'en remettre à Dieu. Voilà maintenant notre mère avec notre père. Ils sont réunis à jamais, j'en ai la certitude, au sein de Dieu.

« Ah ! mon frère, qu'il est triste, dans des circonstances aussi déchirantes, de ne pouvoir demeurer dans ses pensées, dans son chagrin ! Mille soucis matériels viennent nous détourner à tout moment de notre tristesse, et nous arracher à la consolation que ce serait pour nous de nous y abandonner. Il a fallu encore s'occuper de bien des choses tristes, d'une autre sorte de tristesse. Il est bien à craindre

que nous ne puissions rester tous les trois rue
Sainte-Catherine. La mort de notre pauvre mère
nous oblige de prendre un parti : après la séparation
de la mort, les vivants vont encore être forcés de
se séparer. Notre grand-père a manifesté le désir
que j'aille m'installer auprès de lui, à la Souys.
Il a toujours besoin de compagnie ; quand on le
laisse seul un instant, il crie et pleure comme un
enfant, et dit que tout l'abandonne, qu'il n'a plus
qu'à mourir à son tour. La mort de sa fille ne lui
a pas fait l'impression que l'on redoutait. Il a dit
seulement : « Ma pauvre Caroline est certainement
plus heureuse où elle est. » Puis il s'est tu longuement, et ne s'est remis à gémir que sur lui-même.
C'est un pauvre vieillard infirme, tu as pu t'en
rendre compte. Cependant, tout vieux et impotent
qu'il est, il y a une force de vie inouïe en lui. Songe
qu'il va avoir quatre-vingt-quatre ans ! Il aura vu
mourir tant d'êtres chers autour de lui, sa femme,
son frère, son gendre, sa fille... Je vais être obligée
de satisfaire à sa volonté. Il est vrai que, dans cette
grande maison de la Souys, ma tante Estelle a
trop de soucis et de charges pour être aussi souvent
auprès de lui qu'elle le voudrait. Quant à Julie,
son mari et son enfant l'occupent trop de son côté,
et puis elle n'a peut-être pas la santé qu'il faut
pour songer à celle d'un vieillard malade. La
mienne est bonne, je crois donc être plus utile à la
Souys que je ne le serais rue Sainte-Catherine,
et sans doute cela vaut mieux, à plus d'un titre.
Paul s'occupera du magasin à lui seul, avec le fidèle
Cyrille, qui restera auprès de lui. Mais je dois te
dire que les affaires vont bien doucement, et que ce
sera peut-être un soulagement pour Paul de n'avoir
pas à se préoccuper de moi. Melchior entre définiti-

vement au comptoir de la Souys, il s'occupera
du chantier et de la comptabilité, et continuera
d'habiter à la Souys, comme il faisait depuis ces
derniers temps. Me voilà donc au moment de
quitter la maison où je suis née, où mes frères
sont nés, où mon père et ma mère sont morts, et où
j'ai vécu jusqu'à ce jour. Je ne la quitterai pas
sans un nouveau chagrin : tu sais ce que j'y laisse ;
et quels souvenirs... mais voilà, c'est la vie, mon
cher Émile, c'est comme cela, et toi aussi, tu sens
comme moi. Du moins j'ai la consolation de ne pas
m'en aller à la Souys en étrangère... et pourtant !
Mais enfin j'y retrouverai Melchior. J'espère que
Paul se fera à sa nouvelle existence, et ne se trou-
vera pas trop seul rue Sainte-Catherine. Ses habitudes n'y changeront pas. Tu sais, je vieillis : je
pense aux miennes ! Allons ! Allons ! C'est comme
cela...

« Adieu, mon bon frère. J'embrasse ma bonne
sœur Sextia et fais des vœux pour son rétablisse-
ment. Embrasse bien la petite Alida et ton Henri,
ce pauvre chou, de la part de sa chère marraine.
Ta sœur affectionnée qui a le cœur bien gros,

« ARICIE. »

« *P.-S.* — Au moment de fermer ma lettre, je
t'annonce la naissance de la fille de Julie, qu'un
porteur de la Souys vient de m'apprendre. Marcelin t'envoie ses compliments. C'est un bien excellent et dévoué cousin. »

IV

Si passant à Bordeaux, environ 1865, et que
descendant la rue Sainte-Catherine il vous fût venu
à l'idée d'acheter des draps, de la toile à chemise,
des caleçons, voire un mouchoir ou un peloton de
ficelle, et que, levant le nez vers l'enseigne qui
brinqueballait à l'auvent d'une vieille maison à
colombages, vous eussiez distingué dans sa couleur
à demi effacée un singe qui dévidait une bobine,
sous cette inscription en vénérables caractères :
« Lesprat et Brun, toiles et cordes, » vous eussiez
pensé devoir trouver là l'objet de vos désirs et de
vos besoins. Mais après avoir franchi le seuil de cet
antique magasin, à la devanture duquel étaient
empilées d'honnêtes lingeries de tout genre, vous
auriez sans doute été étonné d'y être accueilli fort
civilement par un petit homme à longs cheveux
et à barbiche, vêtu d'une ample redingote boutonnée sur un gilet rose, qui, vous voyant apparaître,
se fût aussitôt écrié, avec un accent jovial, en se
tournant vers le fond de l'arrière-boutique :

— Monsieur Paul... un « aüs » ! !

C'est ainsi qu'en ces temps heureux tout client
nouveau était accueilli dans le bizarre magasin de
M. Paul Brun. Son entrée y produisait tout d'abord
une impression de curiosité, et ce n'était pas l'effet

d'un réflexe purement professionnel qui faisait
demander le premier commis à l'intrus : « Monsieur désire? » C'était un empressement vrai, un
étonnement non simulé, presque une marque particulière d'intérêt, un sincère besoin de renseigne-
ment personnel, préalable à toute conversation
ultérieure, tout à fait en dehors du jeu normal de
la fameuse loi d'offre et de demande, base écono-
mique de tout commerce. Si le nouveau venu répondait à la question polie du premier commis
accouru, par une demande de gants de fil, ou de
caleçons, l'intérêt si vif manifesté par le commis
tombait aussitôt, la lueur de plaisir qui avait un
instant éclairci son visage s'éteignait, et c'est avec
l'air accablé de l'indifférence que M. Bouchinard,
dit Chicot (premier commis), tirait un carton, en
extrayait la marchandise désirée, et satisfaisait le
chaland. Il fallait d'ailleurs que la marchandise
offerte satisfît ce premier du premier coup : car
si le malheureux s'avisait de réclamer une pointure
différente, une qualité supérieure, un métrage plus
important :

— Non, monsieur, nous n'en avons point, répondait M. Bouchinard avec une politesse excédée.

Et il ajoutait, en s'inclinant : « Je regrette. » Puis,
rompant là, laissait l' « aüs » éberlué, et retournait
à ses occupations.

Les occupations de M. Bouchinard, dit Chicot,
dit Reste de Dent, consistaient à peindre des
nymphes, tant à l'aquarelle qu'à l'huile, sur de
petits panneaux de bois. Un grand nombre d'entre
eux étaient exposés à la devanture ; un plus grand
nombre ornaient les rayons dégarnis du magasin.
Ils y alternaient avec d'autres cadres, autour d'un
portrait de Victor Hugo, installé à la place d'hon-

neur, que M. Paul Brun donnait sérieusement à
ses représentants pour celui du fameux Jacquart,
inventeur du métier à tisser qui porte ce nom.
Bien qu'ils fussent presque tous peints sur bois,
ces tableaux ne déparaient pas un magasin de toiles,
assurait gaiement M. Paul. Les plus beaux étaient
réservés à l'arrière-boutique, où l'on se serait cru
davantage dans le logis d'un antiquaire que chez un
marchand de nouveautés. C'est là que tout le jour
se tenait M. Paul Brun, confortablement installé
dans un excellent fauteuil Voltaire, le chef coiffé
d'une calotte à gland, fumant des pipes, un bouquin
aux doigts. La place qui n'était pas occupée, sur les
murs, par des tableaux peints, était couverte par
des livres. Ils s'empilaient sur des rayons jusqu'au
plafond, il y en avait d'entassés par terre, sur la
cheminée, sur le bord interne des fenêtres. Un chat
roux, nommé Champollion, somnolait vaguement
sur un vieux fauteuil. La dernière esquisse née du
pinceau de Bouchinard attendait sa perfection sur
un chevalet : c'était une nymphe couchée, où Chicot,
dit Reste de Dent, avait renouvelé le mythe de
Léda, le cygne dont naquit Hélène étant remplacé
par un bouc.

S'il arrivait que la sonnette retentît, M. Paul
relevait distraitement la tête, sachant que Chicot
le renseignerait. L'annonce des « aüs » importuns,
du reste chaque jour plus rares, le laissait fort
indifférent : le commis peintre Bouchinard suffisait
à leurs exigences. Quand il avait servi l'un de ces
clients de passage, il lançait vers l'arrière-boutique
l'annonce de l'objet vendu et la description pitto-
resque de l'acheteur : « Une femme au sourire étroit,
du fil, dix sols... Un type inconnu, six chaussettes,
douze livres tournois !... Mme Putiphar, une che-

mise, quatre francs !... » Parfois, selon la figure des
gens, l'ingénieux Chicot les décorait d'un nom appro-
prié : « M. Baour-Lormian, un bonnet de coton !...
M. Ingres, de la ficelle !... Robespierre jeune, un
caleçon. » D'autres n'étaient désignés que sous la
vague appellation d' « aüs », avec une indication de
couleur : jaune de Naples, réséda, vert véronèse,
noir de momie, cinabre, cobalt, vermillon. A ces plai-
santeries innocentes, Paul Brun éclatait de rire.
Il riait en s'empoignant le nez, qu'il essayait de
remettre droit, l'ayant naturellement de travers.
La nourrice qui l'avait nourri avait le sein dur.
Durs tétins de nourrice font les enfants camus, dit
Rabelais. Paul n'était pas camus, mais il avait le
nez de biais. D'une plume docile, ayant ri, il enre-
gistrait les fantaisistes indications de Bouchinard
au grand livre, et le soir, il relisait au chat Champollion, pour se divertir, l'énumération de cette
insolite clientèle.

Elle n'était pas la seule qui fréquentât le magasin
de la rue Sainte-Catherine. Une autre s'y était
formée, plus régulière, plus fidèle, et plus sûre aussi
d'être mieux servie, qu'on eût seulement désirée
moins dénuée de fonds ; mais que demander à des
poètes, à des peintres, d'être cousus d'or ! Toute la
jeunesse artistique de Bordeaux avait élu pour
club le magasin de M. Paul Brun, assurée d'y
trouver, à toute heure du jour, une pipe, un vieux
flacon de pajarete, et l'accueil le plus cordial. Le
peintre Bouchinard était l'introducteur accoutumé
de cette jeunesse dédorée, espoir d'Apollon, fille des
Muses. Ce n'était certes pas, pour sa part, le goût
du commerce qui l'avait fait devenir sur le tard
premier commis d'un marchand de toile. Mais il
avait trouvé en M. Paul Brun le type de l'amateur

à sa convenance, étant affligé d'une manie assez
fâcheuse chez un peintre : il n'avait jamais pu se
résoudre à se séparer des chefs-d'œuvre nés de sa
main, l'idée qu'un bourgeois en pouvait prendre
possession en ouvrant son porte-monnaie lui était
odieuse et sacrilège. Ce n'est pas l'image du porte-
monnaie ouvert qui l'offusquait : mais seulement
la pensée que la toile où il avait si amoureusement
inscrit la face sensible de son rêve deviendrait la
propriété d'un philistin, et irait orner l'antichambre
d'un dentiste ou refléter dans sa glace les exercices
d'une jeune demoiselle à son piano, en quelque
salon du juste-milieu, cette pensée révoltait en lui
le bousingot, lui inspirait des accès de lycanthropie
frénétique. Aussi bien, car il fallait vivre, M. Bouchinard, dit Chicot, n'avait-il jamais mis en vente
que les œuvres dont il n'était pas satisfait. Il acceptait de laisser partir sans regret ses mauvais tableaux ; il entendait garder les bons pour lui. C'était
un conservateur d'avant-garde. Quoi d'étonnant
qu'avec ces principes il vendît rarement? Il convient
d'ajouter que, pour plus de sûreté, le prudent Bouchinard n'achevait jamais les toiles qui lui paraissaient devoir être un jour les plus réussies. Joint à
la nudité des sujets représentés, ce détail permet
de comprendre pour quelle raison le peintre avait
conservé par devers lui la collection presque complète de ses œuvres. C'est également cette raison
qui fit tomber M. Bouchinard, dit Chicot, dans les
bras de M. Paul Brun, lorsque celui-ci lui eut
généreusement proposé la mirobolante combinai-
son qui consistait à acheter d'un bloc cet œuvre
intégral, tout en en laissant au peintre l'usu-
fruit, moyennant le couvert, le vivre et le toit, si
M. Bouchinard voulait seulement consentir à venir

habiter chez lui, rue Sainte-Catherine. Lorsque
cette aimable proposition lui fut faite, M. Bouchinard se trouvait justement sur le pavé, ayant
reçu le matin son congé, d'un propriétaire ennemi
des arts. Le soir même, contre le payement de
quelques termes arriérés, libéralement acquittés par
M. Brun, M. Bouchinard put effectuer son déménagement et apporter ses hardes et son œuvre rue
Sainte-Catherine. C'était, outre une centaine de
petits tableaux figurant des nymphes en diverses
postures, une valise d'oripeaux variés, mais de couleurs étincelantes, un squelette à peu près complet,
et une bassine à faire le punch. Le lendemain,
M. Bouchinard avait pris possession de la moitié
du magasin, — celle qui donnait sur la rue, qui
était le mieux éclairée — distribué ses petits panneaux de façon qu'ils masquassent les piles
régulières des lingeries dont l'uniforme blancheur
attristait son œil coloriste. De même, il avait jeté
négligemment quelques vieux brocarts, tirés de
la valise précitée, sur le mètre fixé au plafond par
une tige de fer perpendiculaire : la rectitude de
l'angle ainsi formé, non moins que ce rappel aux
réalités mathématiques et à l'uniformité d'une
règle ayant quelque chose d'irrémédiablement et
d'insupportablement bourgeois pour cet idéaliste
sans mesure. Ayant de la sorte ennobli par ce dé-
corum la médiocrité de la boutique, cet homme
pur trouva sa nouvelle condition acceptable. Il
estimait piquant d'avoir rencontré son mécène
chez un humble marchand de nouveautés. Il voyait
là une des plus cocasses ironies de la vie. Et ce révolté n'était pas fâché d'avoir à si bon compte
une occasion nouvelle d'attester, avec des rires
sardoniques, l'impitoyable noirceur du destin qui,

sur la fin de ses jours, le condamnait à ce rôle
dérisoire d'un ancien élève de l'École des Beaux-
Arts devenu commis en mercerie et calicot.

On croit inutile d'ajouter que M. Bouchinard,
dit Chicot, dit Reste de Dent, était ennemi juré de
M. Ingres, aveugle admirateur de Delacroix (en
dépit de ses concessions), et, bien que ces nuances
commençassent à passer de mode, bousingot et
mâchicoulis, romantique sang-de-bœuf et saint-
simonien.

Paul Brun avait un autre ami, également serviteur
des arts, en la personne de M. Napoléon Rugendas,
ancien pensionnaire de l'Odéon, où il avait quelque
temps joué les utilités. D'avoir écouté tant de
songes, remis tant de lettres, ouvert tant de portes
dérobées, figuré tant de personnages muets, ce confi-
dent-né conservait dans la vie courante une majesté
taciturne. Même lorsqu'il ne pensait à rien, qu'il ne
souffrait pas, il paraissait la bouche amère, l'œil
pensif. La protection de l'innocence, le sort des
empires, la garde des secrets les plus graves, le
souci des conjurations continuaient de zébrer son
front, lui faisaient toujours l'œil oblique, la pau-
pière lourde. Il y avait quelque chose d'inquiet
dans la crispation de sa main froissant le pan de
son manteau, de décisif et de fatal dans la brusque
façon dont il le rejetait sur son épaule. Il était à la
fois désabusé, méditatif et barytonant. Lorsqu'il
ouvrait la bouche seulement, on s'attendait toujours qu'il vous apprît, messeigneurs, que vous
étiez tous empoisonnés, que Rome n'était plus
dans Rome, ou qu'un escalier, sous vos pas, s'allait
dérober. Cet ancien porteur de messages, cet annon-
ciateur de tant de mauvaises nouvelles à la fin
de tant de cinquièmes actes, avait renoncé au théâtre

après la chute des *Burgraves* où il avait tenu l'emploi de Cadwalla, burgrave d'Okenfels, qui n'a qu'une réplique à dire. Mais grâce à cette illusion particulière au théâtre, il y avait été Magnus, Auguste, Ruy Blas, Antony. Et pour occuper ses loisirs, c'était lui désormais qui faisait les courses de la maison Brun. Paul lui savait un gré reconnaissant de conférer tant de noblesse aux cotonnades, de lyrisme à la bonneterie et de poésie au madapolam. Enfin M. Napoléon Rugendas n'avait pas, dans cet abaissement, perdu tout à fait la mémoire. Il avait conservé de son passage sur les planches un vocabulaire harmonieux, l'habitude de citer des vers. Il les préférait alexandrins, à cause de l'ampleur. Ce qualificatif même prenait dans sa bouche une valeur nouvelle. Il prononçait « alequesandrin ». « Des alequesandrins ! s'écriait-il, retenez-moi ! quand je dis des vers, il me semble que je suis à cheval, et que je galope ! »

Il émaillait tous ses discours de répliques adroitement appropriées aux circonstances. Fallait-il, dans le magasin, déplacer un ballot de ficelle et requérir à ce dessein l'aide manuelle du premier commis : « Bouchinard, ces cordes me font mal ! gémissait-il. Un coup de main ! » etc. Il lisait Baudelaire, avec des intonations macabres et d'affreux rictus, en roulant des yeux injectés :

Une nuit que j'étais près d'une affreuse juive...

Le soir, il disparaissait, prétextant un devoir sacré, vieille mère infirme à veiller ou secret du cœur, on ne savait. En vérité, Ruy Blas allait jouer le mélodrame sur quelque scène de faubourg ; mais telle était sa modestie, qu'il n'eût pas toléré qu'on le sût...

Gravitaient encore autour du magasin de M. Paul,
deux comparses : un nommé Cyrille, représentant
en sparterie, inscrit comme femme sur les registres
de l'état civil, favorable erreur qui lui avait valu
d'échapper à l'ennuyeux souci du devoir militaire,
dont il eût été définitivement exempté, si, sur le
tard, la fâcheuse envie de convoler n'avait désigné
son cas singulier à la curiosité d'un secrétaire de
mairie. Réintégré à cette occasion dans les pré-
rogatives de son sexe, il lui en avait aussi fallu
accepter les obligations, et satisfaire tardivement
aux lois militaires. Douloureusement placé dans
l'alternative de faire son temps ou de se libérer
en achetant un homme, faute de fonds, le pauvre
diable avait dû revêtir le harnois du soldat à quarante-cinq ans, sans que rien en lui n'eût jusque-
là semblé le prédestiner à la carrière des héros.
On avait fait des gorges chaudes de l'aventure.
Le plus drôle, qui fut aussi le plus triste — c'est
parfois tout un, — est qu'après sa libération, soit
que la belle ne l'eût pas attendu, soit que lui-
même, s'étant ravisé, eût changé d'avis, Cyrille
ne mit pas à exécution le fameux projet de mariage qui lui avait accidentellement rendu son sexe.
L'autre ami de M. Paul était M. Basile, homme à
principes et forcené républicain, qui avait failli
être quelque chose en 1848, appartenait à diverses
loges franc-maçonnes, lisait le dictionnaire de Pierre
Larousse en fascicules, et, chaussé de souliers
carrés, le visage orné d'une barbe patriarcale, passait sa vie à maudire l'Empire. Pour ancré qu'il
fût dans ses convictions, la haine qui en était à
l'origine avait son fondement dans une épreuve
personnelle, à laquelle l'avait, en son temps, soumis
son malicieux mauvais génie. Sans aucune disposi-

tion pour les aventures, M. Basile avait été marin,
et comme tel, il se trouvait avoir fait partie de l'équipage de la *Belle Poule*, qui, sous le commandement
du prince de Joinville, ramena de Sainte-Hélène,
en 1840, les cendres de Napoléon. Ayant constamment souffert du mal de mer en ses navigations, et
particulièrement dans celle-là, M. Basile conservait de la mer une indicible horreur, et, par un
besoin naturel aux esprits philosophiques, qui cher-
chent à démêler les effets des causes, il avait fini
par rendre l'Empereur uniquement et personnellement responsable des tourments qu'il avait endurés,
et était ainsi devenu farouche contempteur des
tyrans. C'est à ce double titre d'ancien matelot et de
républicain que, pour faire pièce à son oncle Coutre,
M. Brun l'avait embauché dans son commerce, avec
le titre avantageux de voyageur. Mais c'était un
voyageur sédentaire, qui ne pouvait se résoudre
à quitter la rue Sainte-Catherine. Il arrivait le
matin au magasin, allumait une longue pipe, et,
jusqu'au soir, plongé dans la lecture des fascicules
du bien-pensant M. Larousse, qui tient Napoléon
Bonaparte pour un général français, né à Ajaccio
le 15 août 1769, mort à Saint-Cloud le 18 brumaire
an VII, ou regardant peindre Bouchinard, *alias*
Chicot, il ne bougeait plus.

Telle était la principale clientèle du magasin
aux destinées duquel présidait l'aimable et nonchalant Paul Brun. Le plus remarquable est
qu'il vivotait, en raison de la force acquise. Doux,
tranquille, homme d'habitudes avant tout, Paul
apportait à l'entretien des affaires une activité mo-
dérée, suffisante en somme. Sauf aux jours difficiles des inventaires de fin d'année, où il fallait équi-
librer des comptes incertains, cette vie monotone

ne lui déplaisait pas ; elle lui permettait de concilier
les exigences peu nombreuses de son petit commerce
et le culte d'une fantaisie débonnaire, à laquelle
le départ d'Aricie pour la Souys lui avait permis de
donner insensiblement libre cours. Le défaut principal de Paul était une bonté désordonnée, multi-
pliée par un irrésistible besoin de sympathie, égal
en violence dans son cœur à sa faculté d'enthousiasme. Il se laissait facilement demander cent
sous, les donnait comme en s'excusant d'être le
bénéficiaire de la différence qui sépare habituelle-
ment l'obligeur de son obligé. Tirant de sa poche une
poignée d'argent où les sous, l'or et les écus étaient
mêlés, il tendait à l'ami besogneux cette manne
secourable en disant : « Prenez là dedans », cependant que, par discrétion, il regardait ailleurs. Que
n'eût-il fait pour ses amis? A ses yeux, c'étaient des
héros, pareils aux plus grands : Bouchinard, c'était
Delacroix ; Rugendas, Frédérick Lemaître ; Basile,
un homme pur comme Rousseau ; Cyrille, un Mu-
cius Scevola. A l'occasion des *Misérables*, parus au
cours des années précédentes, il avait envoyé des
vers à Victor Hugo, dans son île. Le proscrit avait
aussitôt répondu par le don d'un exemplaire des
Châtiments, dédicacé, qu'accompagnait une lettre
modeste, lapidaire et fraternelle : « *Vous m'adressez
votre poésie charmante, je vous envoie ma poésie
irritée. Mon éclair pour votre rayon. Vous êtes le
soleil qui se lève, je suis le soleil qui se couche. Vos vers
dictés par le cœur sont allés au cœur. Je vous tends les
mains par-dessus les mers.* — Pergite. Ex imo. Tuus.
Victor Hugo. » Paul avait fait encadrer cette missive,
et, sous l'image du poète, il entretenait dans un vase
un éternel bouquet de violettes toujours fraîches.
  Le dimanche, il fermait boutique, payait à ses

bénévoles employés des dîners savants chez Nar-
bonne, le restaurateur, ou chez Nicolet. Ou bien il
les conduisait en voiture hors de Bordeaux, à la
campagne, du côté de Pessac, dans un bouchon
connu de la jeunesse, appelé le Diable, où il les réga-
lait superbement. Après quoi, on lisait des vers,
exclusivement romantiques, d'Hugo, de Gautier,
de Musset, voire de Murger ou de Banville. Une
pièce de ce dernier l'enchantait surtout : celle où le
poète dit qu'il aime tout sur la terre,

Excepté les pervers et les marchands de bois.

Ce trait innocent, mais vengeur, lavait le bon Paul
du mépris des Coutre. Il le leur rendait au centuple,
les traitait de parvenus, de fils d'affranchis heureux
d'avoir eu des pères. On ne parlait plus de lui à
la Souys ; il y passait pour pestiféré, sa bohème
faisait horreur, ses relations scandalisaient. Paul
avait une stalle au théâtre. Prosper Coutre, qui
l'y rencontrait quelquefois, faisait semblant de
ne pas le voir, pour n'avoir pas à le saluer. On disait
aussi qu'il avait une liaison avec une marchande de
tabac. Aricie en éprouvait un chagrin profond.
Bien que les rares allusions des Coutre aux dépor-
tements de son frère lui fussent autant de fers rouges
retournés au fond de son cœur, elle ne pouvait condamner ce frère chéri. Il restait toujours à ses yeux
ce pauvre Paul, ce bon Paul, et lui, Paul, il adorait
sa sœur Aricie ; il la tenait pour une sainte.

Une chose qui, un temps, lui fit de la peine, ce fut
de rencontrer un jour dans Bordeaux, rue Esprit-
des-Loix, la voiture de sa tante Estelle. Aricie était
auprès d'elle. Elle aperçut, sur le trottoir, Paul qui
venait à sa rencontre, en sens inverse. Il tenait une
femme à son bras. Aricie avait détourné la tête.

V

Souvent, dans la maison des Coutre, à la Souys, à la fin d'un long jour rempli, quand le vieux Lesprat sommeillait, que les enfants de Julie étaient endormis, qu'elle était rendue à elle-même, Aricie montait dans sa chambre, ouvrait toute grande la fenêtre et, longuement, elle rêvait. A ses pieds, sur le quai désert, de place en place, étaient alignés les camartaux, et, après le bois débité séchant en piles odorantes, le large fleuve s'étendait, roulant son flot jaunâtre. Dans le lointain, par delà l'espace des eaux, comme un vaste panorama, Bordeaux déroulait la longue file de ses quais, à perte de vue, et la dentelure irrégulière des maisons posées sur la rive, ses coupoles, ses tours, ses clochers innombrables, échancrant le ciel ; et mêlées à son odeur vive et salée d'eau, de saumures, de bois, de morue sèche, de goudron, de bon vin, à travers l'air empourpré des derniers rayons du soleil, par-dessus la coulée de ce fleuve d'or, des voix de cloches affaiblies par la distance émouvaient avec la douceur des choses lointaines la grande paix de ces soirs tranquilles. Sensible à la mélancolie du crépuscule, Aricie goûtait alors une impression délicieuse de détente. Devant ce large paysage de ciel et d'eau, sur ce fond de ville à demi voilée par la brume, elle laissait voler sa pensée loin des soucis du jour, elle oubliait ses tâches. Elle aspirait profondément l'espace et cette odeur marine, son cœur en était tout gonflé. Son regard allait se poser sur le clocher de Saint-Seurin, c'était la direction de sa maison natale, où tous les siens avaient vécu, où elle imaginait son frère Paul comme un exilé : elle jetait ainsi des ponts imaginaires, à travers l'espace et le temps, entre son cœur et le souvenir des bonheurs perdus. Puis, rabaissant les yeux sur les eaux, mesurant la distance qu'elles mettaient entre la ville et elle, elle lui comparait, par un jeu enfantin de l'esprit, cette autre distance idéale qui la séparait de la vie. Elle songeait à cet autre fleuve de chagrins, de renoncements, d'amertumes, dont le flot chaque jour accru l'éloignait sans cesse davantage du bonheur. Elle se disait que le bonheur, ainsi que l'amour, est un luxe, auquel un chacun ne peut pas prétendre. Il dépend de trop de personnes ; on ne pourrait être heureux que tout seul. Mais qui peut ne compter que sur soi ? Qui peut se séparer des autres êtres ? Captive de ses sentiments, Aricie ne pensait qu'aux autres, elle n'était que dévouement. Mais personne ne s'occupait de son bonheur. Elle se consolait en donnant ; toute sa vie était de service. A la Souys, elle était devenue peu à peu l'âme dirigeante, le principal ressort de la maison, partageant ses soins entre le vieux grand-père Lesprat, les enfants Jouvenet, que leur mère Julie, d'une santé débile, aggravée par des couches pénibles, était incapable d'élever seule ; et puis, insensiblement, Estelle Coutre avait abandonné à sa nièce les rênes mêmes du ménage. Si Aricie n'eût été là, la pauvre Mme Coutre n'aurait pas su trouver une paire de bas dans la maison ! Silencieuse, à pas feutrés, partout présente, elle s'était rendue indispensable. Chacun l'aimait, comme savaient aimer les Coutre : aimer, pour eux, c'est avoir besoin. Prosper lui-même avait fini par prendre une très haute idée de cette nièce singulière, au clair et placide regard, et dont le seul aspect interdisait les éclats de voix. Il pensait n'avoir pour elle que de l'estime ; il faisait plus, il l'admirait. On peut même dire le moment, la minute précise où cette admiration avait pris naissance : quand Aricie s'était effacée devant sa cousine, pour que Julie pût épouser Marcelin Jouvenet. Coutre n'y avait rien compris. Il avait bien deviné qu'Aricie n'était pas indifférente ; cependant elle s'était sacrifiée. Il continuait à ne pas voir très clairement dans les mobiles de sa nièce ; il sentait seulement qu'elle avait alors fait quelque chose de très bien. De très bien dans le sens de ses intérêts, à lui, Coutre. Mais ce qui le déroutait, c'était de ne pas être encore parvenu à discerner l'intérêt d'Aricie en cette affaire. De sorte qu'il concluait ainsi : « Bah ! elle ne l'aimait pas tant que cela ! »

Cultivée, heureuse, Aricie eût été charmante. Elle était comme ces terrains restés en friche, et qui ne produisent que des brins de folle avoine et quelques bluets, au lieu des moissons abondantes. Elle lisait parfois. Comme elle était la seule qui le fît, à la Souys, elle s'en cachait presque, comme d'un péché, d'un luxe inutile et coupable. Paul lui prêtait de temps à autre des volumes. Un, particulièrement, lui plut beaucoup. C'était du Balzac, elle se retrouvait dans ce livre. Prosper l'y surprit un jour, plongée.

— Tu lis ? qu'est-ce que tu lis ?... *Eugénie Grandet ?* Ce livre est idiot. Je l'ai lu, moi. Ça ne veut rien dire...

Aricie ne répondit pas. Ah ! sa vie, à elle aussi, ne voulait rien dire ! Elle réfléchissait, se disait que chaque être porte en soi un monde, qui ne peut être celui des autres. Elle se sentait différente. « C'est peut-être lui qui a raison », pensa-t-elle. Néanmoins le livre continua de la faire pleurer.

Aricie avait une consolation, à la Souys. Son frère Melchior était venu y habiter, de même qu'elle. Tout le jour, il travaillait au comptoir, dans un petit pavillon, sur le quai, séparé de la maison par une entrée sablée, pour les voitures. Melchior y avait son bureau ; il y entretenait les écritures et les archives. C'était un garçon casanier, sans jeunesse, mais plein d'ordre et d'application, parfait comptable avec cela, d'une régularité de pendule. Depuis dix ans qu'il demeurait avec les Coutre, il n'avait pas mis le pied hors du comptoir, si ce n'est quand on avait besoin de lui au chantier, et une fois, de temps en temps, pour aller voir Paul, malade, à Bordeaux. Dans ces rares occasions, il sortait, emmitouflé dans ses cache-nez, tremblant de terreur à l'idée de prendre un rhume. Attaché au soin de sa conservation, cet homme peu fait pour les voyages avait deux globes terrestres dans son bureau, et, aux murs, des cartes de géographie en toile cirée, qui répandaient une odeur fade. Sa fonction était de vérifier les comptes, et de surveiller, sur le papier, l'arrivage des navires qui apportaient aux chantiers Coutre les bois de Norvège. C'est lui qui dirigeait les flottes sur les mers lointaines. Il nommait familièrement des villes qu'il ne connaîtrait jamais : « La *Déjanire* est arrivée à Christiania ». Ou bien : « On signale une tempête aux îles Feroë ; cela pourrait bien retarder le *Melbourne*. » Il avait un gros nez carré, n'était pas dépourvu de malice, et redoutait les courants d'air. Il n'était jamais allé au bout du jardin. Le soir, il montait tenir compagnie à sa tante, Estelle Coutre. La famille se réunissait dans sa chambre après le dîner. Et pendant que la tante tricotait, qu'Aricie montrait des livres d'images aux enfants, que Julie était étendue, Melchior lisait à haute voix le *Moniteur*, avec des remarques cocasses. Aricie était contente de ces moments-là. Elle y trouvait une douceur intime.

Prosper Coutre n'était jamais là. Mais souvent, après qu'il avait fumé son cigare sur le balcon ou dans le jardin, Marcelin Jouvenet rejoignait la compagnie. Quand les enfants étaient couchés, s'il n'était pas trop tard, si Julie n'avait pas sommeil, il dépliait une table gigogne qu'il amenait près de la lampe et disait : « Aricie, si vous voulez, je vous fais un rams. »

Aricie venait s'asseoir en face de lui. Ils battaient les cartes, tiraient la donne ; puis ils jouaient, parlant sur les coups à mi-voix, comptant les points, annonçant la couleur. Melchior continuait à lire les nouvelles, d'une voix égale et chantante. Parfois levant les yeux de sur les cartes, tandis qu'il annonçait, ou proposait, additionnait, Aricie regardait l'honnête et calme Marcelin. Et quand à travers son lorgnon il la regardait à son tour, elle revenait à son jeu. Nul n'eût pu dire ce qu'elle pensait, ni même seulement qu'elle pensât. Le silence était autour d'elle comme la soie autour du ver dans son cocon. Pas de plus sûr isolateur.

* *
*

Il y avait un immense amour dans le cœur de cette vieille fille. Toute la tendresse passionnée dont

elle était capable, tout ce que la vie avait refoulé
en elle d'affection inemployée trouva un jour une
tête sur qui, follement, se reporter et se répandre :
un enfant, son neveu, son filleul aussi, le fils de son
frère Émile, le petit Henri, de Toulouse. Quand ce
personnage eut dix ans, Aricie conçut un projet
insensé : ce fut de persuader, par lettre, ses parents
de le lui confier aux vacances, de le lui donner, un
mois, à Bordeaux. Elle sut agir habilement sur le
bonhomme Lesprat, lui inspirer l'envie de connaître
cet arrière-petit-fils. Lorsqu'elle eut fait savoir aux
Toulousains le désir de l'aïeul, la résistance d'Émile
et de Sextia tomba. L'enfant, pétulant petit Gascon
au sang vif, à la tête prompte, fut enchanté de ce
projet. On profita d'un voyage de Marcelin Jouvenet
à Toulouse pour le lui confier, à son retour. Aricie
alla chercher son filleul à la gare, elle y arriva deux
heures avant le train. M. Henri Brun devait avoir
un certain nombre de bonnes fortunes dans sa vie.
Jamais cependant amoureuse accourue la première
au rendez-vous ne l'attendit avec un battement
de cœur aussi violent que sa pauvre tante Aricie,
sur le quai de la gare du Midi, à Bordeaux, en ce
glorieux été 1868, qu'il eut dix ans. Ce petit bonhomme connut aussitôt son empire. Il fut insuppor-
table et délicieux, et charma dès le premier soir
toute la Souys, y compris son grand-oncle Coutre,
par la vivacité de son esprit, sa repartie, son assu-
rance et ses bons mots. Il montra peu d'incertitude à
se reconnaître au milieu de cette prodigieuse quantité d'oncles, de tantes, de cousines et de cousins
inconnus de lui jusque-là, mais point ignorés. Il
admira fort la belle maison de la Souys, il n'était
pas accoutumé à un tel luxe ; il s'y fit vite, toutefois. Non moins que par sa pétulance, il amusa

beaucoup par son vigoureux accent toulousain,
récita des fables, demanda un crayon et du papier
pour faire le portrait de ses cousines. Il griffonnait
drôlement, on trouva de la ressemblance aux portraits. Prosper même en daigna sourire.

— Puisque tu dessines, fais-moi un chien qui se
mord la queue ! demanda-t-il au bambin.

Henri fit le chien, on le jugea drôle.

— Gentil, oui, possible, murmura M. Coutre ;
on ne peut pas dire qu'il arrive de Caudrot en
brouette ! Mais pas plus de cervelle que dans mon
genou !

Aricie était folle de joie, enivrée d'orgueil. Le
premier soir qu'elle monta coucher le petit Henri
dans sa chambre, comme elle le bordait dans son
lit, que l'enfant jacassait avec gentillesse, tout en
disposant autour de lui les longs plis de la moustiquaire, qu'est-ce donc qui la remuait aux en-
trailles, cette vieille fille qui n'avait jamais eu d'enfant, qui savait qu'elle n'en aurait pas? Un sentiment nouveau pour elle, brusquement éclos dans son
cœur de femme. « C'est le fils de mon frère... Il est
de mon sang... de mon sang... » Quelle vertu mystérieuse avaient ces mots, qui lui faisaient venir un
flot de larmes dans les yeux?

Le séjour de la Souys était un paradis pour le
petit Henri. Tout y respirait le luxe, l'aisance con-
fortable, la richesse, avec des raffinements inusités,
non vus encore, insoupçonnés même. Par exemple,
il y avait le gaz dans le cabinet de toilette de la
tante Estelle ; une flamme bleue au bout d'un bec,
et un support pour chauffer une bouillotte. Ainsi
on avait de l'eau chaude à toute heure. (Cette installation avait été une affaire d'État.) Rien de tel à
Toulouse. Henri eut d'autres étonnements. Cette

maison était immense ; il en connut bientôt tous les
aîtres, et jusques aux derniers recoins ; la vaste
cuisine, aux odeurs nourricières, et l'âtre, où l'on
eût cuit un bœuf entier, où tournait une broche
mue par un mouvement d'horlogerie ; la souillarde
où l'on rangeait les brosses, les balais ; et, tout là-
haut, sous les combles, la lingerie où régnait la
vieille Félicie parmi le linge repassé. A travers les
souples stores, peints en vert, aromatiques au soleil,
le jour y fusait en longs rayons d'or, où la poussière
de l'été faisait poudroyer ses traînées dansantes.
C'est là que, debout sur un escabeau, la tante Aricie
venait elle-même compter le linge innombrable,
en bonne intendante, et l'empiler dans les armoires,
après le repassage, plaçant en dessous des piles celui
qui avait été lavé le dernier, afin qu'il reposât plus
longtemps entre les sachets de lavande. Il y avait
les grands salons du rez-de-chaussée, toujours
fermés d'ailleurs, avec des housses blanches sur les
meubles ; l'un, chinois, avec des bambous et des
laques, des kakemonos ; l'autre, tendu de damas
rouge, enrichi de gravures intéressantes sur les murs :
le *Cardinal de Richelieu descendant le Rhône*, dans
une barque en forme de litière, avec de larges plis
d'étoffes, et des gentilshommes armés derrière Richelieu pensif, Esmeralda avec sa chèvre, des *Mois-
sonneuses* dansant la tarentelle, les malheureux
Enfants d'Edouard, tristement assis sur le pied d'un
lit à colonnes, l'*Assassinat du duc de Guise*, — du
drame, de la poésie, mille aventures merveilleuses
qui parlaient au cœur, levaient comme une série
de rideaux sur un univers palpitant et riche, où la
pensée soudain entraînée découvre mille sources,
où l'imagination trouve à boire sans fin... Autour
de ces gravures noires, des cadres à l'or rutilant

développaient d'opulentes guirlandes de roses. Il y avait des meubles énormes, incrustés de cuivre jaune et d'écaille rouge, et dedans, derrière les vitres, des pièces d'argenterie massive comme on en voit dans les musées. On apercevait, sur une cheminée, une pendule surmontée d'un chevalier bardé de fer, en armes ; et, sur une console, un bateau avec son gréement complet, ses trois ponts, ses quatre mâts, la gueule de quarante canons apparaissant à l'ouverture de ses quarante sabords. Des coussins de toutes nuances, en velours, s'amoncelaient sur les canapés. Et contre les murs des couloirs, un revêtement de pitchpin verni dégageait la délicieuse odeur du sapin, qui faisait rêver de forêts profondes.

Les salles à manger étaient à côté. Il y en avait deux : l'une immense, réservée aux grandes occasions ; l'autre, qui servait à l'usage quotidien, plus petite, où l'on sentait un émouvant parfum de fruits, émané des placards profonds. L'escalier avait une rampe luisante et glissante à souhait, pour descendre à cheval dessus ; et, sur la dernière marche, une statue de dame pas très habillée, qui tenait une lanterne dans sa main levée, était là, mise exprès pour vous recevoir. On se perdait, dans les chambres innombrables. On se retrouvait au bout du couloir, dans les deux tourelles, qui avaient des fenêtres étroites, en verres colorés, sous le rayon desquelles on s'apercevait tantôt rouge, tantôt violet, tantôt jaune, bleu ou verdâtre. Et que de placards ! Que de cachettes ! Que de portes à entre-bâiller, de tiroirs où plonger le regard, de stores à soulever pour savoir ce qui se passe au dehors !...

Dehors, c'est le grand jour cru de juillet, l'éblouissante, l'accablante splendeur du soleil réverbéré

de toutes parts sur les eaux du fleuve roulant sur
lui-même comme un formidable serpent recouvert
de miroitantes écailles d'or, un grésillement de four-
naise, où danse une poussière de lumière ; et puis,
de l'autre côté, un vaste jardin d'ombre fraîche et
verte, avec des allées qui vont se perdre, jaunes et
craquantes de cailloux étincelants, sous la voûte
obscure des branches entrelacées, un jardin tout
bruissant d'eaux, de feuilles, d'herbes, d'insectes
et d'oiseaux.

Un jardin rempli de merveilles. Le premier jour,
dans l'ivresse de la liberté, Henri partit seul à la
découverte. D'un côté, derrière des massifs qui bor-
daient la vue, il y avait un petit mur bas, par-
dessus lequel on apercevait un vaste potager où un
chat guettait des mulots, où brillaient des cloches à
melons d'un gros verre épais, irisé, où des fraises
géantes rougissaient au bord des allées ratissées,
où les fruitiers taillés développaient leurs rameaux
obéissants le long des fils de fer tendus. Dans le
lointain, c'était le commencement des chantiers,
la scierie grondante, l'empilement des planches
débitées depuis peu, mises au plein air pour sécher,
tout humides encore de sève. Ailleurs, une serre
bombait au soleil sa carapace de métal et de verre,
sous ses paillassons ; et quand on y entrait, on était
suffoqué par l'odeur étouffante des fleurs, l'atmos-
phère surchauffée, les émanations du terreau. Des
lézards dormaient immobiles, sur les rebords de
brique des châssis ; puis brusquement ils tournaient
leur col élastique, dressaient leur menue tête ser-
pentine, à l'œil vif, et s'enfuyaient d'une souple
glissade, adhérente aux plans verticaux... De l'autre
côté de la serre, il y avait une volière enceinte d'un
grillage fin, et dedans, mille oiseaux divers, à l'étin-

celant coloris, au ramage acerbe, dont les couleurs
et les cris déchiraient l'œil et l'oreille avec une égale
violence. Des aras bleus et jaunes, au bec noir,
à l'œil rond cerclé d'un blanc laiteux de magnolia
d'autres couleur de vin, d'autres encore verts comme'
l'émeraude, mordillaient les barreaux alternés
des perchoirs, ou soudain, poussant un cri rauque,
battaient puissamment l'air de leurs ailes fortes,
et faisaient voleter des duvets légers ; des tourte-
relles à col noir lissaient leurs plumes délicates ;
des colibris vêtus de nuances changeantes virevol-
taient dans tous les sens, traits de feu, d'azur et
de sang parmi les canaris jonquille. Un bouvreuil
s'égosillait sur un trapèze de poupée. On voyait sa
chanson triller dans sa gorge comme s'il se gargari-
sait de bulles d'air. Puis il se laissait tomber sur la
margelle du bassin, au milieu duquel un jet d'eau
ralenti égrenait une grappe de gouttelettes argen-
tines. Du dehors, on n'avait qu'une clef à tourner,
sous une prise d'eau recouverte d'une plaque de
métal ; et le jet d'eau jaillissait avec une force
joyeuse, comme une mince et flexible baguette de
cristal, retombant en gerbe, au centre d'une tumul-
tueuse panique d'ailes et de vols...

Las du jeu des plumes et de l'eau dansante, Henri
repartait en courant, au hasard des allées sinueuses.
A l'écart, une construction nouvelle attirait son émer-
veillement ; c'était le chalet de bois découpé, ajouré
comme une dentelle, avec un balcon, des croisées
ornées de vitraux en culs de bouteilles. La porte en
était entr'ouverte : l'enfant s'y glissait. Il apercevait un bel homme en manches de veste, habillé
d'un gilet rayé jaune et noir, qui chantait, astiquant
des cuirs. C'était le cocher Pierre, en son domaine.
Près de lui, sur une chaise, reposaient, dans son pli

correct, son habit de drap vert, à boutons de cuivre doré, son chapeau à la haute forme brillant. Plus loin étaient rangées les voitures. Il y avait un landau, une victoria, luisants sous les vernis, avec leurs roues fines et fragiles, de beaux ressorts bien cambrés, minces comme des membres d'insectes ; de l'autre côté, sur des chevalets, des colliers, des selles, des rênes, des traits de cuir, et sur des panoplies, des étriers, des mors. des brides. brillaient comme la laque et l'argent ; et dans de hauts paniers d'osier, les longs fouets minces étaient réunis en bouquets, élégants comme des arbustes. Cela sentait l'encaustique, la cire et le vernis neuf, mêlés à une chaude odeur de crottin des chevaux bien nourris dans l'écurie voisine. On y accédait par une porte à deux battants, donnant sur une ruelle étroite, mais pavée, où des enfants jouaient dans le ruisseau. Deux chevaux nus, au poil luisant, les sabots cirés, brossés en damier sur la croupe, étaient attachés par une longe à des anneaux plantés dans le mur. Le petit Henri toucha les naseaux de velours de l'un d'eux. Le cocher Pierre le mit à califourchon sur la bonne bête et lui dit son nom : *Sirène*. L'autre s'appelait *Cambyse*. Il y avait encore deux chevaux dans l'écurie : *Follette* et *Tralala*. A l'extrémité de la ruelle, Henri vit les champs, un bouquet d'arbres, la campagne, et là-bas, dans l'éloignement, les coteaux dorés de l'Entre-Deux-Mers. Puis il s'entendit appeler. Il retraversa le chalet et se mit à rire aux éclats, en apercevant sa tante Aricie qui le cherchait de tous côtés. Il courut à elle et se jeta de toute sa force à son cou.

— Petit sacripant ! dit tante Aricie en riant, voilà une heure que je te cherche. Je te croyais

perdu. Je me suis dit : mon petit Henri s'ennuie
avec nous, il est reparti pour Toulouse...

— Je ne m'ennuie pas, tante ! Je m'amuse beaucoup. J'ai vu la serre, les oiseaux...

— Eh bien ! maintenant, viens faire collation,
mon minet...

Mais passant devant le comptoir, Henri aperçut
l'oncle Melchior, qui le regardait de sa fenêtre, le
nez comiquement aplati sur la vitre, et lui fit signe
de monter. L'enfant poussa la porte, les deux tam-
bours de molesquine verte bombés au soleil comme
un énorme scarabée, grimpa le petit escalier en coli-
maçon. Par la cloison vitrée, il vit plusieurs commis
qui travaillaient dans une salle, penchés sur de gros
livres reliés en peluche, à coins de cuivre. L'oncle
Melchior avait son bureau à côté. Pour divertir son
neveu, il lui montra ses globes terrestres. Henri fit
tourner le monde sous son doigt léger. L'Asie cha-
vira, l'Afrique apparut, l'Amérique, docile, suivit...

— C'est là qu'est allé mon papa? demanda l'enfant.

Melchior construisit un petit bateau, dans une
feuille de papier pliée seize fois, et, imprimant une
révolution nouvelle au planisphère, il chercha Bordeaux. Ayant désigné à son neveu un imperceptible
point noir :

— Voilà où nous sommes, dit-il. Et voici la route
qu'a suivie ton père pour aller chez les sauvages.

— Il y a des sauvages en Amérique. l'oncle
Melchior?

— Naturellement, il y a des sauvages partout.
Excepté à la Souys et à Toulouse, place Sainte-
Scarbe.

— Combien de temps ça a duré, le voyage de
papa?

— Six mois. Ton père était parti sur un navire
à voile. Il y a des jours où il n'y a pas de vent. Alors
on ne bouge pas. Tu comprends?

— Oui. Six mois, c'est long?

— Quelquefois, répondit Melchior.

*
* *

La voiture était arrêtée devant la porte, au long
du trottoir, le cocher Pierre sur son siège, le fouet
haut contre la cuisse, raide et superbe comme un
lord. Tante Estelle s'installa au fond. Des vastes
plis de sa robe à cerceaux montait une douce odeur
de verveine. C'était déjà presque une vieille dame,
très imposante, mais affable, aux gestes cérémonieux, fragile comme un bibelot, vêtue de dentelles et de soie. A la main, pour se protéger du soleil,
elle tenait une minuscule ombrelle, grande comme
deux éventails ajustés, sur un menu manche d'ivoire,
qui n'engendrait qu'un étroit rond d'ombre, adroitement dirigé sur son visage, pour le teint. Tante
Aricie s'asseyait à sa gauche. Henri avait le strapontin.

— Et surtout, mon petit ami, prends garde à ne
pas me donner de coups de pied. Tiens tes jambes
tranquilles. C'est à cause de ma robe, tu comprends?
disait Mme Coutre.

— Sois sage, ajoutait Aricie en souriant.

Elle aussi avait une petite ombrelle.

Quand la voiture s'ébranlait, on voyait apparaître l'oncle Melchior à la fenêtre du comptoir.
Derrière la vitre il faisait bonjour de la main aux
promeneuses, et, à l'intention du petit Henri, il
clignait de l'œil et se grattait le nez, drôlement.

La voiture longeait le quai. Sur le fleuve, on aper-

cevait, en amont, les barques des pêcheurs d'aloses,
plongeant dans l'eau jaune leurs nasses coniques
suspendues au bout d'une perche. On passait devant
des chantiers. Au soleil, le bois débité sentait bon.
Après dix minutes de trot, on tournait à gauche,
pour prendre le pont. Les gens de l'octroi, dans leurs
guérites, saluaient. Alors, du milieu du pont, Henri
découvrait devant lui la Bastide et l'extrémité de
la Souys, dont il s'éloignait, et, tout au bout du
quai Deschamps, là-bas à droite, la belle maison
Coutre, toute carrée, comme un cube blanc au soleil
couchant, avec ses tourelles. Et, à sa gauche, c'était
le port, avec, décolorés par les embruns, rongés de
sel, les morutiers à l'ancre, voiles carguées ; et toute
une menue flottille de canots, de voiliers, de barques,
de gabares, et les énormes bouées couleur de minium,
amarrées par de lourdes chaînes ; et le petit bac à
vapeur, qui faisait la navette entre les deux rives,
en dessinant une belle courbe, pour profiter du courant. Plus loin, il y avait les docks, les apponte-
ments où venaient accoster les grands navires voyageurs, sous d'énormes panaches de fumée. L'eau
était mate, le ciel pâle, tout rempli de vapeurs
marines. A l'horizon, comme le fleuve tournait, on
avait l'impression d'un autre pont, avec ses arches,
produite par la courbe des quais à l'infini, en trompe-
l'œil.

Après une déclivité, la voiture roulait sur des
pavés. C'était Bordeaux.

Comme il était assis sur le strapontin, en tournant
le dos au cocher, Henri avait l'impression amusante
d'entrer en ville à reculons. Et la série des courses
familiales commençait, coupée d'interminables sta-
tions devant le magasin des fournisseurs, chez le
médecin, à la Banque, chez la modiste ou le coutu-

rier. Chaque fois, sans que Pierre eût besoin de le
leur commander, les chevaux s'arrêtaient d'eux-
mêmes à la Belle Rose, où, dès qu'il apercevait la
voiture, le patron en personne accourait au-devant
d'Aricie, le sourire aux lèvres, annonçant : « Un
croûte-rouge pour Mlle Aricie ! » Parmi les fromages
présentés, préalablement perforés d'une mince
sonde de métal, afin que l'on y pût goûter, d'après
la finesse de la pâte, elle arrêtait son choix sur le
meilleur. On allait de là chez Marie Brizard, quérir
un flacon d'anisette, que l'on payait un franc de plus
par année de vieillesse. On finissait la tournée du
jour chez le pâtissier. Le paquet de ces dames
Coutre étant préparé, Aricie descendait seule pour
le prendre. Henri considérait alors de loin les gâteaux de la devanture avec un air assez piteux.
Mais il était tard ; et d'en manger, cela lui couperait
l'appétit. Pour le consoler, Aricie, en remontant dans
la voiture, se penchait vers lui, et à voix basse, elle
glissait une promesse :

— Demain, nous reviendrons, tous les deux
seuls...

Puis, à haute voix, à Mme Coutre :

— Nous rentrons, maintenant, ma tante?

Mme Coutre acquiesçait. « Nous rentrons », transmettait Aricie à Pierre. Celui-ci touchait ses chevaux ; le pavé sonore était martelé. Bientôt, de
nouveau, c'était le fleuve, sa fraîcheur et sa vaste
odeur. Et, de nouveau, à mesure qu'il s'en éloignait,
tournant le dos à la Bastide, cette fois, devant les
yeux émerveillés de l'enfant, Bordeaux dans la
pourpre du soir s'éployait comme un éventail.

D'autres fois, Aricie avait son neveu pour elle
seule. Alors elle était heureuse. L'enfant la tenant
par la main, babillant avec confiance, ils par-

taient à pied, tous les deux. Vacances délicieuses
pour la vieille fille ! Elle se sentait mère ; elle avait
envie de tout donner : le bleu paysage autour d'elle,
la chaleur du ciel, une jolie voile sur la rivière... En
marchant à côté du fils de son frère, elle lui montrait ces merveilles, elle en promettait d'autres,
enfantine elle-même au contact de l'enfant, et subitement gaie comme elle n'avait jamais pu l'être.
Par le petit bateau à vapeur, ils descendaient jusqu'à Lormont, visiter les chantiers où se construisent
les navires. Parfois, ils avaient la chance d'en voir
lancer un, vaste coque de fer et de bois, peinte de
couleurs fraîches, sans mâture encore ni agrès, mais
toute fleurie d'oriflammes, de drapeaux et de ban-
deroles. Il y avait une minute émouvante, lorsque,
d'un coup adroit, on avait fait sauter les cales qui
retenaient la lourde machine, et qu'elle se mettait
à glisser doucement, entraînée par son propre poids,
sur le plan incliné savonneux. Sous le frottement,
le bois échauffé fumait. Le navire, un instant in-
décis, semblait piquer comme un nageur qui va
plonger ; puis, arrivé au contact de l'eau, qu'il divi-
sait en deux parts bouillonnantes, il se redressait
joyeusement. Aussitôt, autour du monstre flottant,
des canots innombrables annageaient, à force de
rames, l'investissaient, le liaient, l'amarraient. Ce
spectacle ravissait l'enfant. Après quoi, Aricie
et Henri reprenaient le vapeur, passaient le fleuve,
abordaient Bordeaux. Devant les Quinconces, Aricie
montrait l'emplacement du Château Trompette,
que sa mère avait vu démolir, au temps de son
enfance, et dont elle avait une gravure, dans sa
chambre. Puis, à travers de petites rues malpropres
et colorées, toutes pleines d'une animation popu-
laire, et qui sentaient le vin, le goudron, les épices,

ils gagnaient la rue Sainte-Catherine. Aricie regardait l'enseigne, la maison noire et décrépite ; elle
donnait un coup d'œil furtif à la deuxième fenêtre
du premier étage, à gauche, où, si longtemps,
sur le rebord, elle avait entretenu un basilic. La
fleur était morte. Elle poussait la porte du magasin,
la sonnette retentissait avec un faible son fêlé.

— Ah ! c'est Mlle Aricie ! s'écriait Bouchinard
en apercevant la vieille fille... Eh ! monsieur Paul,
c'est Mlle Aricie et le petit M. Henri !

Alors l'oncle Paul apparaissait, dans l'entre-
bâillement de la porte, au fond de l'arrière-boutique,
les besicles relevées sur le front, la calotte à gland
de travers. Le chat Champollion faisait le gros dos.
Les genoux pliés, le corps en arrière, l'oncle levait
les bras au ciel :

— Hé ! c'est le neveu ! Chicot, va chercher la
bouteille !

Aricie déballait les gâteaux qu'elle avait apportés,
elle ouvrait l'armoire pour y prendre les assiettes.
Elles n'étaient pas à leur place.

— Ah ! mon Paul, on voit bien qu'il n'y a plus
de femmes dans la maison. Quel désordre !

Et elle refaisait l'ordre, vivement. Puis elle riait,
réclamait qu'on écartât les livres qui couvraient la
table. Chicot apportait le pajarete, des petits verres.
Aricie disposait la collation. Cependant Paul avait
pris son neveu sur ses genoux, et quand l'enfant
avait rapporté le récit de sa journée, il lui disait des
contes amusants, qui faisaient rire le petit homme.
Puis, l'installant à son bureau, il sortait pour lui,
avec des airs mystérieux, de ses tiroirs, des images
d'Épinal tout fraîchement coloriées, dont la dorure
restait aux doigts, qui représentaient des soldats,
que l'on collait sur de grandes feuilles de carton.

On les découpait ensuite, et chaque soldat inséré
par le pied dans une rondelle de liège, fournie par
un bouchon coupé en deux, Henri disposait ses
troupes en bataille. Toute une armée à ne regarder
que de face, une armée qui avait le dos blanc. Il
y avait des artilleurs, avec leurs canons, des fan-
tassins, des grenadiers, des cavaliers. L'enfant
poussait des cris de joie à la vue des beaux uniformes
exactement représentés. Il y en eut un, une fois,
qui lui parut particulièrement joli. C'était un hussard, avec son shako, son dolman, sa taille de guêpe,
une lance. Il le tendit à Aricie. Aricie prit le soldat
de carton peint et le regarda longuement. Puis elle
le rendit sans rien dire au petit Henri. Il lui rappelait quelque chose. Levant les yeux, elle vit, accrochée au mur, à la même place qu'autrefois, la petite
fontaine de faïence où, un jour, elle avait lavé la
main blessée du lieutenant Lautaret. Il y avait vingt
ans de cela.

Le petit Henri aimait beaucoup aller rue Sainte-
Catherine. Il y était roi. C'était à qui le choierait davantage, à qui lui conterait les plus belles histoires.
Rugendas lui récitait des bouts de rôle ; l'enfant en
restait ébaubi. Sur toute chose entendue, il voulait
une explication. Quand le vieux tragique lançait,
du profond de son creux, la célèbre apostrophe :

Oui, de ta suite, ô roi! de ta suite, j'en suis!

il avait l'impression que la pièce était tout d'un coup
remplie d'une grande quantité de personnages qu'il
n'avait pas entendus venir, et que la magie des
mots suscitait. D'autres affirmations lui paraissaient
pour le moins singulières. Mais il les admettait de
confiance ; par exemple, quand il est dit :

La Savoie et son duc sont pleins de précipices.

Il ne concevait pas un duc plein de précipices.
Cependant, il voyait très bien les précipices ; le
froid du vertige lui courait brusquement dans le
dos. Il avait conquis Bouchinard, à cause des petits
bonshommes qu'il ne cessait de crayonner en marge
de ses livres. Il y avait un don certain chez cet enfant ; il voyait avec une étonnante rapidité les objets, les gens, les figures. Ce qu'on lui avait raconté,
il en composait des scènes à la fois naïves et mou-
vementées. Bouchinard, en peintre, s'extasiait.

— Ce petit sera un artiste, monsieur Paul ! Il
ira loin. C'est moi qui vous le dis ! Et l'on voudrait
lui faire vendre du bois, à lui aussi ! Il a deux cent
mille francs au bout de son crayon, ce petit !

Et le vieux peintre posait les mains sur la tête
du jeune Henri, comme s'il le sacrait par avance,
et il le contemplait profondément, d'un air inspiré,
avec la gravité de l'évêque ordonnant un prêtre.

Cyrille, lui, qui n'était rien, mais qui avait
été soldat, prenait l'enfant à part, et, comme un
secret précieux, il lui confiait ce conseil :

— Monsieur Henri, il faut dire à votre oncle
Paul qu'il vous fasse une tirelire, pour acheter un
homme. Il ne faut pas que vous soyez soldat. Je
l'ai été, moi. Je l'ai été sept ans. Je crois que je m'en
souviendrai longtemps...

— Bien sûr ! on lui payera un remplaçant, concluait l'oncle Paul en riant. En attendant, viens,
que je te montre des images.

Et Paul Brun ouvrait le *Consulat* de M. Thiers,
et ce républicain racontait l'Épopée à son neveu,
avec un illogique enthousiasme. Ou bien cet homme
débonnaire entreprenait des récits de chasse aux
grands fauves. Où il était beau, surtout, c'était dans
la description de l'affût à l'ours blanc, telle qu'on

la trouve illustrée, chez Buffon. Le chasseur se présente à l'ours sans autres armes qu'un poignard
maintenu fixé par une courroie sur la poitrine, la
pointe en avant. L'ours s'approche, l'homme le
laisse avancer ; l'animal se jette sur lui, et, l'embrassant pour l'étouffer, s'empale de lui-même sur ce
fer oursicide.

Quelquefois, Aricie confiait à son frère ce neveu
chéri, pour la journée. Paul l'emmenait déjeuner
chez Nicolet. Puis ils se promenaient ensemble,
au Palais Gallien, au jardin public, sur les quais
animés d'une fièvre active. On y voyait des trimar-
deurs, le torse nu et ruisselant, de lourdes charges
sur leurs dos, faire ployer les minces passerelles,
jetées de la terre aux navires ; et d'autres qui portaient des rails sur leur épaule ; et d'autres roulant des barils. Il y avait des cris, des juremenis,
des charrois pesants, des claquements de fouets,
des appels aigus de sirènes. Des nègres et des mate-
lots entraient en chantant dans les buvettes et les
bars tenus par des filles... Las de ce spectacle,
Henri et son oncle Paul retournaient, silencieusement. Ils s'arrangeaient pour être sur le pont, vers
cinq heures, afin de ne pas manquer le mascaret.
C'est, au moment de la marée, une grande masse
d'eau qui remonte avec impétuosité la Garonne, et,
refluant contre la descente du fleuve, y développe
une longue frange d'écume blanche sur l'eau bour-
beuse. Paul faisait aussi à son neveu la classique
plaisanterie bordelaise ; l'ayant mené voir un pa-
quebot à quai, le matin, il le lui fit voir une seconde
fois, dans la soirée. Le navire, fort bas sur l'eau le
matin, se trouvait le soir élevé d'une hauteur considérable, il avait l'air de n'être plus le même ; c'était
tout bonnement l'effet de la marée. Henri s'amusa

beaucoup de cette découverte. C'en est une pour
un Toulousain. Ensuite, ils allaient acheter des
livres, des images et des bibelots. Une fois, l'oncle
Paul conduisit ce neveu chez une marchande de
tabac. Il avait l'air de bien connaître cette personne.

— Voilà mon neveu que je vous amène, dit-il
à la dame du comptoir.

C'était une belle brune, un peu forte, avec des
accroche-cœurs, mais aimable. Elle offrit un verre
d'anisette au petit garçon.

De retour au magasin, l'oncle Paul arrêta Henri
devant une armoire, qu'il ouvrit. Dans un coin,
il y avait un sac de toile, ficelé. L'oncle dénoua la
ficelle, et tendant le sac au neveu :

— Tiens, petit, dit-il, prends là dedans ce que tu
veux.

Henri étonné plongea la main dans le sac, et en
tira une poignée d'écus de cinq francs.

— C'est ce qu'on appelle une avance d'hoirie,
dit plaisamment Paul. Tu seras un artiste, toi,
pas un boutiquier comme moi, ni un marchand de
bois comme les Coutre ! Je te ferai mon héritier.
In nepotem redivivus!

A la fin de la journée, Paul reconduisit Henri à
la Souys. Au moment de lui dire adieu, devant la
maison, où il ne voulait pas entrer, il parut gêné,
un instant, puis se décida :

— A propos, petit... tu n'as pas besoin de dire
que nous sommes allés acheter du tabac, même pas
à tante Aricie. On dirait encore que je te donne de
mauvaises habitudes.

*
* *

Tous les ans, à la même époque, Henri Brun
venait ainsi de Toulouse, passer un bon mois de

vacances à Bordeaux. Il en était ravi. Aricie attendait ce moment pendant onze mois. L'oncle Paul
aussi.

Henri aimait tendrement cet oncle charmant,
fantaisiste, si peu cérémonieux. Ils faisaient ensemble des promenades si amusantes dans Bordeaux ! l'oncle Paul avait des amis si gais ! Un jour
même, il mena Henri au théâtre, en matinée. Henri
avait douze ans, c'était la première fois qu'il allait
au spectacle. Il devait se souvenir toute sa vie
de cette fois-là. On donnait *Barbe-bleue*, avec
Mme Zulma Bouffar dans le rôle de Boulotte, où
elle paraissait en scène coiffée d'une caisse d'oranger.
Pendant un entr'acte, Paul et Henri sortirent,
afin de prendre l'air. Dès le péristyle, ils entendirent
un grand tumulte sur la place, une foule était
assemblée, les allées de Tourny noires de monde.
On criait. Henri entendit : « La guerre ! A Berlin !
Vive la guerre ! »

— La guerre ! s'exclama l'oncle Paul, en serrant
la main de l'enfant. qu'il sentit trembler dans la
sienne.

— Vive la guerre ! cria le petit.

— Imbécile, dit Paul, tu perds cent mille francs !
Il jouait à la Bourse, il avait cru la paix solide, et
joué à la hausse. La guerre le ruinait.

VI

Il y eut beaucoup de Prussiens déconfits, à Salies
du Salat (Ariège), au début de ce terrible été 1870.
Ils ne le furent malheureusement qu'en imagination,
sous l'espèce d'une douzaine de gamins salissois,
chargés de représenter l'ennemi par la convention
des plus forts, Français et vainqueurs par principe,
sous le commandement du jeune M. Henri Brun,
à qui sa qualité de citadin conféra dès le premier
jour une considérable autorité sur la jeunesse du
village, dont M. Alcide Poujoulade, son aïeul maternel, était maire. Armés de fusils de bois, de bâ-
tons et de mottes de terre, les troupes de M. Henri
faisaient quotidiennement de grands massacres
d'ennemis dans les prés qui bordent le Salat paisible, au pied des Pyrénées bleuâtres. Les petits
rossés s'enfuyaient en poussant des cris à l'apparition des Français, couraient cacher, avec leur
lourde honte, la marque des torgnioles et des bosses
reçues au cours de ces combats avantageux. Quelques
parents en murmurèrent. Mais quoi ! c'est la règle
du jeu que les Allemands soient battus. Et tout
Salies, sur le pas des portes, applaudissait le soir,
en attendant mieux, au triomphal retour des héros
en culottes fendues, pivotant avec l'enthousiasme
des vainqueurs, sous la conduite de M. Henri.

Quand il passait, fièrement, essoufflé, couvert de
poussière et se rengorgeant, son épée de fer-blanc au
poing, dans la rue principale du village, M. Médan, le
pharmacien, tirait largement son chapeau en l'honneur du jeune héros symbolique. M. Plumet, le cordonnier, lançait un tonitruant : « Vive la guerre » !
Les bonnes femmes hochaient la tête, moins gaiement. Seul, le vieux père Escut, l'adjoint au maire,
ne disait rien. Droit sur le seuil de sa maison, avec
sa large barbe blanche et ses souliers saint-simoniens
à bout carré, fumant sa pipe où l'on voyait la tête
sculptée de Blanqui, l'ancien représentant du peuple
en 48 regardait passer la jeunesse guerrière de Salies,
d'un air triste. Ce républicain n'aimait pas la guerre,
et ne prévoyait rien de bon des événements. Mais
il se taisait, se sentant isolé dans son pessimisme.
Il voyait tout Salies enthousiaste, autour de lui ;
et derrière Salies, la France, tout de même. « Depuis
le 2 Décembre, tout le monde est fou », disait-il.
Il y avait dix-huit ans qu'il répétait cette maxime.

Quand la guerre avait été déclarée, les parents
d'Henri réclamèrent à grands cris l'enfant, alors
en vacances à Bordeaux. Le vieux Barthélemy
Lesprat mourut, dans le même temps. Ce deuil passa
inaperçu, au milieu de l'inquiétude générale. Aricie,
que la disparition du vieillard rendait plus libre,
proposa de ramener elle-même l'enfant à Toulouse.
Mais on craignait qu'il n'y eût des troubles dans les
villes ; la petite vérole éclata ; la sœur d'Henri,
Alida, en fut atteinte. Pour éviter la contagion, il
fut décidé qu'on enverrait Henri à la campagne,
chez son grand-père Poujoulade, à Salies. C'est, au
pied des derniers contreforts des Pyrénées, sur le
Salat, un calme village à l'abri des dangers. Comme
il n'y avait pas de femme qui pût s'occuper de lui

chez le bon M. Poujoulade, Aricie s'offrit à venir
passer quelques semaines avec Henri, jusqu'à
ce que l'on eût vu clair dans la situation. Ce
voyage de la vieille fille à Salies, avec son neveu,
fut un événement dans la famille. Au bout de peu
de temps, il parut que ce n'était plus la guerre qui
en avait été l'occasion ; mais presque que c'était
à la suite de ce voyage que la guerre avait éclaté.

*
* *

Il ne faut pas moins d'une guerre pour émouvoir
certains milieux, de tout temps enfermés dans leurs
habitudes, et d'un coup apporter le trouble parmi
le paisible trantran de la vie quotidienne. Comme
beaucoup d'autres personnes de sa condition, placées dans les mêmes circonstances habituelles à
l'existence de ce qui fut, au cours de ce siècle, la
bourgeoisie française des provinces, Aricie, petite
bourgeoise de Bordeaux, qui n'avait, jusqu'aux
environs de la cinquantaine, jamais imaginé que
la famille, le reste étant affaire d'hommes, Aricie
eut la brusque révélation de la patrie, à peine eut-
elle mis le pied hors de Bordeaux. Ce fut comme un
grand choc, engendré par la guerre, et la vaste
conscience d'un péril menaçant pour tous, qui faisait sortir chacun de son égoïsme cellulaire, découvrir, au delà de l'intérêt particulier à chaque famille,
un intérêt plus général et commun à tout le pays.
Ni la Révolution de 1848, ni le Coup d'État,
ni les guerres mêmes de Crimée, d'Italie ou du
Mexique n'avaient produit une semblable émotion.
Ces événements n'avaient pas retenti profondément
dans les foyers. Au début, même, 1870 n'étonna
que superficiellement le pays, depuis tant d'années

endormi dans les délices de la paix prospère. Ce ne
furent que les tristesses de la campagne et l'imprévu
du désastre où sombra l'Empire qui firent la révolution dans les cœurs, et que chacun d'eux se sentit
personnellement touché par le malheur de la
patrie. Aricie, pour sa part, la découvrit en elle-
même avec une immense pitié ; elle découvrit la
réalité profonde et frémissante de ce mot à l'idée
du sang répandu. Par la pensée, elle revola vers ces
frontières de l'Est, dont elle savait qu'était issue
sa race transplantée. Toute la journée, sur son
tricot ou sa charpie, dans la maison Poujoulade,
à Salies, étonnée d'y être, sa pensée voltigeait,
incertaine, autour de ces mots étranges pour elle,
que l'imagination gonflait soudain d'un sens tragique et plein, qui prenait chaque jour, avec les
nouvelles venues de Paris, une réalité épouvantable :
la guerre, le sang versé, des morts, des cris, de la
douleur immensément répandue sur les campagnes
entières, des deuils, des atrocités. Et pour elle, à
défaut d'un frère, d'un mari, d'un fils, c'était, tout
autour d'elle, la représentation des visages de ceux
qu'elle connaissait, qui étaient partis. Cependant,
au plus profond de son cœur, avec une ferveur innocemment égoïste, elle bénissait Dieu qui avait
voulu qu'aucun des siens ne fût appelé. A la pensée
que, né seulement quelque sept ou huit ans plus
tôt, son petit Henri aurait pu être soldat et lancé
dans l'horrible guerre, elle avait des frissonnements.
L'enfant se moquait de ses transes. Il voyait dans
la guerre un jeu. La guerre ! La guerre ! Bah !
qu'était-ce pour lui qu'un merveilleux sujet de
récits pareils à ceux de *Madame Thérèse* et de l'*Histoire du Consulat*, dont ses veillées étaient nourries,
qu'une partie de soldats comme il les aimait, pas

en papier découpé et fichés sur des rondelles de bouchon, mais des vrais, cette fois, des canons roulants,
crachant la mitraille, des cuirassiers d'argent, for-
midables dans les vallons et dans les plaines, où ils
dévalaient comme un flot, des voltigeurs agiles,
des grenadiers à bonnets à poils, et le maréchal
Lebœuf, qui l'avait embrassé, d'une moustache
humide, à la précédente distribution des prix du
lycée de Toulouse ; et, d'un tertre, dominant la
bataille, l'Empereur, rêveur et un peu voûté, sur
son cheval blanc, entouré d'estafettes au galop?...
La guerre ! Qu'était-ce pour lui, sinon un peu plus
que ces joyeux combats où il s'élançait, sûr de
vaincre, dans les prairies de Salies, à la tête d'une
troupe d'enfants du village, contre d'imaginaires
Prussiens volatilisés dès l'approche...

Quand il revenait, en sueur, agité d'avoir tant
couru, Aricie s'inquiétait. Elle le couvrait de fou-
lards, le faisait déchausser pour qu'il n'eût pas les
pieds mouillés, l'entourait de soins minutieux,
exagérés. Puis, afin qu'il ne bougeât plus, elle le
prenait contre elle, et sur la table, elle lui montrait
l'*Illustration*, que M. Poujoulade recevait, et elle
expliquait chaque image. Toutes étaient consa-
crées à la guerre. On voyait les soldats campés
à Paris, dans la cour du chemin de fer de l'Est,
attendant leur embarquement, la foule sur les bou-
levards, l'enthousiasme au passage des troupes,
le Prince Impérial au camp de Châlons, et les premiers coups de fusil, à la frontière... Ces détails
vrais, contemplés dans le journal, avaient un caractère rassurant ; et quoiqu'ils fussent déjà anciens
de plusieurs jours, ils faisaient du bien : l'aspect des
soldats inspirait la sécurité. A Salies, pourtant, on
montrait de l'impatience, les nouvelles n'arrivaient

pas vite. Le cordonnier Plumet, qui avait été cordonnier militaire, dans une caserne toulousaine, et
en conservait un caractère martial, déjà, sur la
place principale du village, devant la statue du
général Compans, sur la promenade d'Austerlitz,
instruisait chaque soir au maniement d'armes les
jeunes gens susceptibles d'être appelés. Plumet avait
beau assurer que, des Prussiens, on n'en ferait
qu'une bouchée, M. Escut continuait de hocher la
tête, et ne se gênait plus pour le laisser voir...

Tous les soirs, après le dîner, Henri et M. Poujoulade (un vieux monsieur cérémonieux, toujours
en redingote, avec un chapeau haut de forme, des
favoris blancs) allaient à la gare, aux nouvelles,
voir si le train qui venait de Toulouse était pavoisé,
en signe de victoire, comme on en était convenu sur
le réseau. Il fallait traverser un grand espace
couvert d'arbres, où régnait l'ombre. La nuit tombait déjà plus vite en cette saison ; Henri avait peur,
dans le noir. Il marchait à côté de son grand-père
silencieux, qu'il tenait avec force par la main, s'abs-
tenant de respirer trop bruyamment, de regarder
derrière lui, ou au-dessus, à cause de l'immensité
du ciel et des étoiles innombrables : ces yeux de Dieu
terribles, qui vous regardent, et vous jugent. De
l'infini, de la solitude, une religieuse terreur descendait sur la terre coupable. Un chat traversait la
route obliquement, comme une balle. Henri fris-
sonnait. Un silence hostile pesait ; les arbres agités
de vent semblaient conciliabuler dans la nuit
sinistre. Henri pressait le pas, marchait droit devant
lui, sans s'arrêter, sans se retourner, auprès du
vieillard triste. A la gare, on retrouvait des gens,
venus voir s'il y avait du nouveau. Les figures ne
respiraient plus l'espérance. Le train arrivait, en

retard, tout fumant, essoufflé. On ne voyait pas
les drapeaux attendus. Il y eut une fois un moment
d'espoir, dont chacun ressentit l'angoisse. Des drapeaux ornaient la locomotive ; on l'aperçut, du plus
loin que l'obscurité le permit. Le convoi entra
lentement en gare. Un grand murmure désappointé
courut parmi les assistants : les drapeaux étaient en
berne. Le porteur de journaux lança tristement son
ballot de papier sur la voie, puis écarta les bras,
comme pour exprimer qu'il n'était pour rien dans
la mauvaise nouvelle qu'il apportait. C'était l'annonce de Wissembourg. Douay avait livré bataille et s'était fait battre. Les jours qui suivirent
furent aussi désespérés. A l'horreur de l'irrépa-
rable, se mêlait la stupeur de l'inattendu : l'Alle-
mand était vainqueur partout. Ceux qui transmet-
taient ces terribles nouvelles éclataient en pleurs
en les énonçant. Ce fut Fræschviller, Reichshoffen,
Forbach, l'Alsace perdue, la Lorraine envahie ;
et enfin Sedan, l'Empereur prisonnier. Le lendemain
du jour où on l'apprit, par le télégraphe, le maire,
M. Poujoulade, était absent, parti dans la montagne
depuis l'aube. Ce fut M. Escut, sur le balcon de la
mairie, qui proclama la République.

— Ton pauvre oncle Paul va être bien content,
dit Aricie à son neveu.

Le lendemain, les galopins du village s'amusèrent
à barbouiller en trois couleurs la statue du brave
général Compans, Salissois glorieux, mais impérialiste, qu'il fallait républicaniser.

Un soir, le jour baissa plus vite. Mais le soleil, qui
à travers tout le ciel était étalé dans une pourpre
inusitée, semblait ne pouvoir quitter l'horizon.
L'angélus avait tinté, sinistre ; le ciel rougeoyait
encore aux fantasmagories du couchant. Bien plus,

on eût dit que l'astre avait rebroussé dans le ciel,
qu'une rougeur extraordinaire colorait, en remontant
jusqu'au zénith. Devant le prodige, les paysans
sortaient de leurs demeures dans les rues, éberlués,
et des coqs, eux-mêmes trompés, se mirent à chanter,
croyant à la nouvelle aurore. A la clameur qui s'éleva,
M. Poujoulade ouvrit les fenêtres, et le reflet du
ciel en feu le baigna d'une lueur rouge. Aricie
parut près de lui, sur le balcon, tenant Henri serré
contre elle. La terreur était dans le village ; on y
voyait comme en plein jour, et sur la place, au tocsin
qui jetait l'alarme, tout le monde était accouru.
De l'orient à l'occident, le firmament apparaissait
comme une monstrueuse coupole de flammes. Les
enfants se cachaient dans les jupes des femmes
apeurées. Quelques-unes couraient vers l'église
chercher un refuge. Il y en avait qui portaient à la
main, selon la coutume des veuves, un touril allumé,
dont la flamme pâle clignotait. Ces petites lumières
étaient funèbres. « C'est le sang ! le sang qui repa-
raît ! » criaient des vieilles en capelines noires. Et
elles se signaient, faisaient de grands gestes effarés,
s'agenouillaient en pleurant et se prosternaient.

— Le sang ! Le sang ! répétaient les filles...

— Mais non ! disait le vieil Escut, il y a le feu
quelque part... C'est tout simplement une meule
qui doit flamber... ou bien il y a un incendie de forêt
dans la montagne...

— S'il allait descendre jusqu'ici ? se demandait
Henri, dont les dents claquaient.

Aricie refermait ses bras autour de l'enfant, elle-
même émue de ce phénomène.

Un vieillard se mit à crier :

— N'ayez pas peur, c'est une aurore boréale... On
n'en a point vu depuis 1827 !

— Le sang ! le sang ! continuaient de murmurer
les femmes... C'est Dieu qui se venge !

Et partout l'immense terreur se répandait. Des
vaches passèrent au galop, affolées, qui avaient
rompu leurs liens. Il y eut des femmes piétinées,
des cris paniques. Et des propos sinistres circulaient
de groupe en groupe, accrus par les imaginations
démentes, transmis à voix basse par les gens qui
se reconnaissaient, où il était question de villes en
feu, de révolutions, du sang des victimes et de la
colère de Dieu. Sur le balcon, Henri, contre Aricie,
agrippé à ses robes, baissait la tête obstinément,
les yeux fixés à terre, les paupières serrées, pour ne
pas voir ce grand ciel rouge dont il avait peur, et
il tirait la vieille fille, il la poussait pour rentrer,
pour aller cacher sous les draps, au plus profond de
la maison, sa tête pleine d'épouvante et de mons-
trueuses chimères, fuir cette effrayante Apocalypse,
et, mêlés au bourdonnement continu des cloches,
ces cris de femmes en délire, dont le chœur emplissait la nuit et poussait longuement sa clameur
angoissée dans le ciel rose.

*
* *

En décembre, Émile et Sextia Brun arrivèrent,
de Toulouse à Salies, avec leur petite Alida conva-
lescente. Aricie, qui n'était plus utile auprès d'Henri,
repartit pour Bordeaux. Elle y retrouva la Souys
en grand état d'effervescence, et son oncle Coutre
particulièrement excité. La guerre l'avait écrasé.
Non qu'il fût plus spécialement patriote que qui-
conque : certes, il souffrait de la défaite ; mais surtout elle le scandalisa, comme une offense person-

nelle, une trahison de ceux dans lesquels il avait mis
toute sa foi. L'écroulement de l'Empire retentit
dans son cœur ainsi qu'un désastre privé : avec lui,
perdant tout le prestige qu'il empruntait à la faveur,
disparaissaient aussi ses espérances. Aux élections
de 1869, M. Prosper Coutre s'était porté candidat,
sans s'aviser que peut-être on s'était plus servi de
lui qu'on ne songeait réellement à son mérite ; il
n'avait été battu que de deux mille voix, par un des
deux républicains élus de la ville, qui n'avait jamais
été très impérialiste. Mais cet échec était assez glorieux et M. Coutre ne désespérait pas d'une revanche
très prochaine, aux élections partielles annoncées,
un siège étant devenu vacant. Il avait l'appui du
préfet. La guerre le désappointa, Sedan l'anéantit.
Il y vit sa chance perdue. Qu'un régime auquel il
avait accordé sa confiance s'effondrât dans un tel
abîme, cela le dépassait. Il en prit une rancune amère
contre ceux qu'il appelait les responsables, sans
d'ailleurs pouvoir les citer nommément. Il ne
pardonnait pas à des vaincus, quand ces vaincus
l'entraînaient avec eux dans leur chute. Au surplus,
son ressentiment était fort mêlé. Il y confondait à
la fois Napoléon, en dépit de la main serrée en 1852,
son entourage, ses partisans et ses adversaires ;
les uns coupables de n'avoir pas assez combattu
l'opposition jacobine, les autres coupables d'avoir
affaibli toute l'autorité. Parmi ceux-là, au premier
rang, M. Coutre était humilié de placer son propre
neveu, l'inoffensif Paul Brun. Il redoubla de haine
contre ce malheureux garçon, symbole à ses yeux
des plus abominables opinions, les opinions qui
n'étaient pas la sienne, seule orthodoxe.

D'autre part, la guerre avait été pour M. Coutre
l'occasion d'une autre humiliation, non moins pro-

fonde, pour appartenir à un ordre de sentiments plus
personnels. On se souvient peut-être que M. Prosper
Coutre avait un fils, Eugène. S'il n'en a pas été plus
souvent question, jusqu'ici, c'est qu'on en parlait
peu, à la Souys. Ce fils était la plaie secrète de
M. Coutre. Sous le prétexte de voyager pour la
maison, Eugène Coutre habitait Paris. Après son
séjour en Angleterre, si délicieuse flatterie à la vanité
paternelle, il avait un temps vécu en Norvège,
où la maison Coutre avait d'importants intérêts.
Puis, après une courte apparition à la Souys, où le
jeune homme irrita vivement son père par le spectacle d'une élégance recherchée, la blancheur
éblouissante de son linge et le craquement insolent
de ses souliers vernis, non moins que par son affec-
tation, ses manières distinguées, ses historiettes et
son ton de persiflage continu, il avait déclaré que
l'air de Bordeaux ne lui convenait décidément point,
et regagné Paris, où il menait depuis dix ans une
existence scandaleuse, sur le détail de laquelle on
était d'ailleurs peu fixé, à la Souys, si ce n'est par
les fréquentes demandes d'argent de ce trop représentatif représentant. Au début, M. Coutre avait
payé, en rechignant. Puis il avait coupé les vivres,
pour essayer de la manière forte ; elle ne réussit pas.
M. Coutre fils, cessant de solliciter un concours qui
se refusait, ne sollicita plus, et recourut tranquillement au système plus commode des billets directement tirés sur la caisse de la maison de commerce.
M. Coutre père fut indigné du procédé, mais paya.
Il eût paru à cet avisé commerçant dangereux pour
l'honneur du nom de ne pas souscrire aux effets qui
portaient le sien. Seulement, il écrivit à son fils une
lettre sévère et digne, où il était dit que les sommes
ainsi acquittées seraient imputées sur sa part d'héri-

tage à venir ; et, pour le reste, qu'il n'eût jamais à
reparaître à la Souys. Eugène lut cette belle épître à
quelques amis réunis au café Anglais, en compagnie
de demoiselles agréables. Elle y eut un parfait succès.

Pendant dix ans, M. Coutre n'entendit plus
parler de son fils. Il savait qu'il se portait bien :
les traites apportaient avec régularité de ses nou
velles.

Vers le milieu de septembre 1870, Prosper, pénétrant dans la chambre de sa femme, la trouva en
larmes, une lettre ouverte à la main. C'était une
lettre d'Eugène. Il n'avait pas cessé d'écrire à sa
mère ; mais craignant le colère de son mari, Estelle
n'avait jamais parlé de cette correspondance à
Prosper. Les lettres d'Eugène arrivaient au comptoir,
au nom de Melchior, qui les transmettait à sa tante
en secret. La dernière ne pouvait pas être cachée.
Estelle la tendit à Coutre. Il y apprit qu'Eugène
s'était engagé au début de la guerre, avait fait
campagne jusque-là sans accident, mais qu'il considérait de son devoir de lui faire savoir qu'il avait un
enfant de trois ans, en pension à la campagne, près
de Paris.

Eugène avait reconnu l'enfant. C'était un garçon.
Eugène le recommandait à son père, au cas qu'il lui
arrivât un malheur. Il ne parlait pas de la mère.
M. Coutre entra dans une vive colère et dit qu'il ne
manquait plus que cela.

Lorsque Aricie revint à la Souys, vers la mi-
décembre, elle y arriva en plein drame. On venait
d'y apprendre la glorieuse mort d'Eugène Coutre,
grièvement blessé à la bataille de Beaune-la-Ro-
lande. Le malheureux était resté deux fois vingt-
quatre heures dans la neige, avec deux balles dans
le ventre. Il était mort à l'hôpital, trois jours après.

Prosper Coutre reçut cette nouvelle avec une douleur glacée, qui le grandit aux yeux de tous, autour
de lui. Son orgueil était intéressé à ne pas exprimer
un sentiment sur ce fils qu'il avait maudit. Mais
en dépit de l'attitude, il éprouva un grand chagrin,
qu'il crut devoir cacher avec dignité. Il décida qu'il
irait lui-même à Beaune, chercher le corps de son
enfant, et le ramènerait à Bordeaux, pour l'ensevelir
décemment. Il fit un voyage pénible, eut beaucoup
de difficultés, triompha de toutes, et revint au bout
de huit jours avec le cercueil de son fils. De ce jour
il devint fort sombre, vieillit vite, et ne parla plus.
Chacun respecta le deuil de ce père irrité, et le
silence entra plus lourdement dans la maison.

VII

Les affaires de Paul allaient mal. Il ne s'était
pas remis des lourdes pertes essuyées en Bourse.
Le magasin était hypothéqué, il y avait beaucoup
d'arriéré chez les fabricants, le négoce devenait difficile. Jusqu'à la fin de la guerre, les échéances de
commerce prorogées depuis le 13 août, Paul vivota.
Mais quand l'effet moratoire des décrets cessa,
il fallut prendre des dispositions. Contrairement à
ce qu'avait toujours espéré Paul, la mort du grand-
père Lesprat n'avait rien arrangé. Prosper Coutre
se prévalut du partage des biens que le bonhomme
avait fait autrefois, au moment du mariage d'Estelle. Les chantiers demeuraient l'exclusive propriété
des Coutre, Prosper s'attribuant à lui seul la prospérité de la maison de commerce ; aux Brun, le
grand-père avait donné la maison de la rue Sainte-
Catherine et le magasin. A l'époque où ce partage
fut conclu, c'étaient les Brun qui avaient été
avantagés, l'affaire des bois ne présentant encore
que des espérances, qui, s'il est vrai qu'elles avaient
été couronnées, auraient aussi bien pu ne pas l'être.
Les deux affaires étaient bien distinctes, les deux
branches des Coutre et des Brun n'avaient point
d'intérêts communs. M. Coutre rappela d'ailleurs
que pour satisfaire au désir de son beau-père, il

avait mis vingt mille francs de sa poche en commandite dans le magasin de toiles ; et, à ce propos, il
manifesta son intention de demander des comptes
à son neveu Paul. Il eût dû le faire depuis longtemps,
sur ce qu'il savait de cet imbécile ; mais il s'en était
abstenu du vivant de M. Lesprat, par déférence
vis-à-vis du vieillard. Lesprat disparu, son devoir
envers sa fille, ses petits-enfants, lui dictait une conduite nouvelle.

La reddition des comptes fut une consternation
pour tout le monde. Les inventaires étaient mal faits,
les livres tenus en dépit du sens commun. On se
trouvait en présence de cinquante mille francs de
dettes. Il y avait dix mille francs de marchandises
en magasin, la maison elle-même en valait trente
mille, le passif excédait l'actif. Les créanciers, pour
la plupart des fabricants de la région, fournisseurs
anciens de la maison, en amicales relations d'affaires avec les Brun depuis quarante ans, n'étaient
pas féroces, et consentaient à donner toutes facilités
pour le règlement. Mais enfin il fallait parer à la
situation, et Paul se demandait comment, avec une
nonchalance ennuyée.

— Je ne te ferai pas de difficultés, déclara
solennellement M. Prosper Coutre à son neveu.
Mais il est bien certain que je ne puis abandonner
ma commandite, et que j'interviendrai dans la
liquidation, s'il y a lieu. Et je le crois. Pour ce qui
regarde ta sœur et tes frères, tu t'arrangeras avec
eux. Ta tante est tout à fait de mon avis.

Il ajouta en se retirant :

— Ta pauvre mère, si elle vivait, penserait certainement comme moi. Il est vrai que si elle vivait,
nous ne serions pas dans ce beau pétrin. Mes amitiés
à Gambetta. Ses millions vont bien ?

Comme beaucoup de bonapartistes déçus, M. Prosper Coutre nourrissait une haine particulière pour ce Gambetta « qui avait volé des millions » et menait la France aux abîmes de la République. Prosper englobait dans sa haine Paul qui, en 1870, avait acclamé la venue du tribun à Bordeaux. Gambetta lui avait serré la main, M. Coutre ne l'oubliait pas.

— Vous avez bien serré la main de Badingue, répliqua Paul.

— Ton neveu est tout à fait fou, dit Prosper à sa femme, en rentrant chez lui. Je crois qu'il devient socialiste. Je vais le faire mettre en faillite.

Ce grand mot lâché, la Souys se remplit de deuil, comme si l'on venait de découvrir un assassin dans la famille.

Le lendemain, Aricie se rendit en cachette à Bordeaux pour voir Paul. Comme elle avait pleuré toute la nuit, qu'elle en avait les yeux rouges, et ne voulait pas qu'il s'en aperçût, elle s'abstint de regarder son frère. Chicot était sorti, Basile était mort, Cyrille ne venait plus au magasin, Rugendas faisait des courses. Seul, enfoncé dans son fauteuil, Paul songeait mélancoliquement. Aricie le trouva très abattu. Elle se mit en face de lui, à contre-jour.

— Ça ne va pas, dit Paul. Il va falloir tout liquider. L'oncle Prosper me déteste, tu vas voir qu'il fera tout pour me couler. Les voilà, ces millionnaires ! On m'étrangle, littéralement. Maudit argent ! Ce qui m'enrage, vois-tu, c'est qu'il me tient avec ces vingt mille francs. C'est lui qui sera le plus dur. Si je les avais seulement !... Que je puisse les lui jeter au nez... Quel soulagement ! Pour le reste, on s'arrangerait.

— Les voilà, dit timidement Aricie en posant

un petit paquet sur la table. C'est tout ce que j'ai, c'est à toi.

— Aricie... fit Paul.

Il était debout, tout ému. De grosses larmes coulaient sur ses joues. Il bégayait :

— Toi? Toi? Comment?... Non... Non..., je ne veux pas... ma bonne Aricie !...

— Ne dis rien, dit la vieille fille.

Ils s'étreignirent longuement.

Il fallut qu'Aricie expliquât d'où lui venait cette fortune : pour une part, d'un petit legs de l'oncle curé, mort quelque temps avant Lesprat, et puis, quelques économies. Ce qu'elle ne dit pas, c'est que son cousin Jouvenet lui avait avancé le reste, à la condition qu'on ne le sût point. Marcelin était un brave homme. Il avait du cœur, mais il était faible. Devant l'injustice de son beau-père Coutre, il était venu spontanément se mettre à la disposition d'Aricie, afin qu'elle secourût son frère. Mais il était de ces gens qui ont peur d'une bonne action faite au plein jour, s'il faut lutter pour l'imposer ; il n'avait pas le courage de son opinion. Il fallait qu'Aricie fût bien humiliée pour accepter cet argent-là. Mais elle préférait l'être par Marcelin, plutôt que devant l'oncle Coutre, dans la personne de son frère.

Quand ils eurent bien pleuré ensemble, elle dit en se tamponnant les yeux et en s'efforçant de sourire :

— Allons, allons, n'en parlons plus... Tu me les rendras quand tu pourras.

— Je savais bien que je n'aurais jamais d'ennuis de ton côté, ni du côté d'Émile, dit Paul.

Il n'avait pas nommé Melchior. Aricie comprit aussitôt, et rougit jusqu'au blanc des yeux, à l'idée

que l'un de ses frères eût pu commettre une vilenie.
Elle ne voulut rien demander, mais son regard fut
dans cet instant si chargé d'angoisse que Paul répondit à la question qu'elle ne formulait pas.

— Que veux-tu, ma bonne sœur ! Tout le monde
n'a pas le cœur fait comme toi. C'est compréhen-
sible, après tout... Cette maison ne m'appartient
pas. Elle est à nous quatre. Émile m'a écrit qu'il se
considérait comme désintéressé dans le magasin
depuis son voyage d'Amérique, à cause de la pacotille que notre mère lui avait faite. Pour Melchior,
c'est différent... Il m'a demandé des comptes. J'ai
bien été obligé de les lui rendre... sa part est à lui.

— Tu l'as donc vu?

— Oui, il est venu ce matin.

— Il ne m'en a rien dit, fit Aricie avec étonnement.

Elle se tut, un instant, songeuse. Puis elle reprit :

— Que vas-tu faire, mon pauvre ami?

— Je ne puis rien faire. Il faut laisser vendre la
maison.

— Melchior le sait-il?

Paul hésita, puis, les yeux dans les yeux d'Aricie :

— C'est lui qui me l'a conseillé.

Ils restèrent un moment sans rien dire. Aricie
était consternée. On allait vendre la maison où elle
était née, où ses parents avaient vécu et étaient
morts. Elle jeta un regard navré sur les vieux murs
qui l'entouraient. Elle s'y sentait déjà étrangère ;
de nouveau, c'était toute une partie d'elle-même
et de sa vie, comme un grand bloc, qui s'écroulait.
L'horrible était de penser que ce sacrilège, c'était
son frère Melchior qui l'avait conçu ! Il ne lui en
avait même pas dit un mot, ni de sa visite à Paul,
ni de leur conversation. Comme une part des

êtres qui nous sont les plus proches peut donc nous
échapper, nous rester étrangère et fermée ! Dans
cette nouvelle blessure faite au cœur meurtri
d'Aricie, cette pensée était ce qui la déchirait le
plus.

Cependant Paul regardait sa sœur avec un air
gêné et malheureux. Il avait d'abord pensé qu'il
valait mieux ne pas tout dire à Aricie, du même
coup. Mais la générosité de la vieille fille lui créait
un devoir nouveau, qui était de ne lui rien cacher.
Comme il n'osait pas faire cet aveu si pénible, ce
fut elle qui l'y aida.

— Qu'as-tu de nouveau qui te peine?

Paul fit un effort, et dit tout :

— Je suis un homme perdu, avoua-t-il. Je ne t'ai
pas tout dit. J'ai cinquante mille francs de dettes
personnelles. J'ai joué. Je gagnais. La guerre m'a
fait tout reperdre.

— Mon pauvre ami ! dit Aricie.

Paul était écroulé dans son fauteuil, et pleurait.
Aricie lui caressait le front. Lui aussi ses cheveux
étaient déjà blancs.

*
* *

Bravement, Aricie fit face au désastre. A tout prix,
il fallait éviter le déshonneur d'une faillite. Prosper
Coutre, au fond, n'y tenait pas ; il ne fait pas bon,
dans une Chambre de commerce, d'être l'oncle d'un
neveu failli, même si l'on ne partage pas ses idées
politiques, et une si scandaleuse liquidation des
affaires de Paul n'eût pas manqué d'éclabousser la
réputation du marchand de bois. Du reste, il était
satisfait dans sa vanité ; ce qu'il avait prédit cent
fois se réalisait : l'incapable Brun s'était effondré.

Orgueilleux de tout, fût-ce de son malheur, ses
ennuis même contribuaient à le grandir à ses propres
yeux. Depuis l'offense personnelle de Sedan, il
posait avec amertume au héros victime, au martyr
d'une idée. Le destin lui faisait une nouvelle injure,
dans la déconfiture de Paul Brun. Tous ces coups,
succédant à la mort de son fils, ajoutaient à sa considération de lui-même. Toutefois, matériellement,
lui, Coutre, ne perdait rien à ce qu'on accordât
un concordat à son neveu ; même, à la réflexion,
il estima prudent et politique de ne pas se montrer
intransigeant. Qui sait si, une fois les intérêts de la
maison de la rue Sainte-Catherine remis aux mains
d'un liquidateur, aucun de ces créanciers ne se re-
tournerait contre lui? Qui sait si, poussé à bout,
Paul ou l'un d'eux ne demanderait pas la revision
du partage autrefois fait de ses biens entre ses enfants par le vieux Lesprat? Coutre se savait avantagé.
Mieux valait ne pas s'exposer, par une attitude trop
dure, à une contestation, après tout, possible. Enfin
Prosper avait ce qu'il voulait : il voyait son neveu
à terre. Il en savourait voluptueusement la ruine.
Il lui parut même qu'un geste de générosité, de sa
part, augmenterait encore son plaisir, d'autant
que, venu au moment opportun, il humilierait
davantage, sans risquer toutefois de rétablir une
situation qui ne pouvait plus l'être. Ainsi, M. Prosper
Coutre sut concilier à la fois son intérêt, son ressentiment, son honorabilité, l'opinion ; et, de plus, il
mettait sa conscience en repos.

Quand Melchior Brun, à la demande d'Aricie,
pénétra dans le bureau de M. Coutre, afin d'examiner avec lui les arrangements qu'il conviendrait
de prendre pour donner une solution aux affaires
du malheureux Paul, il trouva son oncle assez diffé-

rent de ce qu'il attendait depuis la dernière visite
que celui-ci avait faite rue Sainte-Catherine. Il ne
savait comment il devait entreprendre une conversation aussi délicate. M. Coutre était assis à sa
place accoutumée. Il était largement enfoncé dans
son fauteuil, le torse haut, les jambes longues, le
menton écrasé dans son vaste faux col, une main
à plat sur la table, l'autre dans l'entournure du gilet.
Il dévisagea un instant le timide Melchior, modeste
et debout devant lui. Quand il jugea qu'il l'avait
suffisamment mis mal à l'aise, par la solennité de
son silence, il fit un geste de la main, comme pour
déblayer le terrain entre eux deux, et dit :

— Je crois deviner, mon cher Melchior, ce qui
t'amène. Les affaires de ton frère, n'est-ce pas?
Je prévoyais, j'attendais même ta visite. Je vois
que je ne me suis pas trompé. Parle, je t'écoute.

— Mon oncle, ânonna Melchior, en effet..., c'est
du pauvre Paul qu'il s'agit. Il eût été sans doute plus
convenable qu'il fît lui-même auprès de vous la
démarche que... mais... enfin... il a préféré... et
nous avons pensé aussi, ma sœur et moi, qu'il valait mieux que ce fût moi... En somme, Aricie et moi,
nous sommes autant intéressés que lui dans cette...
liquidation... et vous aussi, mon oncle...

— Au fait, dit froidement M. Prosper Coutre
en pinçant ses lèvres pâles pour ne pas sourire.

L'embarras de Melchior lui causait une jouis-
sance délicieuse.

— Eh bien ! au fait, oui... Mon oncle, nous avons
considéré, Aricie, Paul et moi, que vous étiez le
premier créancier de la rue Sainte-Catherine. Nous
ne voulons pas, Paul surtout, je tiens à le dire, nous
ne voulons pas que les mauvaises affaires de la
maison vous puissent porter préjudice... alors...

alors je suis chargé de vous remettre cette somme...
ce prêt... que nous... enfin... comme cela, Paul
n'aura plus qu'à déposer son bilan et demander le
concordat... Soyez d'ailleurs rassuré, cet argent
n'est pas prélevé sur l'actif de Paul, et ses créanciers
n'en sont pas frustrés... Il appartient à Aricie...
Pour les créanciers de Paul... on vendra la maison...
Je pense... j'espère que la faillite sera évitée...

Melchior posa sur le bureau de M. Coutre une
enveloppe blanche. Elle contenait vingt billets de
mille francs. C'était la part de M. Coutre dans la
maison Lesprat et Brun.

Prosper prit l'enveloppe sans rien dire, la rompit,
compta les billets, les remit ensuite dans l'enveloppe, qu'il rejeta sur la table ; et, regardant son
neveu fixement :

— Reprends cet argent, mon cher, dit-il avec
une extrême froideur. Je l'a-ban-donne à la liquidation. Ce n'est pas à ton imbécile de frère que je
fais ce cadeau ; mais à ta sœur Aricie et à toi, tout
en déplorant que vos intérêts soient entre les mains
de cet incapable, et j'espère encore pouvoir ne pas
dire : de ce malhonnête homme.

Comme Melchior hésitait, M. Coutre répéta deux
fois : « Reprends... reprends... » en poussant l'enveloppe vers son neveu, du bout de son coupe-papier.
Un mince sourire détendit avec ironie les traits de
son visage impénétrable ; l'étonnement de Melchior
en était la cause, prévue.

— J'estime que ton frère est un imbécile, pour-
suivit-il. Mais quoique l'on ne sache pas très bien,
dans les tristes temps où nous vivons, quelle différence il peut y avoir entre un imbécile et un fripon,
et nonobstant les droits de mes enfants et petits-
enfants, tes cousins, que j'ai le devoir sacré de sau-

vegarder en tout état de cause, je ne suis pas dépourvu d'humanité. Tout ce que je souhaite à ton
frère, c'est qu'il ne finisse pas au bagne, comme
tous ses républicains qui voudraient voir le feu
partout, ou à l'hôpital, comme ses poètes. Bien heureux s'il ne vous met que sur la paille ! Enfin,
il a beau mépriser les marchands de bois, qui le lui
rendent bien, par parenthèse, il ne sera peut-être
pas fâché de savoir que les marchands de bois sont
quelquefois capables d'une bonne action. Tu peux
aller apprendre cette bonne nouvelle à ta sœur...

Cependant, comme Melchior allait se retirer,
surpris, remerciant, sans savoir que dire pour tant
de générosité inattendue :

— Eh bien? Tu oublies ton enveloppe? fit
M. Coutre. On voit bien que l'argent ne vous coûte
rien, à vous autres !

*
* *

Aricie reçut la « générosité » de son oncle Prosper
comme une gifle. Les propos dont l'avait accompagnée M. Coutre, fidèlement rapportés par Melchior,
ajoutèrent à son humiliation. Ainsi, malgré qu'elle
en eût, il lui fallait relever des bonnes grâces de son
oncle? Impossible, d'autre part, de s'y soustraire :
cet argent ne lui appartenait pas, puisqu'elle l'avait
donné à Paul, pour l'aider dans son malheur ; et
c'était à elle que l'oncle Coutre en faisait le blessant
cadeau ! Ainsi rendu, elle n'avait pas le droit de le
refuser. Au surplus, elle dut, le soir même, remercier
Prosper. Elle le fit, les larmes aux yeux ; M. Coutre
les prit pour des pleurs de reconnaissance et en fut
flatté. Ce vieux galantin trouvait sans doute, à part
lui, que ce qui console, dans le fait de donner de

l'argent aux femmes, quelles qu'elles soient, c'est
la manière dont elles l'acceptent. Aricie l'étonna
pourtant, quand, à ses remerciements, elle ajouta
ces mots, qu'une moins innocente aurait su rendre
assez chargés de sous-entendus capables d'empoi-
sonner le triste contentement d'un donateur intéressé :

— Je vous remercie, mon oncle, de m'avoir
permis de rendre service à mon pauvre frère, et
d'abandonner à ses créanciers la part qui me
reviendrait naturellement sur cette somme.

— Peste! ma fille, fit M. Coutre en levant le
sourcil; je ne te savais pas si riche, que tu puisses
ainsi faire la généreuse!

Le beau geste de son oncle apporta par la suite, et
à la réflexion, un autre souci à Aricie. C'était un
scrupule, vis-à-vis de Marcelin. Marcelin Jouvenet
avait prêté à Aricie une bonne partie de ces vingt
mille francs, et Aricie n'avait accepté que parce
qu'elle savait que cet argent serait aussitôt rendu
à l'oncle Coutre pour le désintéresser de sa créance
sur le magasin; de ce fait, ce n'était emprunter au
gendre que pour restituer au beau-père. Leurs intérêts devant un jour être les mêmes, Aricie avait pu
consentir à l'affectueuse proposition de Marcelin.
Mais du moment que l'oncle Prosper abandonnait
cette somme aux Brun, dans des conditions telles
qu'elle devait nécessairement faire retour aux autres
créanciers, Aricie, par cette extrême délicatesse
particulière aux personnes pauvres pour tout ce qui
touche les questions d'argent, Aricie se demandait
si elle ne se trouvait pas mise malgré elle dans une
situation fausse vis-à-vis de Marcelin, d'autant que,
dans ces nouvelles conditions, il ne s'agissait plus
d'un prêt fictif, en quelque sorte, mais réel, et dont

elle ne savait absolument pas quand et comment
elle pourrait effectuer le remboursement. En outre,
la nécessité où elle se voyait de traiter une question
d'argent avec Marcelin — Marcelin, le seul homme
au monde auquel sa pudeur n'aurait jamais voulu
rien demander ! — la rendait extrêmement malheureuse. Mais Aricie n'en était plus à choisir. Il fallait
agir, désormais. C'est à Marcelin qu'elle résolut
d'exposer d'abord le délicat problème qui la trou-
blait. Jouvenet lui rendit la tâche moins lourde,
en comprenant au premier mot le scrupule de la
pauvre fille.

— Ma chère cousine, lui dit-il, vous me pei-
neriez en n'agissant pas · avec moi comme avec
votre propre frère. Je n'ai pas besoin de cet argent ;
c'est de grand cœur que je vous l'ai offert, et je
souhaite qu'il puisse vous être un peu utile dans vos
ennuis que je comprends. Ne vous embarrassez
pas, vous me le rendrez quand et comme vous
voudrez, comme vous pourrez...

Il ajouta en rougissant et en ajustant son lorgnon :

— Je ne vous demande qu'une chose : vous n'en
direz rien à personne... n'est-ce pas? On n'agit pas
bien avec vous... ma situation est difficile...

— Tout le monde n'a pas votre cœur, répondit
Aricie.

Ce fut sa seule façon de se plaindre de ceux « qui
n'agissaient pas bien ».

Restait Melchior. Il fallait le désintéresser. Il
accepta de l'être, pour la part qui lui revenait de la
rue Sainte-Catherine, au même titre que les autres
créanciers. Aricie remit au liquidateur les vingt
mille francs qu'elle avait une première fois offerts
à Paul ; et, par un acte en forme, elle renonça à

tous ses droits sur l'héritage de ses parents, afin que,
par cet abandon, le nom qu'elle tenait d'eux ne fût
pas déshonoré. Ce fut encore elle qui fit auprès des
créanciers les démarches indispensables. Elle obtint les sursis nécessaires, essuya les plaintes des
uns, les refus des autres, la dureté des gens d'affaires, l'insolente grossièreté des recors. Elle obtint
enfin gain de cause et réussit à faire accepter de
chacun le principe d'un règlement à l'amiable.
Paul s'émerveillait de sa précision. de son sang-froid,
de son énergie. « Tu me rappelles notre pauvre mère »,
disait-il. Sans elle, que fût-il devenu?

La maison de la rue Sainte-Catherine fut vendue,
et, avec elle, toutes les collections si amoureusement réunies par Paul, au temps de sa vie facile.
Il vit dispersés ses pauvres livres, ses gravures, ses
bibelots, et jusqu'aux toiles de son ami Bouchinard,
dit Chicot, qu'un revendeur acquit pour une somme
misérable. Ses amis avaient disparu, dans la dé-
bâcle. Faute de foin au râtelier, les chevaux se bat-
tent, les amis s'en vont. A quarante-cinq ans, le
malheureux Brun commença d'apprendre la vie.

*
* *

Il végéta. Un filateur de La Réole, principal
fournisseur du magasin de la rue Sainte-Catherine,
pendant de longues années, et qui avait de tout
temps entretenu d'affectueuses relations avec les
Brun, pour l'aider un peu dans sa situation si triste,
le chargea de sa représentation. Paul courut la
place de Bordeaux, une serviette bourrée d'échan-
tillons sous le bras. Il connut le dur métier de démar-
cheur, l'ennui d'aller solliciter les commerçants,
éprouva l'indifférence des gens établis, les refus,

les fins de non-recevoir, l'obséquiosité obligée de
celui qui offre, et l'humiliation souriante. Ce sédentaire dut apprendre à traîner la jambe par les rues,
du matin au soir. A la fin des journées, il revenait,
recru de fatigue et de peine, s'asseoir dans le petit
café attenant au bureau de tabac de Rosa Macarie,
sa maîtresse. Il ne se cachait plus. Cette femme était
le seul être qui lui restât, auquel s'accrocher, dans
ses habitudes perdues, depuis que la ruine l'avait
chassé de sa maison. Il habitait chez elle, une petite
chambre séparée, que cette bonne fille avait mise
à sa disposition, sous les toits. Il passait la soirée
au café, fumant un cigare d'un sou, devant un petit
verre de rhum, au milieu de commis-voyageurs qui
s'y rassemblaient. Une fois, Rugendas entra dans
l'établissement. Paul ne l'avait plus revu depuis son
malheur. Le vieux tragique lui serra la main avec
une condoléance dramatique et un grand geste qui
semblait attester le ciel et la terre d'une catastrophe
démesurée. Il ne dit rien, d'abord, mais il fixa longuement Paul Brun, et murmura enfin, de sa voix
de basse, ces seuls mots :

— Mon pauvre ami !

Puis il s'assit auprès de lui, et, au garçon nonchalamment accouru, il demanda, comme par défi :
« Ce que vous avez de plus amer ! »

Au bout d'un instant, il dit :

— La vie, quel drame ! Hein ! tout de même...
Vous, Paul Brun... ici !

Paul n'était même plus M. Paul, pour Rugendas.
Les hommes sont égaux dans le malheur. Mais dans
cette nouvelle égalité, Rugendas avait l'avantage.
Il connaissait le malheur depuis plus longtemps,
lui, et son expérience le grandissait à ses propres
yeux, au côté de Paul. Il partit sans payer son verre.

Une autre fois, Paul rencontra Cyrille, son ancien commis, dans une rue. Mais Cyrille eut l'air de ne pas le voir.

A la Souys, où Paul serait mort plutôt que de mettre le pied, on le considérait comme un dévoyé. « Il n'a même pas réussi à se faire mettre en faillite », disait Prosper Coutre. C'était la dernière des maladresses. Et déjà la légende s'établissait : Paul faisait des orgies rue Sainte-Catherine, avec des poètes et des peintres ; il y amenait des maîtresses, la caisse du magasin était ouverte à tout venant, prenait qui voulait, le petit neveu de Toulouse en repartait toujours les poches pleines. Et puis, Paul lisait des livres scandaleux. La dernière fois qu'il était venu à la Souys, il avait *Fanny* dans sa poche.

Ce n'est pas devant Aricie que ces divers propos étaient tenus. Prosper lui-même ne l'eût osé. Mais il ne se gênait pas devant Melchior, devant sa femme, sa fille même et Jouvenet. Celui-ci ne disait trop rien. Et, tout de même, il en revenait des bribes à Aricie, par l'office, ou par les enfants de Julie, déjà en âge de saisir et de rapporter ce que les grandes personnes se confient. Aricie en souffrait très profondément. Mais que répondre, et à qui ?

Au fond, si tous ces bruits étaient faux, exagérés, elle savait bien ce que l'on eût pu dire, qui la crucifiait, des habitudes nouvelles du pauvre Paul. Il buvait, il était tous les soirs au café ; il y avait une femme dans sa vie, cette Rosa. Et à son nom, qu'elle avait appris par Melchior, Aricie imaginait, dans la pureté de son cœur, l'affreux scandale de ces mots : une maîtresse, une liaison. Quelle tristesse d'avoir à blâmer ce qu'on aime et ce que l'on sait malheureux !

De temps à autre, toutefois, Aricie s'échappait

de la Souys, et en se cachant, comme d'un crime,
elle allait à Bordeaux voir Paul, lui apporter un
cache-nez, des gants, qu'elle avait tricotés pour
lui, disant que c'était pour les pauvres. Mais, sous
des prétextes différents, elle n'entrait jamais chez
lui, de peur de se rencontrer dans sa chambre « avec
cette personne ». Aricie et Paul se retrouvaient au
Jardin public, dans le coin le moins passager.
A voir ce vieux garçon et cette vieille fille chercher
des endroits écartés, pour s'entretenir, et qui déambulaient à petits pas, comme de vieux amoureux
qui se cachent, qui eût pu songer que c'étaient là
le frère et la sœur, seulement coupables de s'être
fidèles?

*
* *

Environ deux ans après la déconfiture de Paul,
la maison à colombages de la rue Sainte-Catherine,
où était le magasin, passée aux mains d'un groupe
de ses créanciers, fut revendue par eux pour être
démolie. Elle fut achetée cinq fois sa valeur, avec
tout le pâté des constructions attenantes, par un
consortium de spéculateurs. Et sur son emplacement, quelques années plus tard, devaient s'élever
les importants magasins des « Grands Comptoirs
de la Gironde », entreprise colossale et non vue encore
à Bordeaux. La maison des Brun, qui valait trente
mille francs, fut payée cent cinquante mille. Si
Paul avait pu attendre jusqu'à ce jour, c'eût été la
fortune pour lui. Elle n'enrichit que ses créanciers
On ne sombre pas mieux au port.

Le jour où l'on donna le premier coup de pioche
à sa vieille demeure, il voulut assister à la démolition. Mais quand il vit enlever l'enseigne décolorée,

où un singe dévidait une pelote, et arracher de la
façade les grandes lettres de son nom, qui étaient
restées depuis son départ : *Brun et Lesprat, P. Brun
successeur*, il n'en put supporter davantage et dut
s'enfuir, les larmes aux yeux. Lorsqu'il ne demeura
plus rien de la maison, et que l'on fut arrivé aux
fondations, les ouvriers qui les pelleversaient dé-
couvrirent, entre deux pierres, une petite boîte
de plomb, fort ancienne. Ils la portèrent à l'entrepreneur : la boîte, ouverte, contenait une certaine
quantité de pièces d'or, minces et d'un tour irrégulier, à l'effigie de Louis XII. L'entrepreneur remit
ce trésor aux propriétaires du terrain, qui, honnêtement, avisèrent leur prédécesseur, auquel ils
l'abandonnèrent. Celui-ci, qui avait été le syndic
de Paul Brun, lors du règlement de ses affaires, vint
le trouver, la petite boîte sous le bras, et la lui remit
à son tour.

— Mon cher monsieur, expliqua-t-il, ceci vous
appartient évidemment. Il se trouve que la vente
de votre maison nous a dédommagés des avances
que nous vous avions faites. Il nous a paru juste,
à ces messieurs vos anciens créanciers et à moi,
de vous remettre en possession d'un trésor qui a
peut-être été caché dans cette maison par quelqu'un
des vôtres. Le voici.

Paul Brun parla de cette découverte à sa sœur.
Aricie, ni lui, ni Melchior n'avaient jamais entendu
parler d'un dépôt de cette nature. Tous trois furent
d'accord pour conclure qu'il ne leur appartenait pas.
Et ils le rendirent à l'ancien syndic.

— Vous avez acheté la maison, dit Paul, je
vous l'ai vendue sans savoir ce qu'elle contenait.
Cet argent m'aurait peut-être été bien utile, il y a
trois ans. A présent, il ne me servirait plus de rien.

Gardez-le, en compensation de ce que vous ne m'avez
pas déshonoré.

Il rendit la petite boîte en plomb et son contenu
à l'effigie de Louis XII; c'est tout juste s'il consentit du moins à en accepter quatre pièces, que
son ex-syndic voulut à toute force lui offrir. Il en
conserva une pour lui, et donna les trois autres à
ses frères Émile et Melchior, à sa sœur Aricie. Le
reste du trésor fut partagé entre les ouvriers qui
l'avaient inventé. Ils furent très contents de toutes
ces délicatesses.

*
* *

A cinquante ans, Paul Brun en paraissait soixante-
dix. Les malheurs ne l'avaient pas aigri, ils l'avaient
seulement voûté : tous les ressorts étaient détendus
en lui. Des enthousiasmes généreux de sa jeunesse,
de son amour de la liberté, de la poésie, il ne lui
restait qu'une foi sans chaleur, comme parfois
dans la pensée d'un vieillard qui tisonne, un soir
d'hiver, le souvenir d'une claire matinée de printemps, qui rayonne un instant, puis tombe. Sa
gaieté avait disparu. Il ne lui en demeurait plus que
de quoi faire une philosophie résignée, une acceptation morose. Il s'était accoutumé à son malheur,
il y avait ses habitudes ; si on le lui avait offert,
il n'eût même pas désiré d'en changer. Il passait
désormais sa vie dans son petit café, sous la protection maternelle de Rosa Macarie, au regard toujours
beau, trônant à son comptoir, entre deux pots de
tabac à fumer et de tabac en poudre, coiffés de couvercles en bois jaune. Parfois, s'il lui arrivait de
s'absenter, Paul prenait sa place, et répondait pour
elle aux acheteurs. Il ne lisait plus, la peinture ne
lui disait plus rien. Il n'y avait qu'un intérêt dans

cette fin de vie si triste : c'était d'aller tous les jours
rue Sainte-Catherine, au coin d'une petite rue, où il
se plantait. Là, pendant des heures, l'esprit vague, le
regard perdu, il contemplait les vastes magasins des
« Grands Comptoirs de la Gironde » qui, tout au
long du trottoir, lui faisant face, développaient leurs
innombrables étalages de torchons, d'étoffes, de lingeries, de tapis, d'objets de ménage, l'éclat de leurs
lumières insolentes, leurs quatre étages vitrés, brillant de prospérité commerciale, et que les chalands
entouraient, avec une activité d'abeilles dans le voi-
sinage de la ruche. Et, par la pensée, en esprit, Paul
Brun, vaguement assourdi par le bruit, l'animation
de la rue, le va-et-vient de l'opulent bazar, revoyait
à la même place la petite rue tranquille d'autrefois,
et la maison à colombages, et la boutique triste, au
fronton de laquelle, sur la devanture rouge à inscription verte, le vent faisait grincer la vieille enseigne
à la peinture écaillée, où un singe dévidait une pelote
de ficelle.

Un soir, il revint à sa chambre avec un point dou-
loureux dans le dos. Il avait reçu une forte pluie
pendant sa longue station devant les « Grands Comptoirs de la Gironde » ; il ne s'en était pas aperçu. Il
se coucha. Le lendemain, Aricie reçut à la Souys
une lettre de Mme Macarie qui l'avertissait que son
frère était au plus mal. Il avait une pneumonie.
Aricie accourut. Elle trouva Rosa Macarie au chevet
de Paul. Mme Macarie pleurait. Aricie se reprocha
alors d'avoir porté un jugement sévère sur cette
femme qui avait du cœur. Paul remercia sa sœur
d'être venue. Mme Macarie s'éloigna discrètement.
Le petit Henri, de Toulouse, était à la Souys en
ce temps-là. C'était l'époque des vacances. Paul
demanda timidement à Aricie de le lui amener. Il

n'avait pas vu cet enfant depuis longtemps. On lui avait caché ses derniers séjours à la Souys. Le jour suivant, Aricie conduisit Henri au chevet de son frère. Paul en fut heureux ; il trouva son neveu changé, grandi. Henri avait quinze ou seize ans à cette époque. Il avait l'esprit vif, le regard gai, de beaux yeux pleins d'un feu clair qui prévenait. Il voulut revenir voir son oncle, et revint plusieurs fois ; il revint même seul, un jour, vers cinq heures. Son oncle lui prit la main et la garda longtemps dans sa main décharnée. Il regardait avidement ce jeune visage, que la vie n'avait pas marqué, tout rayonnant d'ardeur adolescente. Il y distingua les traits de sa race.

— Tu ressembles à ta grand'mère, dit-il. Regarde son portrait, sur la cheminée.

Henri y vit un daguerréotype, dans un cadre noir à filets d'or. C'était le portrait de Caroline Brun. Il rêva un moment devant le visage de celle qu'il n'avait pas connue ; il trouva que, sous la mantille, son front très large, haut et pur, ressemblait au sien ; et les yeux de même, clairs, sous une arcade bien modelée. Il ne dit rien, reposa le portrait en silence. Puis il considéra la chambre, autour de lui. Elle était pauvre, dénudée. Le papier, par endroits décollé, pendait. Le lit, la table de nuit, une bergère, c'était tout. Il n'y avait qu'un petit tableau, sur le mur, encadré d'une baguette d'acajou. Henri y reconnut la main de Bouchinard. On y voyait une nymphe couchée, toute nue, qui se défendait en riant contre l'assaut d'un bouc.

— C'est tout ce qui me reste, dit l'oncle Paul faiblement, en essayant de sourire.

Henri avait le cœur serré. Il se rappelait les jours charmants de la splendeur, le petit magasin si amu-

sant, et cet oncle si gai, si jeune avec ses beaux
enthousiasmes ; il voyait son fantôme couché, sur
ce lit humble, dans cette chambre misérable. Auprès de cette déchéance, il avait comme honte de sa
jeunesse à lui, de sa santé, de sa joie de vivre...

Comme il était debout, à côté du lit, Paul aperçut
un livre à demi sorti de sa poche. Il le désigna du
regard :

— Qu'est-ce que c'est? des vers?

— *Les Châtiments*, prononça Henri, avec une
voix religieuse.

Un éclair de joie illumina la face jaune du mori-
bond. Il dit :

— Petit... lis-moi des vers, veux-tu?

Henri s'assit dans la bergère, à côté de la table
de nuit, sous la lampe. Il ouvrit au hasard le livre
et tomba sur l'*Expiation*. Il commença la longue
pièce magnifique. Au premier vers, qu'il reconnut,
Paul Brun leva la main, avec le geste de celui qui
admire. Henri lut longtemps. Il lisait d'une voix
sourde et grave, bien rythmée, comme il faut lire
les poètes. Les vers éblouissants chantaient. On
entendait, à travers eux, la respiration sifflante du
malade. La lampe, un instant, charbonna, baissant
peu à peu. Henri s'interrompit pour relever la mèche.
La nuit était tout à fait venue. Paul ne bougeait
pas. Son profil amaigri se découpait en ombre chi-
noise, fantastiquement, sur le mur. L'enfant, soudain, fut effrayé. Il dit :

— Mon oncle, tu n'as besoin de rien?... Tu ne
veux pas boire?... Est-ce que je lis encore?...

Paul Brun ne répondit pas. Il était mort.

TROISIÈME PARTIE

I

LES NOUVELLES COUCHES

L'un après l'autre, les oiseaux de la volière avaient disparu. On ne les avait pas remplacés. Quelques plumes demeuraient encore accrochées aux grillages, vaporeux témoins des vols bariolés de naguère. Les arbres avaient crû, dans le jardin, et maintenant ils épanchaient sur les pelouses une ombre opaque et drue que le soleil ne perçait pas. Le cocher Pierre avait vieilli, ses chevaux n'allaient plus que d'un trot ralenti. La maison elle-même était devenue moins blanche, les embruns ayant teint de leur grisaille sa façade aux pierres jadis éclatantes. Dans le bureau de l'oncle Melchior, où, des cartes de géographie, émanait toujours une désagréable odeur de colle et de toile cirée, le nombre des livres de caisse, augmenté chaque année d'une unité nouvelle, garnissait plus d'un long rayon complet de bibliothèque, et, sur leurs dos de peluche verte, le chiffre imprimé des années brillait déjà d'un or atténué. On en comptait une quarantaine ; le dernier relié ouvrait la série des années 80. Ainsi,

jusque dans cet incolore comptoir, où la vie semblait
immobile, le siècle rappelait qu'il s'écoulait, et le
temps grignotait les heures.

La vie continuait pourtant, égale, sans changer.
Elle modelait seulement, d'un pouce invisible, en
l'accentuant tous les jours davantage, le visage de
chacun, en sorte qu'avec l'âge, chacun avait l'air
de se ressembler un peu plus à lui-même, suivant sa
nature, effacée ou forte. Mme Coutre commençait à ne plus bien voir ; le grand jour lui faisait
mal aux yeux. Depuis la mort de son fils, comme
amputée d'une partie d'elle-même, elle vivait
retirée dans sa chambre, au premier, son fauteuil
de tapisserie tournant le dos à la fenêtre, les stores
constamment tirés. Et la pénombre qui régnait
autour d'elle, quand on l'allait voir, faisait baisser
la voix aux visiteurs, ainsi que dans l'entourage des
malades. La vieille dame se plaignait sans cesse.
Nonobstant sa faiblesse d'yeux, elle avait tout le
temps aux mains un ouvrage de tapisserie ou de
macramé, où elle se retrouvait habilement, comptant les points, de grosses aiguilles d'écaille en ses
doigts osseux. Il lui fallait toujours quelqu'un
près d'elle, qui lui fît la conversation, pour la détourner de sa pensée fixe. Sa mémoire était prodigieuse. Elle s'intéressait de passion à des gens
qu'elle n'avait jamais vus, mais dont elle connaissait les mœurs, les parentés, les cousinages, amis
d'amis ou de parents, au nom une fois entendu,
aussitôt gravé dans son souvenir, à jamais. On se
relayait, à la Souys, afin qu'il y eût toujours de
la compagnie auprès de la vieille tante, gémissante,
affable et bavarde. A tour de rôle, c'était sa fille,
Julie Jouvenet, personne pâle, languissante, occupée
de ses deux filles, Louise et Lucie, deux demoiselles

élevées dans l'ombre, par cette mère craintive,
terrorisées de tout, comme elle-même ; Marcelin
Jouvenet, triste et régulier, dont les apparitions
à pas feutrés, chaque fois qu'il revenait de son
bureau ou des chantiers, apprenaient l'heure où
l'on était, avec une précision de chronomètre ;
Melchior Brun, qui, tous les jours, après le déjeuner et avant le dîner, venait lire à sa tante
les gazettes et parler des événements de la vie
bordelaise ; Aricie enfin, à tout instant, quand elle
n'était pas à la cave, à surveiller la mise en bouteilles du vin, dans la souillarde, à compter le linge
avec la gringoneuse, aux combles, avec Félicie, à
vérifier le contenu de ses armoires odorantes.
Elle entrait, sans bruit, active et délibérée, avec
son beau visage placide, sous les bandeaux d'argent, bien lissés. Elle n'avait jamais été jolie ;
mais l'âge et les chagrins patiemment soufferts
avaient donné de la noblesse à son visage. On la
voyait toujours égale à elle-même, sans plaintes,
sans gémissements, toute à ses tâches domestiques,
jamais fatiguée, ni rêvant. Elle ne s'asseyait qu'aux
repas, ou bien pour faire, à son petit bureau, les
comptes ménagers de la maison. Elle était unifor-
mément vêtue de noir, à cause de ses deuils inces-
sants, depuis que sa mère était morte. L'hiver,
elle portait une courte pèlerine de laine, parce que
la maison était froide. (On ne faisait de feu que
dans la chambre de Mme Coutre ; et quand il
gelait, chacun avait une petite chaufferette sous
les pieds.) On avait besoin d'Aricie partout. Elle
était devenue le majordome ; il ne se donnait pas
une serviette ou un biscuit dans la maison, qu'elle
n'en eût fait le compte. De ses gros yeux d'un bleu
pâle, un peu glauques, comme décolorés par le

sel des pleurs, elle voyait tout, de même qu'elle
pensait à tout, dans sa tête bien organisée, où les
chagrins n'avaient point de place ; ils étaient tous
dans son cœur. Comme elle les taisait toujours, sa
dignité avait fini par en imposer. Même à ceux qui
la voyaient pour la première fois, elle inspirait de la
déférence, du respect, et même une sorte de crainte,
à cause de sa vertu légendaire. Et dans toute la
maison, elle régnait, silencieuse, vive, alerte, avec
l'autorité des vieux serviteurs. Pour tous les siens,
elle était devenue « tante Aricie », et pour les
étrangers, « mademoiselle ».

Jusqu'au vieux Coutre l'estimait enfin. Comme
on l'avait dit autrefois de la duchesse d'Angou-
lême, il disait d'elle : « Aricie, c'est le seul homme
de la famille. » Lui, l'âge n'avait fait qu'accroître
son intraitable dureté, son despotisme. Il vivait
dans un état de fureur continuel et l'orgueil de la
réussite, avec une majesté de martyr. Il s'en croyait
un. Il ne pouvait admettre que rien lui résistât.
L'échec de ses ambitions politiques en 1869 — ambitions d'ailleurs vagues, car le succès n'eût été pour lui
qu'une consécration — continuait à lui être sensible.
Il était plein de griefs divers, irrité de tout : des
hommes, des choses, de la fortune, des écarts de
température. Il prétendait que, de son temps,
on pouvait dès le 15 avril porter des pantalons de
nankin. Les hommes étaient si fous qu'ils avaient
changé jusqu'à l'ordre naturel des saisons. Cependant M. Coutre n'avait pas de raisons personnelles
de se plaindre, si ce n'est qu'il devenait vieux. La
maison de commerce allait toujours bien ; mais
il souffrait mal que les affaires du pays fussent
prospères, qu'on se fût relevé si tôt du désastre.
Il eût voulu que ses affaires seules marchassent bien,

qu'il y eût eu distinction en sa faveur. Il détestait
la République, sans toutefois avoir pardonné à
l'Empire la déception que lui avait causée sa chute.
Il ne voyait partout que des coquins et des imbé-
ciles. Il méprisait sa femme, bonne et douce, qui
n'avait jamais rien compris à rien, sa fille malade,
son gendre médusé, ses petites-filles indolentes,
pareilles à leur mère, son neveu Melchior ravalé
au rang d'employé. Il avait des formules brèves,
cassantes, un perpétuel haussement d'épaules, des
bouffées de sang qui lui empourpraient la nuque,
les oreilles et la peau du crâne, à la moindre con-
trariété. Ses colères étaient soudaines, violentes,
sans cause apparente. « Qu'as-tu? », lui disait
doucement Estelle, quand elle le voyait contrarié.
Alors il éclatait. « Ce que j'ai? Tu le sais! Tu veux me
faire parler! Je ne parlerai pas... Pas à moi, non!... »
Il avait pris le mot de son beau-père, feu Lesprat :
« Ainsi soit » avec lequel il concluait en toute chose,
il ponctuait toutes ses phrases de : « J'ai dit! Je
veux! Je décide! » Et encore, à propos de tout, il
affirmait : « C'est mon droit », et sifflait de mépris.
Il manqua un jour une marche dans l'escalier, glissa,
et se fit une entorse. Sa femme se permit de dire :

— Eh! mon pauvre ami, comment as-tu fait?

Il entra dans une rage épouvantable.

— Comment j'ai fait? Comment j'ai fait? Eh
bien!... J'ai glissé... C'est mon droit, je suppose? Pff!

Dans les chantiers, les ouvriers qui le connaissaient ne l'appelaient que « Pff! » ou « C'est mon
droit ». Mais eux, qui n'étaient pas des femmes, ne
le redoutaient pas. Ses fureurs n'étaient que verbales.
En fait, il n'était pas plus méchant qu'un autre,
mais quand il était en colère, il fallait que la bile
sortît. La seule personne qui trouvât grâce devant

lui était Aricie. Son calme l'impressionnait. Il ne
savait peut-être pas pourquoi, il n'avait plus
d'éclats de voix en sa présence.

Lui aussi portait sa blessure, sa plaie secrète,
qu'Aricie seule connaissait. Il n'en parlait jamais,
même avec elle. Plutôt même que d'en convenir, son
orgueil l'aurait étouffé. Il ne pouvait détourner sa
pensée de son fils Eugène : ce mauvais fils, ingrat,
rebelle, qui, dix années, avait vécu brouillé avec les
siens, dans la crapule et le désordre, avec des filles, à
Paris ! Qui s'était engagé stupidement, — à trente-
cinq ans ! — pour aller se faire tuer, comme un
imbécile, à Beaune ! Complètement dépourvu de
cette imagination qui permet aux êtres sensibles
de pénétrer les mobiles d'autrui, Prosper Coutre
ne parvenait pas à comprendre les raisons de son
enfant, il ne s'expliquait ni sa vie, ni sa mort. Que
ce fils eût été si différent de lui, Prosper Coutre,
— sans se demander seulement s'il n'y avait pas eu
de sa faute, si ce n'était pas son caractère autoritaire, tyrannique, qui l'avait ainsi écarté de lui et
repoussé — Prosper en était proprement scandalisé.
Et ce scandale allait jusqu'à l'abattement. Mais il
n'en laissait rien paraître, et il demeurait, malgré
les années, muré dans sa réprobation, fermé dans
son deuil, amer, sévère, silencieux.

Et sa blessure était empoisonnée. Eugène, en
mourant, avait laissé un fils, né en dehors du mariage. Le scandale de sa vie n'était pas éteint avec
lui. L'enfant, reconnu, portait le nom des Coutre,
de sorte que la famille était déshonorée par le nouveau rameau, irrégulièrement surgi hors de toute
tradition, de toute décence, de toute loi. Après la
mort d'Eugène, M. Coutre avait déclaré une fois
pour toutes qu'il ne voulait pas entendre parler

de cet enfant qu'il ne connaissait pas ni ne connaîtrait jamais. La faible Estelle avait vainement
essayé de défendre sa cause, au nom de son fils disparu. Prosper lui avait interdit ce sujet. Julie
Jouvenet parla comme son père, invoqua l'intérêt
de ses filles, redoutant pour elles et leur futur établissement ce qui pourrait rejaillir sur elles de désho-
norant par ce bâtard. Il ne fut donc plus question,
ouvertement, du fils d'Eugène à la Souys. Mais
Estelle reçut un jour de la mère de cet enfant une
lettre très digne et convenablement écrite, où cette
personne, malade, réclamait pour lui les secours de
celle qui, après tout, était sa grand'mère. Estelle
chargea Aricie de répondre, et fit même en secret
un envoi d'argent, qu'Aricie prit sur le ménage.
Plusieurs années s'écoulèrent ainsi, grâce aux
subventions d'Estelle, jusqu'à tant que la mère
mourût. Il fallut alors s'ouvrir à Prosper de ce qui
avait été fait jusque-là, des mesures qu'il convenait
de prendre. La dernière lettre de la mère était émouvante ; elle remettait le sort de son fils au bon cœur
de ses grands-parents paternels ; elle n'avait jamais
voulu leur causer d'ennuis, ni rien obtenir d'eux en
ayant recours à la loi. Ce procédé honnête émut
Aricie. La vie lui avait appris qu'au delà des appa-
rences et des principes, l'humanité conserve ses
droits. Elle osa parler de ce nouveau problème
à son oncle Coutre. Il se fâcha d'abord, mais Aricie
avait conquis ce privilège d'être écoutée, même de
lui. Elle plaida la cause de l'enfant innocent des
fautes paternelles, rappela au vieux Coutre qu'il
s'agissait du fils de son fils, souligna l'intérêt qu'il
pouvait y avoir, aux yeux du monde, à ne point
passer pour barbare. Pauvre Aricie, qui ne savait
être diplomate que pour les autres ! Elle eut gain

de cause. Coutre posa toutefois une condition :
il ne verrait jamais son petit-fils, il ne serait pas
tenu de l'aimer ; l'enfant serait élevé dans un collège de Paris aux frais de son grand-père, et, jusqu'à
sa majorité, aurait son entretien assuré. Plus tard,
on verrait. Il recevrait la part qui lui revenait.
Aricie était chargée de correspondre avec l'enfant,
avec ses maîtres. Il avait une quinzaine d'années
en 1880. Il s'appelait Marcel.

*
* *

Le soir, quand tout le monde était couché, que
l'on n'avait plus besoin d'elle et qu'on n'entendait
plus dans la maison que le tic-tac, amplifié par le
silence, des pendules, Aricie montait dans sa
chambre, et, choisissant une petite clef de son trousseau, elle ouvrait son secrétaire, ce qu'elle appelait
son « sacré ». C'est là qu'elle conservait ses souvenirs,
menus bibelots sans valeur, mais bien chers au cœur
de la vieille fille : un coquetier de buis, jadis tourné
avec son nom dessus en lettres gothiques par l'oncle
curé, une petite gravure représentant le presbytère
de Floirac, le daguerréotype de son père, les portraits plus récents de ses frères, ceux de son neveu
Henri et de sa nièce Alida, dans des cadres, et puis,
dans un album gaufré, à fermoirs de cuivre, les photographies de tous les siens, oncles, tantes, cousines,
petits-neveux, dont les noms figuraient, accompa-
gnés de dates, à la dernière page de l'album, sur un
arbre généalogique. Dans les tiroirs, étaient accu-
mulées de petites boîtes, aux couvercles de papier
peint et doré, encadrant des fleurs en perles, des
glaces minuscules serties de fragiles filigranes ; et
dans chacune, dormaient un collier de simili-corail,

une broche, qui avaient appartenu à la mère d'Aricie,
des images de première communion en dentelle de
papier, des certificats de prix. Il y avait aussi un
étui de paille tressée, envoyé par un forçat reconnaissant pour remercier des tricots qu'Aricie avait faits
elle-même, à l'intention d'une œuvre qui s'occupait
du relèvement des prisons. Sur une photographie,
on voyait la maison de la rue Sainte-Catherine avant
sa démolition. Et dans d'autres tiroirs, Aricie avait
rangé ses lettres, en petits paquets ficelés, bien
classés. Elle gardait tout. Tout lui était un souvenir. Tout lui rappelait quelque chose. Il y avait,
dans le secrétaire, une cachette commandée par
un secret. Celle-là, Aricie ne l'ouvrait pas souvent.
Cette cachette contenait un paquet de lettres nouées
d'une faveur rose : la faveur était fanée, le papier
jauni, l'encre décolorée. Aricie ne les relisait jamais.
Parfois seulement, elle les prenait dans sa main
avec précaution, et longtemps elle regardait ces
lettres d'amour. Puis, se surprenant à s'attendrir,
elle coupait court à sa rêverie. « Allons ! Allons ! »
murmurait-elle ; et elle renfermait au plus profond
de son « sacré » ses touchantes reliques, et elle se
mettait à écrire.

Écrire des lettres était le seul bonheur de cette
vie manquée. Depuis la déconfiture et la mort de
Paul, Melchior vivant auprès d'elle, à la Souys,
sa pensée avait pris une orientation nouvelle ; elle
entretenait une correspondance régulière avec les
Toulousains, son frère Émile, sa belle-sœur Sextia,
ses neveux, Henri, Alida. Et puis chaque semaine,
quatre pages au pauvre petit Marcel Coutre, sans
compter la correspondance avec ses maîtres. D'autre
part, à mesure qu'elle vieillissait, à mesure qu'elle
voyait la vie s'égrener autour d'elle et ceux qu'elle

chérissait disparaître, elle se préoccupait, avec une
ardeur de vestale, de renouer les fils rompus de ses
parentés, de resserrer les liens entre tous ceux qui
constituaient pour elle cette mystérieuse franc-
maçonnerie, sacrée à ses yeux, la famille. Ce mot
avait pour elle une signification religieuse, comme
pour d'autres le mot de patrie.

Elle y faisait rentrer des gens qu'elle n'avait
jamais vus, qu'elle ne connaîtrait jamais, qui vivaient à l'un et l'autre bout de la France, qui ne
s'étaient jamais manifestés, ni dans les jours de
bonheur, ni dans les jours de deuil. Mais que, de loin
ou de près, ils appartinssent à sa race, ils étaient
également chers au cœur fidèle d'Aricie. Elle entretenait ainsi des correspondances innombrables,
régulières, malgré l'espacement, vaste et ténu
réseau sentimental qui reliait aux Coutre de Mar-
mande, de la Rochelle, de Marseille, des Lesprat
de Bayonne, des Brun qui habitaient les Vosges.
Il y en avait encore à Damblain, d'où son père, le
colporteur, Julien Brun, était parti pour son tour de
France. Un fils de son frère y vivait encore. C'était
le cousin germain d'Aricie. Elle ne l'avait jamais vu.
Il était ébéniste, comme les grands-parents Brun ;
il s'appelait Clodius. Tous les ans, Aricie lui envoyait
de ses nouvelles, et Clodius répondait. Par lui, elle
avait appris l'existence d'autres parents, cousins
de cousins, dont on ne savait plus le degré de paren-
tage, et à tous ceux-là, en qui coulait un sang qui
était son sang, elle adressait à chaque occasion des
vœux, des condoléances, des nouvelles et des amitiés.
Elle découvrit ainsi un photographe à Lyon, une
religieuse à Madagascar. Aricie voyait la famille, qui
se répandait à travers le monde, comme les graines
d'une hampe desséchée, dont le vent emporte la

semence éparse et féconde. Mais, après elle, qui saurait les noms, et comment les parents sont parents entre eux? C'est cette inquiétude qui lui donna l'idée de dresser l'arbre généalogique à la fin de son album de photographies. Ainsi, de ses mains diligentes, dans le rayonnement de son cœur, Aricie s'ingéniait à réparer toutes les mailles du réseau familial, çà et là rompu, distendu, à travers quoi fuyaient et se dénouaient les chaînons de sa famille dispersée. Obscurément, ainsi, sans le savoir, la vieille fille, qui n'avait pas d'enfants, qui, pour sa part, ne transmettrait pas le flambeau transmis par ses pères, essayait encore et tâchait de toutes ses forces à tromper la mort et à se survivre, en empêchant la grande idée de la race de se dissiper à travers ces vivants épars, que la vie avait séparés.

Tout l'espoir de son cœur reposait sur le seul enfant qui portât son nom, le seul par qui ce nom ne devait pas mourir, le jeune Henri Brun, de Toulouse. La vive intelligence et le caractère gai de ce jeune homme inquiétaient son entourage. L'enfant si bien doué qui rossait patriotiquement naguère ses petits camarades salissois et découpait sur du carton les beaux soldats en papier de l'oncle Paul était devenu, à vingt ans, un des plus élégants dandies de la jeunesse dorée toulousaine, juvénile espoir des beaux soirs du café Albrighi (1). Il effrayait les siens, d'ailleurs charmés, par une sorte de libre génie, le feu d'une adolescence enthousiaste et les plus grandioses projets de fortune et de gloire qui pussent jeter la consternation dans l'esprit pondéré des honnêtes et sages bourgeois qui lui avaient donné le jour. Ainsi l'on voit les poules étonnées, qui,

(1) Café célèbre à Toulouse.

d'avoir couvé des œufs de cane, s'émerveillent avec
épouvante, lorsque à sa première sortie leur poussi-
née se jette à l'eau pour y barboter délicieusement.
Un des principaux sujets d'inquiétude, pour les parents du sémillant Henri, était le culte de latrie
qu'il avait voué à son pauvre oncle Paul ; il n'en
parlait qu'avec enthousiasme, haïssait comme lui,
d'un mépris généreux, « les pervers et les marchands
de bois » qu'il avait si souvent entendu honnir par
cet oncle admiré, tendre aux poètes, aux artistes.
N'avait-il pas cent fois prédit à son neveu qu'il
était destiné à en devenir un lui-même, et qu'il
portait à son front le divin signe? Henri était reconnaissant à la mémoire de son oncle, de ce qu'il eût,
toute sa vie, si complètement méprisé les bourgeois,
le pouvoir de l'argent, la régularité des mœurs,
l'existence médiocre et dorée des opulents négo-
ciants de la Souys. Il avait hérité de l'oncle Paul
ses amitiés et ses dégoûts : c'était, hélas ! le plus clair
de son héritage. On pouvait même redouter que le
neveu ne répétât trop fidèlement les errements de
l'oncle. Et Sextia Brun, sa mère, et M. Émile Brun,
son père, étaient troublés par les affirmations auda-
cieuses de ce fils chéri, en qui tant d'intelligence
périlleuse et d'insolite originalité se laissaient en-
trevoir. L'avenir leur en paraissait obscurci ; la
vive lumière aveugle parfois. Avec de l'esprit,
Émile Brun manquait un peu d'autorité. Il n'avait
jamais su faire la grosse voix. Il ne savait imposer
sa volonté qu'au prix d'une immédiate concession,
qui l'annihilait. Lorsque, — pour confirmer une fois
de plus dans sa vérité l'observation du célèbre
Adrien Hébrard interrogé par un Président de la
République sur les industries toulousaines, et qui
répondit n'en connaître que deux, la sculpture et

l'enthousiasme, — le jeune Henri avait manifesté son intention de s'adonner aux arts et son désir d'aller à Paris — « Je serai peintre, à Paris ! » — M. Émile Brun avait déclaré que ce n'était pas une carrière. Mais il avait aussitôt consenti à laisser travailler son fils dans un atelier, à la condition qu'il étudierait son droit, entre temps, et se ferait d'abord inscrire au barreau. Henri accepta. Tout lui était facile. Il devenait ferré sur les Pandectes et le régime des hypothèques, sans toutefois cesser un seul instant de barbouiller. Il avait un certain talent. Il faisait d'excellents portraits de ses professeurs. M. Émile Brun regardait ces pochades d'un œil surpris, et ce fils, à qui toute chose était si aisée, et qui ne connaissait en rien pas plus l'obstacle que l'effort.

— Ce bougre-là ! disait-il en se grattant le nez ; il n'y a pas à dire, il peint ressemblant !

Un matin, Henri Brun rentra dans la maison paternelle, avec un air un peu défait. Il avait célébré, la veille, le succès d'un camarade en ses examens, et les libations s'étaient ensuivies sans mesure. C'était la première fois qu'Henri découchait. M. Brun déclara sérieusement à sa femme qu'il allait sévir. Il s'en fut dans la chambre de son fils, le trouva affalé dans un fauteuil, la tête vague, fort contrit. Il le regarda un instant et se mit à marcher de long en large dans la pièce, sans un mot. Il était bien embarrassé, ne savait comment manifester son mécontentement. Au bout de dix minutes de promenade silencieuse, à grandes enjambées courroucées, il se planta devant le coupable et lui dit :

— Tu sais, ce n'est pas à un vieux singe qu'on apprend à faire des grimaces.

Puis il s'en alla, la conscience en paix, délivré d'un grand poids.

Aricie, de Bordeaux, écrivait à son neveu de longues lettres débordantes de tendresse, de conseils, d'affectueux reproches, malheureusement mêlés de compliments obligés : ce diable de neveu travaillait si bien, dans le moment qu'il menait une vie dissipée ! Aricie ne le disait pas ; au fond, elle en était charmée. A la fois, cet Henri ressemblait si fidèlement à son pauvre Paul, et il révélait en toutes choses une si gracieuse audace ! Cette sainte, sous les cheveux blancs, avait des trésors d'indulgence pour ce jeune fou séduisant. Don Juan n'a jamais trouvé de plus bienveillantes excuses que dans le cœur des vieilles filles.

Henri Brun, ayant été reçu à ses examens de licence, obtint la permission d'aller passer huit jours à Castres, chez un ami dont le père y était substitut. A Cahors, comme il fallait changer de train, et que Henri attendait la correspondance, la vue d'un écriteau qui indiquait la direction de Paris, par une flèche, fit incontinent germer une idée sublime dans cette tête vive et rapide. Il courut aussitôt au guichet, s'informa de l'heure du train, prit un billet de troisième classe pour Paris, et y débarquait le lendemain matin, en gare d'Austerlitz, fourbu, moulu du long voyage sur une inconfortable banquette, mais enivré. Il se fit à l'instant conduire chez un frère aîné de l'ami de Castres, qui demeurait à Belleville, pensant être reçu à bras ouverts. Ce monsieur le reçut fort mal : sa femme accouchait. Henri s'excusa, songea à l'un de ses anciens camarades de lycée, ami de toujours, plus âgé que lui, nommé Romieu vaguement poète, et venu, lui aussi, conquérir le monde à Paris. Il se rappela son adresse à

propos et le trouva dans un petit hôtel du boule-
vard Saint-Michel, où il vivait avec une dame un
peu mûre, qui vint elle-même, en bigoudis, ouvrir
la porte à l'arrivant. Romieu fit le meilleur accueil
au provincial et lui offrit de l'héberger. Il le pro-
mena trois jours durant dans la capitale, lui montra
l'Opéra, Tortoni, l'Exposition (c'était en 1878),
l'emmena déjeuner à la pension Laveur, et, le soir,
le présenta comme un peintre de grand avenir
à ses amis, artistes comme lui, à la terrasse du café
d'Harcourt. Ils firent à peine attention au Toulousain, qui fut très déçu. En buvant son bock, au
milieu de ces inconnus mornes, méprisants, qui
parlaient entre eux, à demi-mot, avec des phrases
brèves, sans nul accent, d'un air supérieur et excédé,
Henri regretta l'Albrighi et l'enthousiasme si gai
de son pays natal.

Quand il rentra le soir dans la chambre de Romieu,
il le trouva aux prises avec la dame mûre, qui lui faisait une scène épouvantable. Les amants se raccom-
modèrent dans la nuit, et afin de ne pas les gêner
en leurs épanchements, discrètement tourné du
côté du mur, sur le matelas posé par terre que
Romieu avait tiré de son lit pour qu'il pût dormir,
le jeune peintre fit ses comptes. Il ne lui restait que
douze francs.

Le lendemain, Henri Brun alla rendre visite à
M. Clapiron, représentant parisien de la maison
Lesprat et Coutre, dont il se rappela l'existence à
point, et il lui exposa sa situation. Ce Clapiron était
un homme d'ordre, il fit un savant cours de morale
au voyageur, et finalement le reconduisit à la gare,
où, pour plus de sûreté, il prit lui-même son billet,
qu'il lui remit, après l'avoir installé dans le wagon.
Il ne quitta le quai que lorsque, le train s'étant mis

en marche, il eut acquis la certitude que l'espoir de
la famille Brun était bien reparti pour Toulouse.

*
* *

Cette escapade fit scandale. Prévenu télégraphiquement par Clapiron, M. Brun, qui croyait son fils
à Castres, d'où le fils du substitut envoyait aux
parents de son ami des nouvelles détaillées, mais
mensongères, M. Brun vint en personne querir Henri
au débarquer. M. Brun ne le gronda pas. Mais Henri
fut très malheureux. Il trouva que son père avait
un air triste et vieilli qu'il ne lui connaissait pas.

A Bordeaux, Aricie ne put dissimuler à son entourage la folle fugue de son neveu. Elle en fut peinée
et humiliée. Prosper Coutre ne cacha pas sa réprobation : à table, devant tous les siens, il attesta
la détestable éducation que cet enfant avait reçue
et se frotta les mains, avec un méchant rire.

— Je l'avais bien dit. Bon chien chasse de race.
Cet Henri, c'est tout le portrait de son oncle Paul.
Ce n'est que le commencement !

Puis une colère brusque le saisit, à cause de ce que
le scandale du neveu remuait en lui d'irritable,
et renouvelait le souvenir du scandale autrefois
causé par son propre fils.

— Paris ! Paris ! s'écria-t-il. Qu'est-ce qu'ils ont
donc tous, avec leur Paris !

II

DEUX PARIAS

Les sinistres prévisions de M. Prosper Coutre, relatives à l'avenir de son neveu Henri Brun, semblaient malheureusement se réaliser. Les goûts de plus en plus déterminés de ce jeune homme inquiétaient. Il révélait une ambition singulière, à laquelle il fallait le champ le plus large. Que pouvait-il faire, à Toulouse? Végéter misérablement. Un à un, tous ses amis avaient quitté leur ville natale pour Paris. Ce Paris entrevu, lors de son escapade aux couleurs dorées dans son souvenir, attirait Henri comme un irrésistible aimant. « Qu'attends-tu? lui écrivaient ses camarades. Viens nous rejoindre, le monde est à nous, mais ce n'est qu'à Paris qu'on le possède, qu'on devient soi-même !... » Henri trépignait dans son impatience. Sa mère, épouvantée de ses vœux insensés, gémissait à l'idée de voir partir son fils pour Babylone. Émile Brun, d'esprit plus tolérant, mais craintif, hésitait encore. Ce n'était point Paris qui lui faisait peur ; ses objections étaient d'ordre pratique. Comment ce garçon y vivrait-il? Il n'avait point de fortune. A Toulouse, certes, les Brun vivaient bien, les affaires de M. Émile Brun n'étaient pas mauvaises. Mais il y avait une fille à pourvoir, Alida, la sœur d'Henri. Elle marchait sur ses vingt ans ; elle était presque fiancée, avec un jeune magistrat toulousain. C'était une belle fille aux yeux noirs, et du plus pur type romain, comme on le voit parfois aux Languedociennes. La nécessité d'arrondir sa dot empêchait les Brun de permettre à leur fils le coûteux voyage de Paris.

— Je vivrai de rien, je me priverai, répondait Henri à ces objections. Et puis, je me débrouillerai. Est-ce que mon père n'est pas allé en Amérique, à vingt ans?

— Pardon, répliquait M. Brun. Je suis allé en Amérique avec un état, pour m'y établir sérieusement, dans le commerce. Toi, tu veux aller à Paris, pourquoi faire?

— J'y finirai mon doctorat, exposait Henri. Je passerai ma thèse. Quand tu es parti pour San Francisco, tu avais une pacotille. Qui te l'avait donnée? Tes parents! Qu'est-ce que je demande, moi? La permission, et, pendant un an, le temps de me retourner, jusqu'à ma thèse, de quoi vivre, le minimum, ce que vous dépensez à Toulouse pour mon entretien, ma nourriture. Avez-vous le droit de m'empêcher de courir ma chance? Elle est à Paris! Voyez mes amis : Romieu. Saint-Estève, Tiron, Bladé, est-ce qu'ils n'ont pas réussi, à Paris? Voilà Dupin : il est député! Et Romieu! Romieu! Ah! vous l'avez assez méprisé, hein! Vous vous êtes assez moqués de ses cheveux longs, de ses vers! Eh bien! Romieu, savez-vous ce qu'il est maintenant? Il est secrétaire de la direction du *Figaro!* Il gagne tout ce qu'il veut! Il aura les palmes quand il les demandera!

En 1880, de guerre lasse, Henri Brun partit pour Paris. Son père, en se saignant, lui faisait une pension de deux cents francs par mois. Henri promettait de passer sa thèse dans l'année. Mme Brun

ne consentit à laisser partir ce fils aventureux
qu'à la condition de le faire escorter par une vieille
bonne, Périnette, de tout temps au service de
la famille. Elle ferait son petit ménage, veille-
rait à ce qu'il ne manquât de rien, et servirait de
mère à ce jeune homme, au milieu des périls
parisiens.

Trois semaines après son arrivée dans la capitale,
Henri Brun abandonna l'étude du droit pour entrer
à l'école des Beaux-Arts. C'était le plus cher de ses
vœux. Toulouse et la Souys, en l'apprenant, furent
consternés. La vieille Périnette envoyait régulièrement aux Brun des nouvelles de son jeune maître :
elles atterraient. Henri n'en faisait qu'à sa guise.
Il avait des amis bruyants, aux mœurs fantasques,
qui menaient une vie dissipée. Quand il les recevait dans son atelier de la rue La Bruyère, où il
demeurait, et qu'il fallait que Périnette les servît,
elle était scandalisée par l'extravagance de leurs
propos, la tenue des dames qui les accompagnaient,
leur appétit. Un souper voyait disparaître toute la
provision de salé et de confit d'oie prévue pour le
mois par Mme Brun, qui, de Toulouse, en avait
envoyé plusieurs pots, faits de sa main, à son Henri,
pour l'hiver. Après le souper, c'étaient des mas-
carades, et des chants, des danses, mille juvéniles
folies. Une fois, l'amie d'un ami d'Henri avait em-
porté la pendule de la cheminée, qu'elle trouvait
jolie. Un autre jour, Périnette manqua de tomber
sur son séant, en apercevant, dans l'atelier, M. Henri
qui peignait à son chevalet une femme nue sur le
divan.

— Monsieur Henri, vous vivez à la perdition de
votre âme ! dit Périnette. Je ne peux pas en voir
davantage.

Elle rendit son tablier et repartit le même jour
pour sa province. Les histoires qu'elle y rapporta
émurent vivement les Brun. Ils écrivirent à M. Clapiron — celui qui avait déjà honnêtement rapa-
trié Henri, deux ans auparavant — et le prièrent
de surveiller un peu le joyeux drille. La belle saison
étant venue, Clapiron trouva porte close à l'atelier
du jeune peintre. Henri était à la campagne, chez
un ami, journaliste, ami de Romieu, nommé
Alexandre Vienne. C'était un grand et beau diable
à l'œil clair, qui portait toute sa barbe, parlait
haut, s'étonnait de peu, et conquit Henri dès leur
première rencontre, au café d'Harcourt. Avec
l'autorité de l'homme en place, Vienne avait aussitôt charmé ce provincial, par ses manières agréables
et de très précieux conseils. « Venez me voir », avait
dit Vienne, en le quittant. Brun lui rendit sa visite,
le lendemain, place de la Sorbonne. Il trouva son
nouvel ami, vêtu d'un veston de velours rouge à
ganse noire, jouant du violon auprès d'une demoiselle très blonde, à l'air doux, qui le regardait d'un
œil extasié, tout en fumant des cigarettes. Vienne
la présenta laconiquement au jeune homme, en la
désignant du bout de son archet :

— La Duchesse.

Le journaliste avait envie d'aller passer quelques
jours à la campagne. Il avait des goûts bucoliques.
Il offrit à Henri de l'y accompagner. Ils loueraient
une petite maison, pour l'été, du côté de Chaville
ou de Sèvres. Là, Henri pourrait peindre, Vienne
achèverait un roman, et, le soir, ils deviseraient
d'art, de littérature, ou bien feraient de la musique.
La Duchesse amènerait une amie.

— Cela vous va? demanda Vienne.

— Cela m'irait bien, répondit Brun. **Mais je**

dois vous avouer que je suis un peu gêné pour le moment.

— Question des plus secondaires, fit l'écrivain. Papa est là.

Il s'assit aussitôt à son bureau, griffonna quelques mots sur un joli papier azuré, qu'il plia et mit sous enveloppe. Ensuite, il ouvrit la fenêtre, qui donnait sur la place, appela le chasseur d'un café voisin, et, lui jetant le billet :

— Porte cette lettre à son adresse et rapporte-moi la réponse. Au trot !

— Et voilà ! fit Vienne en reprenant son violon, sur lequel il se mit à jouer, en sourdine, l'accompagnement délicieux de la sérénade de *Don Juan*.

Henri considérait avec admiration cet homme élégant, qui avait une petite amie si jolie, et ces manières désinvoltes.

— Est-ce que vous croyez que monsieur votre père ?...

— Je connais mon père, dit Alexandre. C'est un homme de bien. Je ne le vois jamais, mais je sais le prendre. Je lui ai écrit : « Mon cher père, veuillez remettre cinquante louis au porteur de ce billet, faute de quoi j'aurais le regret de me faire sauter la cervelle. Alexandre. »

— Petit Vienne, interrompit la Duchesse, tu crois que ça va prendre encore cette fois-ci ?

Vienne haussa tranquillement les épaules, et se mit à rire, d'un rire sonore. Au bout d'une heure, le chasseur était de retour, avec une lettre. Alexandre la tendit, fermée, à Henri Brun.

— Ouvrez et lisez. Je vais vous dire ce qu'il y a dedans. Un billet de mille, d'abord, et une lettre, avec ces mots : « Mon cher Alexandre, c'est le dernier. »

— C'est exact, dit Henri, en riant, après avoir lu.

— Mon cher, repartit Alexandre Vienne, vous pensez que je la connais. Il y a dix ans que j'écris la même lettre à mon père, et dix ans qu'il me fait, toutes les fois, la même réponse.

— Petit Vienne, s'écria la Duchesse, tu es beau, je t'aime !

— Maintenant, fit Vienne, allons demander une avance à Flammarion.

Il changea de veste, mit un chapeau, laissa la Duchesse au logis et, prenant le peintre Brun par le bras, l'entraîna.

— Vous ne connaissez pas Flammarion?

— Non.

— Eh bien ! je vais vous présenter à lui, et il va nous commander un bouquin.

Peu d'instants après, sous les galeries de l'Odéon, Henri Brun trouvait que la vie était belle. L'éditeur avait fait le meilleur accueil à son ami et à lui-même. Vienne lui avait proposé un livre, dont il n'avait d'ailleurs pas encore écrit une ligne, mais que M. Henri Brun agrémenterait de croquis charmants. Flammarion avait accepté, et, selon sa coutume, offert une avance. En allant boucler sa valise, Henri tâtait avec une joie enfantine le renflement inaccoutumé de son portefeuille, à travers sa veste.

Il rejoignit Alexandre Vienne à la gare Montparnasse dans l'après-midi. A Sèvres, ils visitèrent une petite maison, toute meublée, avec un jardin, dont le nom, gravé dans le marbre, leur plut : la Villa des Quat'Chapeaux.

Ils résolurent d'y passer l'été, et dès ce moment se tutoyèrent. Ils s'installèrent le jour même, et le soir, la Duchesse les rejoignit avec une amie

rencontrée par hasard au Luxembourg, qu'Henri
Brun jugea un peu maigre, à son goût. Elle s'appelait Fanny, et ce nom lui convenait bien, à cause
d'on ne savait quoi de fané, qui était en elle. Néanmoins, comme elle possédait une jolie couleur de
peau, le peintre la trouva charmante.

Romieu, qui vint voir les habitants de la Villa
des Quat'Chapeaux, le lendemain, proposa d'y
organiser une fête. Des invitations furent lancées.
Henri en envoya une à M. Clapiron ; il n'était
pas fâché de lui montrer qu'il avait des amis cé-
lèbres. Quelques-uns l'étaient, en effet, ou allaient
l'être : Tailhade, Moréas, Barrès, Aurélien Scholl.
Mais la visite du représentant à la Villa des Quat'-
Chapeaux ne contribua pas à relever beaucoup
Henri dans l'esprit des siens. Il y arriva au moment qu'on était fort gai. Il trouva Henri qui sonnait du cor dans le jardin, au milieu d'un groupe
de dames riant fort, de canotiers et de messieurs en
habit rouge, qui se donnaient l'illusion de la chasse
à courre en poursuivant sur le gazon un lapin
attaché par une ficelle à un arbre. Le sévère facies
de Clapiron divertit les dames. L'une d'elles, en le
tutoyant, lui fit même sauter son chapeau, d'un
coup de pied adroit, et dansa devant lui, la jambe
en l'air, molle au milieu de ses éblouissantes lingeries, qu'elle tenait repliées sur ses bras, avec
une gaieté canaille. Au moment de prendre congé,
cet homme d'ordre crut devoir demander à Henri
Brun où il en était de sa thèse. Le peintre répondit
qu'il y songeait. Le lendemain, M. Clapiron écrivit
une lettre attristée à Aricie, où, sans entrer dans
les détails, il exprimait des craintes raisonnables
et attirait avec regret l'attention de la vieille fille
sur le dangereux genre d'existence de son jeune

neveu, à qui l'on avait laissé peut-être un peu tôt
la bride sur le cou, et dont l'avenir lui paraissait
dès à présent bien compromis.

Cette lettre causa beaucoup de peine à Aricie.
Elle justifiait la mauvaise opinion de l'oncle Coutre,
les appréhensions de Sextia, les soucis d'Émile.
Mais le même courrier apporta un peu de consolation à la vieille tante. Dans une lettre affectueuse
et gaie, comme à son ordinaire, Henri lui faisait part
de ses premières réussites, la commande des dessins payés par l'éditeur Flammarion et la publica-
tion, également rétribuée, de petits croquis dans
un journal humoristique. Henri ne signerait pas
de son nom ces dessins, exécutés pour gagner sa
vie. Il mettait sa gloire plus haut, assurait sa tante
qu'elle serait un jour fière de lui. Et comme, à la
fin de sa lettre, il évoquait les bons conseils et le
souvenir sacré de l'oncle Paul, Aricie en fut délicieusement attendrie et réconfortée dans son inquiétude. Elle commit l'imprudence d'annoncer
aux Coutre le succès d'Henri. Prosper Coutre ne
le prit pas bien. Voilà le neveu qui allait maintenant
compromettre le nom des siens dans les petits
journaux de Paris ! Le talent n'est pas une excuse ;
il n'est pas de bon ton. Un artiste, dans une famille
bourgeoise, c'est comme un mauvais champignon
sur un tronc d'arbre. Un acrobate n'aurait pas déshonoré davantage, etc.

Aricie répondit aussitôt à son cher neveu en le
suppliant de ne pas laisser imprimer son nom,
par déférence pour la famille. En même temps,
elle faisait appel au bon cœur d'Henri et lui demandait d'aller voir le pauvre Marcel Coutre et de lui
marquer un peu d'amitié. Elle insistait sur la triste
situation morale de ce malheureux enfant, si seul,

si abandonné. Elle donnait à Henri l'adresse de
son hôpital : Marcel Coutre étudiait la médecine.
Quoiqu'il fût moins âgé qu'Henri, celui-ci pourrait
peut-être trouver un ami en lui. Aricie comptait
beaucoup sur son neveu pour rendre la vie un peu
moins sévère au fils d'Eugène, petit-fils, après tout,
de son oncle Coutre.

Dès qu'il eut reçu cette lettre, Henri écrivit à
Marcel pour l'inviter à déjeuner. Il avait l'invitation
facile, était naturellement généreux. Au plaisir d'être
agréable à sa tante Aricie, il ajoutait encore par la
perspective de connaître enfin ce petit-cousin dont
il n'avait entendu parler qu'à voix basse, parmi
les siens. Il aimait les figures nouvelles. Et, grâce
au pouvoir de l'imagination, par avance, il em-
bellissait déjà ce Marcel d'une couleur rare et
romanesque. Il s'attendait à voir en lui l'enfant de
l'amour, paré des prestiges d'une naissance singulière, un hors-la-loi charmant, — un Didier, un
Antony ! — le fils de cet Eugène Coutre qu'il avait
peu connu, mais que sa vie exceptionnelle et quelque
peu mystérieuse rendait à ses yeux sympathique ;
assurément, il n'avait pas été un bourgeois, puisqu'il n'avait pas pu s'accommoder des mœurs
austères de la Souys, ni s'entendre avec son père,
le tyrannique Prosper, et qu'il était allé vivre libre-
ment à Paris, enfin mourir glorieusement sur un
champ de bataille. Henri fut déçu de ne pas trouver
en Marcel Coutre le fils qu'il avait imaginé d'un tel
père. Marcel arriva en retard au rendez-vous.
C'était un jeune homme sans âge, maigre, très
pâle, au regard abstrait, à la bouche amère et
plissée. Il ressemblait étonnamment à son grand-
père. Il appela Henri « monsieur », ne s'excusa pas
de s'être fait attendre, et dès l'abord montra une

réserve glacée qui mit le jovial Henri mal à l'aise.
Le jeune Toulousain, qui aimait la vie, avait un continuel besoin de sympathie. Comme il ne ménageait
pas la sienne, il souffrait que l'on n'y répondît
pas toujours, du premier instant. Marcel Coutre
était peu loquace ; on sentait en lui une perpétuelle
réticence. Il avait des gestes courts, gauches, un air
emprunté ; son regard même était gênant : un regard dur, presque sans couleur, mais pénétrant
comme un scalpel et froid comme lui.

Après quelques mots vagues, dès le début, Henri
qui avait compté sur la chaleur de la jeunesse pour
établir entre ce parent inconnu et lui une entente,
Henri parla de sa tante Aricie, dont il vanta le
dévouement, la bonté sans mesure, la vie de sacrifices. Marcel acquiesça, mais avec une si évidente
retenue, que le peintre changea de conversation.
Il posa très aimablement à Marcel une question
sur ses études médicales, nomma l'un de ses amis
qui travaillait dans le même hôpital, et, sans curiosité particulière pour ce qui appartenait à la science,
interrogea poliment son hôte sur divers points de
thérapeutique, où sans doute il était plus compé-
tent que lui. Marcel répondit brièvement aux questions, donna son opinion de mauvaise grâce, avec
un volontaire emploi de termes techniques, qui ajoutaient à ses paroles un accent revêche et fermé.
Il ne s'échauffa un moment que pour faire un portrait désobligeant de quelques médecins arrivés,
dont il suivait les cours, à l'école ; il dit leurs manies,
leur suffisance, leurs défauts. La critique donnait
du talent à ce jeune homme sans jeunesse. Il énon-
çait des idées justes, mais sectaires, avec âpreté,
et tranchait sur tout, délibérément. Il y avait en
lui une force extraordinaire de mépris, toute

son intelligence était mise au service d'un caractère méfiant. Henri, qui n'avait pu séduire ce garçon
difficile, essaya de l'étonner. Il parla de peinture,
d'art. Mais comme ils n'avaient pas une seule idée
commune, Marcel réfuta les opinions d'Henri ;
puis il prit l'offensive, et parla de philosophie. Il
était athée, rigoureusement déterministe ; il s'aperçut très vite qu'Henri n'était pas philosophe, et
lui cita des livres que le peintre n'avait pas lus. Il
le méprisa. Il eut un mot amer sur les fils de famille
pour qui la vie n'est que facilité. Il tenait que la
facilité nuit au génie.

Ils se séparèrent au café. Henri lui proposa de le
revoir. Marcel dit qu'il allait être pris par des
examens, qu'il l'avertirait quand il serait devenu
plus libre. Tous deux se quittèrent assez sèchement.
Henri Brun resta sur une impression pénible.

— C'est un pauvre bougre, se dit-il, il est
malheureux.

Et résolument, comme il avait coutume de le
faire pour tout ce qui ne lui convenait pas, il
s'efforça de n'y plus penser.

* *

Émile Brun mourut, l'année qui suivit celle de
l'installation de son fils à Paris. Il avait pris une congestion pulmonaire en surveillant ses ouvriers dans
un chantier, un jour de pluie. Il rentra chez lui mal
à l'aise, se coucha et ne se releva plus. Henri,
prévenu télégraphiquement par sa mère, accourut
au chevet de son père mourant, qui le regarda
d'un air triste. Il mourut peu de temps après. Cette
mort plongea le jeune homme dans un véritable
désespoir. Il conçut le chagrin qu'il avait pu faire,

sans méchanceté, à ce père faible et charmant ; il
eut un grand remords à l'idée que son père était
mort en doutant de lui. Comme sa sœur Alida était
mariée depuis peu, et que sa mère vivait avec elle,
il décida de pourvoir seul à son existence, et de tout
faire pour ne plus être à la charge de la pauvre
femme. Il repartit donc pour Paris, travailla beaucoup. Il eut des succès à l'école, concourut pour le
prix de Rome, et l'enleva très brillamment. Puis il
partit pour l'Italie, et passa trois années à la Villa
Medicis. Là, momentanément débarrassé du souci
d'assurer sa vie, il cessa de songer au plaisir, au succès facile des petits journaux, et, dans la fréquenta-
tion des chefs-d'œuvre, il prit un sentiment plus
noble et plus relevé qu'il ne l'avait eu jusque-là
de son art. Sa mère avait été flattée par le caractère
officiel de son succès. Mais il remplit surtout d'orgueil et de contentement Aricie. Le vieux Coutre,
qui vivait encore, en parut lui-même étonné : le
prix de Rome est une récompense d'État ; à ce titre,
il rendit quelque estime à ce neveu, qui d'ailleurs
ne coûtait rien à sa famille et se tirait d'affaire
tout seul. Il l'eût tout à fait estimé si, plutôt que
peintre, Henri eût été architecte. L'architecture
est un art utile, au lieu que la peinture... Enfin
M. Coutre ne laissait pas d'être assez content d'avoir
un neveu qui vivait aux frais du gouvernement,
dans un palais de la Ville Éternelle. Et quand il lui
arrivait d'en parler :

— Ah ! ah ! disait-il, c'est un malin !

Après son séjour obligé de Rome, Henri Brun
revint à Paris. Il fit des portraits, exposa régulièrement aux Salons, y décrocha quelques médailles.
Son nom fut connu ; il avait des commandes, une
certaine notoriété. En 1887, il s'éprit d'une char-

mante jeune fille, sans fortune, il est vrai, mais
délicieuse, et qu'il épousa. Cela parut encore à
M. Coutre une concession ridicule à la poésie.

Mme Brun vint à Paris, pour assister au mariage
de son fils, et Aricie l'accompagna. Elle ne voyageait
que pour les mariages, les baptêmes et les enterre-
ments.

Malgré la réussite d'Henri, Aricie redoutait toujours pour lui les dangers de la fantaisie, du penchant pour le célibat. Elle se faisait des monstres.
S'il épousait une danseuse ? Ce mariage la soulagea.
Elle y voyait une victoire de l'idée de famille, et
le signe que le neveu si cher à son cœur, en dépit
de quelques foucades, n'avait pas rompu avec les
lois sages du monde et demeurait fidèle à l'ordre
jusqu'alors suivi par tous les siens. Et puis, Henri
était le seul homme qui portât son nom ; le seul
enfin par qui ce nom pourrait survivre et prolonger
sa lignée. La vestale qui était en elle était heureuse
de voir que, grâce à cet enfant chéri, précisément,
l'idée de la famille ne s'éteindrait pas avec elle.

*
* *

De son séjour à Paris, Aricie voulut profiter pour
remplir le pieux devoir de charité qui la préoccupait
depuis longtemps, sans que les circonstances lui
eussent encore jamais permis de le faire. Elle
désirait de voir Marcel Coutre, de s'entretenir avec
lui. Elle voulait connaître enfin ce malheureux, si
durement tenu, à cause de sa naissance irrégulière,
en dehors de toute la communauté familiale. Elle
ne l'avait jamais vu ; leurs relations n'avaient été
qu'épistolaires. Depuis quinze ans, elle correspon-
dait avec Marcel à dates fixes, s'occupait de lui,

de ses études, assurait le service exact de la pension
que lui consentait son grand-père, à la condition
de n'en entendre jamais parler. Aricie nourrissait
pour ce parent étranger un sentiment complexe,
fait de crainte, d'estime, de pitié, où l'entretenaient
sa situation malheureuse, son application au travail et le ton singulier de ses lettres. Marcel ne s'y
livrait pas. Il remerciait, répondait aux questions
posées, mais sans plus. Et Aricie, attachée à lui
par la force même des choses, avait toujours rêvé
de connaître ce petit-cousin à la vie si triste, et
peut-être même, le voyant et parlant avec lui,
d'envisager ce que l'on pourrait faire pour préparer
une réconciliation éventuelle entre le petit-fils et
le grand-père Coutre, réconciliation et reconnaissance ardemment désirées par Estelle, mais que
l'intransigeance de Prosper avait jusque-là rendues
impossibles.

Aricie était très émue en se rendant chez Marcel
Coutre. Il habitait, rue de Vaugirard, une maison
triste, à l'aspect pauvre, au sixième étage, dans la
cour. Au dernier palier, essoufflée de la montée
haute, la vieille fille s'arrêta. Un jour maussade
éclairait mal le corridor, par un vasistas poussiéreux.
Elle chercha le numéro du logement, sur une porte,
et avant de frapper, attendit. Quel visage allait-
elle trouver à cet inconnu? Que lui dirait-elle?
Elle pensa : « Je l'embrasserai, tout d'abord. Et
puis nous causerons. Je saurai ce qu'il pense... »
Alors, elle frappa. Elle entendit pousser une chaise,
un pas hésitant, puis la porte s'ouvrit, et Aricie
vit son petit-cousin. Il s'inclina cérémonieusement
devant elle, pour la saluer, sans rien dire, puis il
referma la porte sur ses pas, avec un soin embarrassé. Aricie se sentit gênée par l'aspect glacé du

jeune homme ; elle n'osa pas l'embrasser, il était
debout trop loin d'elle. Elle avança seulement vers
lui ses deux mains et retint serrée entre elles deux
l'unique main qu'il lui tendit. Intimidée à son tour,
à cause de l'air maladroit de Marcel et de son peu
d'élan, elle le regarda un long temps sans rien dire.
Puis, l'ayant bien dévisagé, elle dit doucement :

— Comme vous ressemblez à votre père !

Il ne répondit pas. Aricie dit encore :

— Vous savez, cela me fait quelque chose, de
vous voir. Elle avait des larmes dans les yeux, et,
pour s'empêcher de les répandre, elle faisait un effort
pénible, dont les coins de sa bouche tremblaient.

— Voulez-vous vous asseoir? proposa Marcel.

De la main il désignait une chaise à la visiteuse.
Elle s'assit avec une impression triste, devant cet
accueil indifférent. Pourtant, lorsque Aricie écrivait
à Marcel, et dans les réponses qu'elle recevait de
lui, ils avaient des choses à se dire, le ton de leurs
lettres était naturel, et, parfois, même affectueux.
Elle s'étonnait que ce jeune homme fût si peu pareil
à ce qu'elle en avait, d'après cette correspondance,
imaginé. Peu habile à définir exactement les impressions qu'elle ressentait, Aricie souffrait sans
comprendre, et s'en voulut à elle-même, pensant
que c'était sa faute, si tout de suite Marcel Coutre
ne s'était pas jeté à son cou. Cependant, elle regrettait qu'il ne la regardât pas plus directement, dans
les yeux. Il avait une façon particulière de regarder,
par brefs coups d'œil clairs, vite détournés, comme
s'il avait craint qu'en lisant son regard on pût dé-
chiffrer sa pensée. Par contenance, Aricie examina
la pièce, autour d'elle, et eut le cœur serré à la
trouver si pauvre et si laide. Il y avait un lit, une
toilette, une table couverte de livres, avec un petit

buste en plâtre de Schopenhauer. Au-dessus du lit
on voyait une photographie épinglée reproduisant la
Leçon d'anatomie, de Rembrandt ; et, sur la cheminée,
une tête de mort, avec un chardon entre les dents.

— Ah ! mon Dieu, fit Aricie, en sursautant...
Elle m'a fait peur ! Je ne pourrais pas dormir avec
une pareille chose dans ma chambre... Mais c'est
vrai... vous êtes médecin... C'est égal !

— On en voit bien d'autres dans les hôpitaux,
dit Marcel. Il y a beau temps que cela ne me fait
plus rien. Et puis, la mort...

La phrase finit en haussement d'épaules.

— A votre âge, reprit Aricie, il me semble que
l'on doit aimer la vie...

— La vie? Qu'est-ce que c'est? fit Marcel.

Et pour la première fois il posa sur le regard d'Aricie un regard fixe et dur, qui lui fit peur.

Elle ne comprenait pas ce qu'il voulait dire.
Elle changea de conversation.

— J'espérais vous voir, mon cher Marcel, depuis
plusieurs jours. Je pensais vous rencontrer au mariage d'Henri Brun. Il vous a envoyé une invitation.
Pourquoi n'êtes-vous pas venu?

Elle ajouta, sur un ton d'affectueux reproche :

— Vous auriez dû y aller, Henri est votre cousin.

— Oh ! « mon cousin »... fit Marcel Coutre avec
le geste de l'indifférence.

Puis brusquement :

— Je ne lui dois rien.

— Vous avez pourtant déjeuné ensemble. Je
croyais...

— M. Brun m'a invité à déjeuner, mais je ne le
lui avais pas demandé. J'y suis allé pour vous faire
plaisir, et d'ailleurs je l'ai tout de suite regretté.
M. Brun a une vie très différente de la mienne : ce

que je peux faire ne l'intéresse pas, il n'a pas besoin
de moi. Alors?

Il se campa devant Aricie, comme s'il la défiait
de lui objecter le moindre argument valable.

— C'est en effet moi, dit Aricie, qui avais demandé à Henri de faire votre connaissance. Je vous
savais très isolé, sans parents, ni amis. J'ai pensé
qu'Henri... Il est un peu plus âgé que vous, mais
enfin, vous auriez pu vous entendre. Il ne fait pas
bon vivre seul (Marcel acquiesça avec ironie).
En somme, Henri est, à Paris, le seul membre de
votre famille.

— La famille? s'écria durement le jeune homme.
La famille? Qu'est-ce que c'est que ça, la famille?
Je vous serais bien reconnaissant de m'expliquer
ce que cela veut dire, la famille ! Ah bien ! parlons-
en !

Aricie considéra avec effroi le blasphémateur.
Mais elle eût montré moins d'épouvante si elle n'avait
été que choquée. Le sentiment qui la remplissait,
c'était une compassion profonde. Elle apercevait
avec terreur le vide affreux de ce cœur d'homme.

— Mon pauvre ami, émit-elle doucement, que
vous me peinez ! Je ne vous comprends pas. Je sais
bien que votre existence n'est pas gaie, que vous
n'êtes pas heureux... les circonstances... Vous n'avez
pas bien réfléchi... Il faut être de sang-froid...

— C'est bien parce que je suis de sang-froid et
que j'y ai longtemps réfléchi. J'y réfléchis depuis
que je suis susceptible de penser... Vous ne me
demandez pas mon avis, mais je vais vous le dire
tout de même ! Eh bien ! la famille, je m'en moque,
moi ! La famille, c'est une invention des gens qui
ont de l'argent, un point, c'est tout. Des droits?
Des devoirs? Quelle bonne blague ! Des mots in-

ventés exprès, pour justifier, après coup, une pure
question d'intérêts matériels, la rendre honorable
et touchante. Et les liens du sang ! Parlons-en !...
Des pères qui laissent leurs fils crever de faim, si
les fils ne veulent pas passer par leurs trente-six
mille volontés ! Qui vendront leurs filles au plus
offrant, pour des raisons d'honorabilité ! Ah ! elle
est jolie, l'honorabilité, dans les familles ! Les
femmes peuvent bien faire ce qu'elles veulent,
aller se faire faire des enfants par le premier amant
venu, au hasard de la première rencontre ; ces enfants porteront le nom de la famille qui les endossa,
ils resteront de la famille, ils seront cette famille
elle-même, il en va de l'honorabilité de la famille !
Seulement, les enfants des fils, n'est-ce pas ? si
par cas ces fils s'avisent d'en avoir autrement
qu'avec l'approbation du maire et du curé, on ne les
connaît pas. Ils ne font pas partie de la famille.
Ils ne feront jamais partie de la famille. Je sais de
quoi je parle, je suppose ?

Il était debout, blême, animé d'une fureur glacée,
les bras croisés, devant Aricie interdite. Et il la
quittait pour marcher à travers l'étroite chambre,
comme une bête en cage, irritée, avec de grands
éclats d'un rire atroce, qui ponctuaient son discours
impie.

— Qu'est-ce que vous pouvez bien répondre à
cela ? dites ? Vous la connaissez, ma famille ? Eh bien !
j'aime mieux que ce soit vous, plutôt que moi. Car
ça ne doit pas être joli, joli, ma famille, non ! Pff !

Il fit « Pff ! » comme son grand-père Coutre ; si
émue qu'elle fût, Aricie le remarqua. Il poursuivit :

— Et moi, est-ce qu'elle me connaît ? Qu'est-
ce que je lui dois, à ma famille ? L'aumône d'une
pension jetée comme un os à un chien. A part

ça, qu'a-t-elle fait pour moi, et de moi? Un dé-
classé, un révolté, un homme qu'on se montre
au doigt, l'enfant perdu, le bâtard, un être d'exception, hors de toute humaine communauté. Et
on dit qu'il n'y a pas de génération spontanée!
Mais c'est moi, la génération spontanée! Je la suis,
sans bouillon, terreau, ni racine! né en l'air, au
hasard, on ne sait de qui, ni de quoi!... Possible
que cela existe, la famille, mais comme le luxe,
pas pour tout le monde. Je n'en ai pas, moi. La
mienne, si je traversais la chaussée devant elle,
dans la rue, sans y prendre garde, elle me passerait
dessus avec sa voiture, sans seulement se douter que
c'est son sang qui lui giclerait sous les roues!

— Marcel, Marcel, je vous en prie, disait Aricie,
calmez-vous, vous vous faites mal. Vous n'êtes pas
juste. Vous ne savez pas... Je sais, moi... Je connais votre grand-père. Je connais le chagrin profond
de votre grand'mère. Je vis avec eux, moi... Je sais
ce qu'ils pensent... Votre grand-père est vieux, il
n'a pas dit son dernier mot... Je voulais justement
envisager, avec vous, bien tranquillement, les moyens
de vous amener à lui... S'il vous connaissait...

— Non, dit Marcel, calmé. C'est inutile; et c'est
beaucoup mieux ainsi. D'ailleurs, vous pouvez
l'annoncer à M. Coutre. Je ne le gênerai pas longtemps. J'en ai pour deux ans.

— Deux ans? demanda Aricie. Deux ans de quoi?

— Deux ans de vie. J'ai le cœur claqué, je suis
perdu.

— Voyons! quelle idée!...

— Ce n'est pas une idée, c'est un fait. Je sais.

— Vous vous soignerez, vous guérirez.

— Je pourrais me prolonger, c'est tout. Le jeu
n'en vaut pas la chandelle. Pourquoi vivrais-je?

— Mais vous êtes savant, vous avez un beau
métier. Médecin! Vous pouvez être utile.

— A qui? Aux hommes? Je les méprise et je
les hais. A ma patrie? Je vous ai dit que je ne croyais
pas à la famille. Mon père y croyait, lui. Beau
résultat : deux balles dans le ventre, à Beaune, et
puis crever tout seul, sous la neige, deux jours après ;
et de la misère pour tout le monde autour de lui...
Enfin, il est tranquille, maintenant. Dans deux ans,
je serai comme lui...

Il désigna la tête de mort, sur la cheminée.

— Comme celui-là.

— Vous ne croyez à rien? dit Aricie.

— A rien, répondit Marcel tranquillement.

— Après la mort? Et Dieu? fit la vieille fille.
Marcel Coutre haussa les épaules.

— Ne dites pas de bêtises. Après la mort, il n'y
a rien. Il y a la mort. De la pourriture, dans un trou.
Et puis, il n'y a rien, il n'y a plus rien... rien...
Vous m'entendez? rien.

— Mon pauvre enfant! Mon pauvre enfant!
dit Aricie. Comme vous avez dû souffrir !

Il eut un geste vague. Qu'importait !

Tous deux se taisaient maintenant. Aricie éprouvait une immense pitié pour le malheureux. Il était
tard, elle se leva. Comme Marcel se taisait encore,
à côté d'elle, épongeant de son mouchoir ses mains
moites, elle le prit doucement par les épaules, et le
regarda dans les yeux :

— Je ne vous ai jamais fait de mal, moi?

Il la regarda à son tour, sans savoir ce qu'elle
voulait dire.

— Que me veut-elle? pensa-t-il.

Il secoua la tête, négativement.

— Eh bien ! alors, embrassez-moi, fit Aricie.

Marcel embrassa la vieille fille, qui baisa ses joues si pâles, à son tour. Comme elle demeurait silencieuse, et qu'il ne savait ce qu'il devait dire, il murmura, vaguement :

— Mademoiselle...

Aricie sourit.

— Appelez-moi tante Aricie, comme tout le monde, voulez-vous ?

Elle lui prit la main. Son visage était redevenu paisible.

— Nous nous reverrons, n'est-ce pas ?

Au moment de quitter la pièce, comme elle reprenait son manchon qu'elle avait posé sur la table, elle y vit, dans un petit cadre, une photographie un peu fanée. L'ayant examinée, elle demanda :

— C'est votre mère ?

— Oui, fit Marcel.

Ils ne dirent rien d'autre.

Pour sortir, il fallait passer devant la cheminée. Aricie aperçut la tête de mort, et le dérisoire chardon entre ses dents.

— Il ne faut pas..., dit la vieille fille, en le désignant.

Marcel enleva docilement la fleur sèche, et la jeta dans l'âtre.

Comme elle descendait l'escalier, Aricie tâta un petit paquet dans son manchon. C'était un album de photographies de tous les siens, qu'elle avait apporté pour Marcel, afin qu'il les connût. Elle n'avait pas osé le lui donner. Mais en passant devant la loge, elle se ravisa et donna le paquet ficelé à la concierge.

— J'ai oublié... Vous remettrez ceci à M. Coutre, je vous prie.

Elle s'enfuit très vite sans se retourner.

III

Henri Brun eût aussi bien fait de laisser l'oncle Melchior tranquille, plutôt que de lui donner le goût de la photographie. Chaque année, aux vacances, il venait passer un mois à Bordeaux, un autre à Toulouse, chez sa mère, avec sa femme et le petit garçon qui leur était né, Jean-Pierre, après trois ans de mariage. L'arrivée des Parisiens à la Souys apportait un rayon de jeunesse dans cette maison peuplée de vieillards, de tant d'ombres ! Prosper Coutre était mort, Jouvenet était mort, Julie aussi. Autant de croix à ajouter, de dates funèbres à remplir, dans l'arbre généalogique d'Aricie ! Des deux filles que Julie avait laissées, l'une, Lucie, était devenue religieuse ; l'autre, Louise, avait épousé en 1885 un M. Martendon, riche commerçant de bois de la Bastide, dont les chantiers touchaient à ceux de la maison Coutre ; les deux firmes s'étaient fondues, sous la raison sociale Lesprat et Coutre, Martendon successeur. La jeune Mme Martendon habitait sur le quai Deschamps, un peu plus loin que sa maison natale, le chalet de sa belle-famille. La maison Coutre était fort réduite. Complètement aveugle maintenant, la vieille Mme Coutre — tante Estelle — vivait toujours, toujours plongée en sa tapisserie, ridée et parcheminée, immobile en son

grand fauteuil à contre-jour, ses aiguilles allant et
venant, agiles entre ses doigts osseux. Elle s'intéressait toujours aux nouvelles de la vie bordelaise,
abondant quotidiennement en commentaires infinis
à l'annonce des mariages, des naissances et des
morts qu'elle apprenait, des faits et gestes de ses
petits-neveux de Toulouse et de Paris, ne cessant
de s'occuper verbalement d'eux que pour réviser
la généalogie et les parentages des familles royales
encore régnantes. A l'entendre, Aricie y était devenue compétente. C'était un sujet de conversation permanent entre les deux femmes, depuis la
mort de Marcel Coutre, survenue dans le temps qu'il
avait lui-même prédit, environ deux ans après
la visite d'Aricie, six mois après le décès de Prosper.
Ces deuils n'affectèrent pas profondément la no-
nagénaire Estelle. Elle y vit chrétiennement la
volonté de Dieu. Elle dit seulement : « Ce sera bientôt à mon tour. » La séparation serait brève. Cependant, elle continuait à vivre avec une régularité
de pendule remontée pour aller cent ans. Les vieillards n'ont pas le cœur tendre.

En 1900, il n'y avait plus que trois couverts,
dressés dans la petite salle à manger de la Souys
aux placards qui sentaient si bon le vieux vin, les
fruits mûrs. Quand il y arrivait, au mois d'août,
et qu'il s'asseyait, le premier soir, à la table ronde,
en face de la tante Estelle aux joues molles, si douce
encore à embrasser, Henri Brun voyait avec le
plaisir que l'on a toujours à retrouver l'impression
des choses immuables, de tous temps connues,
Melchior à la droite de la vieille dame, Aricie à sa
gauche, la sonnette de cuivre guilloché auprès
d'elle ; Aricie surveillant d'un œil affaibli, mais
minutieux (elle avait été opérée de la cataracte)

le service ouaté de la servante Félicie, fidèle au
poste, malgré l'âge. Sur la desserte, la vénérable
argenterie brillait à sa même place : l'huilier lourd,
les salières, le beurrier, entre les compotiers de
cristal remplis de gelées succulentes, la bouilloire
spéciale pour les œufs à la coque, et le sablier qu'on
retourne, en les apportant sur la table, juste le
temps de leur cuisson. Le même cerf blessé léchait,
sur la cheminée, sa hanche de bronze meurtrie ;
les mêmes *Moissonneurs italiens*, gravés d'après
Léopold Robert, faisaient sur les murs face aux
mêmes *Enfants d'Edouard dans la tour Saint-Paul*,
de Delaroche. Et quand, près de sa mère au beau
sourire, Henri avait installé son fils dans sa haute
chaise d'enfant, tante Aricie ne manquait jamais de
lui dire :

— C'est ta chaise, Henri, ta chaise du temps que
tu étais petit. Tu la reconnais?

*
* *

Pour rompre la monotonie du séjour au milieu
de ces bons vieillards, tandis que la jeune Mme Brun
se dévouait, et pendant des heures faisait avec une
inlassable patience la conversation de la bavarde
Estelle, ou bien accompagnait dans l'antique landau
Aricie en ses visites et ses emplettes bordelaises,
Henri courait à ses pèlerinages. Il allait voir, rue
Sainte-Catherine, l'emplacement de la maison de
l'oncle Paul, courait les bric-à-brac, les quais, les
allées d'Amour, la rue Fondaudège, le Palais Gallien,
et, son carnet de croquis aux doigts, assister au
lancement des bateaux, à Lormont. Il fallait la
venue de ce neveu turbulent, malgré la quarantaine,
pour décider l'oncle Melchior à sortir un moment de

son comptoir, à quitter ses cartonniers verts, ses
livres de caisse et ses globes terrestres. Le Parisien
mettait de la malice à tirer de ses habitudes ce
bonhomme si casanier. Et le soir, quand il y avait
réussi, il prenait plaisir à étonner ses vieilles tantes.

— Devinez, ma tante, ce que j'ai fait? disait-il
à Mme Coutre. J'ai réussi à déterminer l'oncle Melchior à vous faire une infidélité ! Je l'ai emmené à
Lormont, par le bateau, et nous sommes revenus à
pied !

Cette allusion à la fidélité du vieux garçon pour
sa tante ranimait un temps la vieillarde. De fait,
à le voir si constant auprès d'elle on avait toujours
soupçonné quelque sentiment secret dans le cœur
de Melchior. Cette passion de cinquante années,
ç'avait été la seule aventure de sa vie. Hors Estelle
et Aricie, il n'avait jamais connu d'autres femmes.
C'est dans ce temps qu'Henri Brun révéla à son
oncle Melchior les charmes de la photographie. Il
en faisait beaucoup lui-même, attaché de par sa
nature à conserver le souvenir matériel des endroits
où il avait passé et des visages qu'il avait vus.
Son premier soin, dès lors qu'il arrivait à la Souys,
était de demander qu'on lui abandonnât quelque
recoin, à l'abri de la lumière et bien calfeutré,
dont il pût se faire un cabinet noir, où décharger
son appareil et développer lui-même les plaques
impressionnées dans le jour. Il s'y enfermait avec
Melchior, curieux de cette chimie, et à qui ses habitudes d'ordre donnaient de l'inclination pour un
art qui nécessite tant de flacons divers, de cuvettes,
d'étiquettes, de gestes précis, de méticulosité. Il
eût fait un bon pharmacien. Penché sur l'hydroqui-
none et l'hyposulfite, Melchior prenait plaisir à
voir, au faible éclat de la lanterne rouge, la géla-

tine des clichés, amollie et rongée par l'acide,
fondre, noircir ou s'éclairer, et l'image naître sur
le verre. Il sut bientôt le nom des produits qu'il faut
employer, leurs qualités, leurs inconvénients, leur
dosage. Il excella rapidement à leur préparation.
Étant d'un caractère plus attentif et plus soigneux,
il obtint, en développant les clichés d'Henri, des
résultats plus parfaits. « J'ai moins de génie que toi,
disait-il à ce neveu charmant, mais fantaisiste ;
voilà pourquoi je serais un meilleur photographe. »

L'année qui suivit, aux vacances, Henri Brun
eut la surprise de trouver son oncle à la gare, venu
l'attendre sur le quai. M. Melchior Brun portait
un appareil photographique en bandoulière. Il
voulait prendre Henri et sa famille au débarquer. A
la Souys, Henri eut un autre sujet d'étonnement :
son oncle avait converti son cabinet de toilette
en cabinet noir. Il s'était acheté un appareil, des
cuvettes, du papier, des drogues. Et le soir même,
avec une satisfaction visible, il éblouit les Parisiens en leur donnant à admirer un album rempli
de ses œuvres, soigneusement tirées en dégradé,
au moyen de caches, régulièrement collées sur des
cartons, glacées avec un art parfait. Henri Brun
dut avouer qu'il avait rencontré son maître.

Le lendemain, comme Henri sortait de sa chambre,
son oncle l'attendait, prêt à partir. Ce changement
dans les habitudes de Melchior le stupéfia.

— Oui, dit Melchior, cela t'étonne? Cela m'étonne
moi-même bien davantage, et Aricie n'en revient
pas. Ce n'est pas que cela m'amuse de courir les
rues par ce soleil et cette poussière. Mais j'ai fait
le portrait de tous les gens de la maison, j'ai photographié la maison du haut en bas et de long en
large, je me suis photographié moi-même dix fois

devant mon armoire à glace ; maintenant il me faut
bien sortir, si je veux trouver des sujets. Allons !
Nous prendrons les mêmes points de vue, et nous
verrons ensuite qui aura obtenu les meilleurs
résultats !

Tout le jour, ils déambulaient, de la Souys à
Lormont, de Lormont à Bordeaux, en quête de tableaux photogéniques. Une foire, qui s'étendait
sur les Quinconces, leur fournit d'abondantes
occasions de faire fonctionner le déclic de leurs appareils. Melchior ne considérait dans les motifs qui
l'arrêtaient que l'éclairage et la possibilité de régler
sa pose. Une estrade où se donnaient des tableaux
vivants retint longtemps son attention.

— Quelle pépinière de sujets ! s'exclamait-il.
Regarde cette toile de fond. Comme les couleurs des
personnages se découpent heureusement là-dessus !
Quel relief ! Quelle netteté !...

Et il se déplaçait dans la foule, protégeant son
appareil de la bousculade, cherchait le meilleur
endroit où mettre l'objectif au point. Les demoiselles en travesti l'intéressaient spécialement, et
il prit ensuite plusieurs vues de la femme-hercule,
dont l'architecture charnue remplissait le maillot
collant. Henri remarqua que ces artistes avaient
l'air de connaître le photographe et lui faisaient, du
coin de l'œil, des petits signes d'amitié. Melchior
expliqua tranquillement à son neveu qu'il avait
déjà pris plusieurs clichés d'elles. Il les suivait de
foire en foire, dans leurs déplacements, aux environs. Le soir, s'étant enfermé avec Henri dans son
cabinet noir, après qu'ils eurent développé les photographies du jour, Melchior lui montra un album
spécial, où il avait collé à part une série d'épreuves
particulières, tout une collection d'anatomies fémi-

nines et de tableaux vivants décolletés, qu'il gardait sous clef, afin que la pudeur d'Aricie n'en fût
pas choquée.

— C'est cocasse, dit Henri à sa jeune femme, en
lui parlant de cet album secret, quand ils se furent
retirés dans leur chambre, voilà l'oncle Melchior
qui découvre des horizons neufs ! A son âge !
Si je ne le connaissais pas pour un homme sage,
je pourrais croire qu'il se dérange !

*
* *

Aricie avait beaucoup d'affection pour sa nouvelle
nièce, Jeanne Brun, la femme d'Henri. Certainement, elle lui savait un grand gré de rendre son
Henri heureux, d'avoir prolongé sa lignée, en lui
donnant un fils, et à elle-même un petit-neveu
dont les gazouillements la ramenaient à bien des
années en arrière, aux impressions du temps qu'elle
servait de maman au petit Henri, de Toulouse !
Mais ce qui comblait de plus d'aise encore la vieille
Aricie, c'est que la jeune Mme Brun avait à un très
haut degré le sentiment de la famille. Elle écoutait
avec tant d'intérêt les récits de la vieille fille ! Elle
montrait tant d'affection aux parents inconnus,
quand bien même ils étaient morts depuis longtemps,
dont Aricie rappelait si minutieusement les mœurs,
les caractères, les visages ! Le cœur d'Aricie était
une véritable nécropole, où chaque tombe était
journellement entretenue et fleurie avec piété.
Par sa parole, à tout instant, elle suscitait le souvenir des siens, en sorte qu'ils n'avaient pas cessé
d'être présents dans la pensée des vivants, grâce
à ce culte. Douce et bonne, patiente avec charité,
Jeanne, en dépit de son ennui, prêtait un esprit

attentif aux remembrances d'Aricie. Et, de même,
elle avait aussi fait la conquête de la plus vieille
tante Estelle, se pinçant parfois, aux heures si
longues des veillées pour ne pas s'endormir de monotonie. Afin de faire honneur à sa nièce, Aricie
l'emmenait chaque jour en voiture, visiter quelque
ancienne amie de la famille, habitant un faubourg
pauvre de Bordeaux, et, dans son couvent, la fille
de Julie Jouvenet, la religieuse ; ou bien courir les
fournisseurs, suivant l'usage accoutumé. Le souci
d'une politesse excessive, la crainte de paraître manquer à son devoir d'hôtesse en laissant sa nièce
seule un instant, joints à un despotisme affectueux,
mais sans rémission, né de l'habitude de diriger
depuis si longtemps toute chose en la maison,
imposaient chaque jour à Jeanne le programme
réglé d'avance d'Aricie. « Ma fille, aujourd'hui, nous
ferons ceci... Nous irons là... Nous verrons un tel...
J'ai commandé la voiture pour telle heure... »
Longues journées mornes ! Provincial ennui pour
une jeune Parisienne, et femme d'artiste, habituée,
quoique bourgeoise, à plus de fantaisie et de liberté
dans la vie !... Mais elle était récompensée dans son
bon cœur, par la confiance ouverte de la pauvre
fille. Aricie avait une amie dans sa nièce ; pour la
première fois de sa vie, elle pouvait se libérer
de toute sa tendresse refoulée, où perçait parfois
quelque secrète pointe de chagrin. A mi-mots,
avec une pudeur souriante et bourrue, elle laissait
apercevoir à qui le pouvait comprendre le vide de sa
destinée, l'amertume de sa vie gâchée, le poids des
sacrifices mal payés par l'humeur des uns ou l'indifférence des autres. Et quand elle en venait au
point qu'elle estimait qu'une plus complète confidence aurait pu paraître indiscrète, elle soupirait ;

un regard mouillé disait le reste, et Aricie, heureuse
enfin de sentir près d'elle une affection, une sympathie intelligente, serrait doucement la main de
la jeune femme, et concluait avec un sourire timide :

— Ma fille, vous me comprenez?

Quelquefois, au rythme lent de la voiture, sa
confidence s'exhalait, vague, tout en repentirs,
en reprises, comme si, une fois mise en train de parler
enfin d'elle-même, Aricie ne parlait plus qu'à soi-
même, pour se consoler de ses bontés perdues,
de ses abandons faits sans joie dès lors qu'ils ne
sont plus des abandons, mais des choses dues, obli-
gées, de ses longues peines, de ses fatigues au service de ses parents Coutre...

— Il y avait des jours, j'étais si lasse que j'avais
envie de me coucher par terre... de ne plus bouger,
de dormir, de laisser passer les heures, avec leurs
soucis et leurs tâches... Et puis, une pensée tout à
coup me faisait lever, et il fallait marcher, marcher
encore. Un enfant criait, l'oncle appelait, c'était
la sonnette de ma tante... Et j'allais, j'allais...
Jamais un sourire, un merci... Jamais un visage
content... Ce n'étaient pas des gens méchants, non.
Mais ils étaient rudes et orgueilleux. Ils auraient cru
se diminuer, jeunes et vieux, en paraissant aimables...
Ma pauvre tante Estelle n'était pas comme cela,
mais elle l'était devenue, auprès de ces Coutre...
Il y avait toujours le souvenir des mauvaises affaires
de Paul... Cela m'humiliait... Il n'y avait que le
pauvre Marcelin qui était aimable, lui... Mais il
n'aimait pas la dispute ; alors, quand il y avait de
la criaillerie, il se taisait, il allait fumer son cigare
sur le balcon. Quand nous parlions un peu, tous les
deux, que nous étions seuls, il me prenait les mains,
il me disait : « Vous, Aricie, vous êtes une sainte ! »

Il n'avait pas été toujours heureux avec la pauvre
Julie. Elle avait souvent le caractère difficile... Une
sainte ! Oh ! je savais bien que je ne l'étais pas, que
j'étais bien loin d'en être une... J'avais aussi mes
petits moments de mauvaise humeur, et les vraies
saintes n'en ont pas... Enfin !... Mais tout de même
cela me faisait plaisir d'être approuvée...

Voilà le grand mot lâché. Être approuvé ! C'est
la récompense de ceux qui peinent. De la sorte, si
lourd, si long qu'il ait été, l'effort est payé, parce
qu'il n'a pas semblé inutile à tous, et que du moins
quelqu'un l'a vu et l'a trouvé bon. Aricie, qui n'avait
pas été gâtée de remerciements, se souvenait avec
orgueil des encouragements de Marcelin. Peut-être
alors dans sa vieillesse, au déclin de sa vie altruiste,
elle faiblissait, regrettant de ne pas avoir saisi sa
chance de bonheur, quand une fois elle en avait
été maîtresse, et, pouvant choisir, avait choisi la
tâche la plus héroïque. Douter si l'on a eu raison
d'être vertueux ! C'est la plus grande épreuve...
Puis Aricie se reprenait. Les vieux ressorts de sa
fierté se retendaient en elle ; elle respirait avec
délices l'enivrement du stoïcisme, et s'excitait
encore à la vertu.

— Ce que l'on fait, on ne le fait pas pour obtenir
une récompense. On le fait parce que c'est utile,
et parce qu'il le faut...

Et cependant, elle avait foi encore ; elle continuait
de croire à la possibilité d'une consolation qui eût
été sa récompense. Jeanne Brun fut, avec Melchior,
la seule personne auprès de qui Aricie s'ouvrît du
grand rêve qu'elle avait formé, du seul espoir qui
lui restât, depuis qu'elle avait vu mourir tout le
monde autour d'elle. La tante Estelle était bien

âgée ; elle ne vivrait pas toujours. Quand elle
viendrait à disparaître, sa fortune, la maison de la
Souys, la maison de commerce passeraient aux
mains de sa petite-fille Martendon. M. Martendon
en était déjà, virtuellement, le chef. Mme Coutre
morte, Melchior prendrait sa retraite ; il l'avait
retardée par égard pour la vieille tante. Une fois
celle-ci disparue, Melchior et Aricie quitteraient la
Souys, où les Martendon entreraient en maîtres.
A de certains détails, au ton d'autorité de Martendon,
à son quant-à-soi ferme, délibéré, on pouvait prévoir des changements dans la maison ; et bien que
Louise se fût toujours montrée affectueuse et dévouée, Aricie sentait bien qu'il vaudrait mieux pour
tout le monde qu'elle se retirât avec son frère. Et
voilà le rêve si longuement formé et caressé dans
son cœur : Melchior et elle iraient finir leurs jours
à Bordeaux, non loin de cette rue Sainte-Catherine
où avait été le berceau des siens. Ils y auraient
une petite maison, leur petit ménage. Ils achè-
veraient doucement ensemble leur existence si
unie. En exprimant les humbles mots qui donnaient une figure à ce désir, Aricie qui n'avait
jamais connu le bonheur de s'appartenir et d'avoir
enfin son chez-soi, était si émue que les larmes lui
venaient aux yeux. Elle n'achevait pas la phrase
commencée. Elle prenait la main de Jeanne, la
couvrant de son regard embué :

— Ma fille, vous me comprenez?...

Et Jeanne comprenait et baisait la main ridée de
la pauvre femme.

— Ce cher Melchior ! disait Aricie... Toujours
dans sa photographie ! Je suis bien contente de le
voir se distraire un peu. Il l'a bien gagné... Si vous
saviez comme il est bon ! C'est le portrait de votre

beau-père... vous ne l'avez pas connu... Ils se ressemblaient. Mon frère Paul lui ressemblait aussi.
Ah! celui-là... S'il avait vécu!... Comme il eût été
fier de votre Henri! Comme vous l'eussiez aimé!...
Oh! ce sera bon, nous deux, Melchior et moi, dans
notre petite maison... Je le soignerai bien, vous
savez... J'aurais fait une bonne maman.

Dans sa joie, à l'idée d'aller vivre seule avec son
frère, un scrupule soudain remplissait la trop délicate Aricie.

— Au moins, Jeanne, n'allez pas croire que je
désire la mort de ma bonne tante... Juste ciel!
Qu'elle meure le plus tard possible!... Mais après...

— Non, ma tante, je ne le crois pas un instant,
disait en riant Jeanne Brun; je sais bien que
vous ne désirez la mort de personne! Je vous comprends bien...

*
* *

Dans l'hiver de 1905, Estelle Coutre, qui ne souffrait pas de feu dans sa chambre, prit un refroidis-
sement à sa toilette. Elle avait quatre-vingt-quinze
ans. Il fallut beaucoup de cérémonie pour la con-
traindre à garder le lit. Ce fut sa petite-fille qui
l'obtint; et, pour soulager Aricie, malgré ses récri-
minations, Louise Martendon décida qu'on prendrait une garde. Il en vint une, appelée Mme Dragon,
femme accorte, entendue, sans âge, à l'œil fulgu-
rant, qui portait au coin du menton un grain de
beauté orné d'une petite touffe de poils noirs. Elle
s'installa dans la chambre de Mme Coutre, la veilla
bien, avec dévouement. Familière et enjouée, aux
petits soins, elle resta deux mois à la Souys. La semaine qu'elle devait partir, Mme Coutre étant réta-

blie, Melchior Brun se plaignit d'une douleur au
cou. Le médecin diagnostiqua un zona. Il en pourrait
venir d'autres, par là suite. Melchior, qui n'avait
jamais été malade, s'effraya. Mme Dragon s'offrit
à rester quelques jours encore pour le soigner ; il
fallait poser des vésicatoires. Aricie ne s'y entendait
pas. L'offre de la garde fut acceptée par tout le
monde avec reconnaissance.

Une fois le zona guéri, le départ de Mme Dragon
fut suivi de plusieurs sorties prolongées de Melchior
qui étonnèrent Aricie. L'hiver n'était pas achevé.
D'habitude, le vieux Brun, qui craignait le froid,
ne sortait jamais, en cette saison. Et quoiqu'il fût
toujours passionné pour la photographie, il attendait généralement les beaux jours pour partir en
expédition, son appareil en bandoulière. L'étonnement d'Aricie ne devait pas durer longtemps. Une
huitaine seulement après le départ de Mme Dragon,
Melchior entra un matin dans la chambre de sa
sœur, comme il avait coutume, afin de l'embrasser,
avant de se rendre au comptoir. Mais cette fois, il
s'assit, et dit, en souriant d'une manière bizarre :

— Assieds-toi, ma sœur, je te prie. J'ai à te parler.

Aricie s'assit en regardant Melchior. Son air intimidé l'inquiéta.

— Parle, je t'écoute. Qu'as-tu ? Tu n'es pas bien ?

— Si fait, dit Melchior placidement. Je me
porte à merveille. J'ai à t'apprendre quelque chose.
Tu vas être étonnée.

— Bon. Dis toujours. On verra bien.

— Eh bien ! ma sœur, je viens t'apprendre mon
mariage.

Aricie pâlit tout d'un coup. Sa première idée
fut que Melchior était fou.

— Ton mariage ? Tu plaisantes...

— Je ne plaisante pas, repartit Melchior. C'est
sérieux. J'ai bien réfléchi. Oh! n'aie pas peur, je
n'épouse pas une jeunesse. Ce petit accident du
mois dernier m'a averti. Je ne suis plus jeune,
j'ai soixante-quinze ans sonnés. Tu es mon aînée,
la vie n'est pas éternelle. Que deviendrais-je si tu
venais à mourir avant moi? J'ai réfléchi. Il me faut
une femme raisonnable, qui tienne ma maison
quand nous aurons quitté la Souys..., qui me soit
dévouée, qui me soigne... Enfin, c'est décidé. Je me
marie.

Aricie connaissait son frère. Le ton dont il avait
dit ces mots : « C'est décidé » lui fit concevoir la
réalité, si invraisemblable qu'elle pût être. Melchior
n'était pas fou du tout. Il exprimait seulement le
résultat d'une réflexion longue et concertée. La tête
tournait à Aricie. Elle comprit qu'il n'y avait pas
à discuter, et dit simplement :

— C'est bien.

Après un silence :

— Tu ne me demandes même pas qui j'épouse?
fit M. Brun.

— C'est vrai, j'oubliais. Est-il indiscret?...

— Du tout... C'est Mme Dragon.

— La garde?

— Elle-même, dit Melchior. C'est une bonne
personne.

Il se tut un instant, et sortit sa raison profonde :

— Je serai soigné.

Aricie ne répondit rien. Mais, un peu plus tard,
comme si elle parlait en rêve, sans croire encore à
l'extraordinaire nouveauté de ce qu'elle venait d'entendre :

— As-tu fait part de ta décision à notre tante?
demanda-t-elle.

Melchior Brun prit son nez dans la main, et hocha le front. C'était signe, chez lui, de perplexité. Il avoua, comme un enfant :

— Non. Pas encore.

Cet homme de soixante-quinze ans avait peur de sa vieille tante. Il le dit, sans nulle vergogne :

— Je n'ose pas.

En venant faire part à sa sœur de la décision si peu prévue qui bouleversait leur existence, ce qu'il était surtout venu chercher, près d'Aricie, c'était un conseil et une aide. Il l'exposa avec inconscience.

— Ma bonne sœur, c'est un service que je te demande. Il faut que tu préviennes tante Estelle. Le veux-tu?

Aricie posa son regard sur son frère. Et pour la première fois de sa vie, refusant de rendre un service à qui le lui demandait, pâle de cet effort unique, mais cependant ferme, elle dit :

— Non.

* *

Au jugement des personnes qui croient à la loi de continuité des caractères, le mariage à soixante-quinze ans de Melchior Brun et le changement radical qu'il opéra dans la vie, les habitudes et les sentiments de cet homme régulier, méthodique, ennemi né des aventures et totalement dépourvu d'imagination, paraîtra difficilement explicable. Les faits, souvent, échappent à la logique. Il faut les accepter comme tels, et admettre qu'ils n'ont d'autre vraisemblance que leur réalité, quelque absurde qu'elle puisse paraître. Melchior n'avait rien d'un fou ; c'était seulement un vieillard. Il avait donné à Aricie la véritable et profonde raison de sa résolution tardive : « Je serai soigné. » Il eût pu y songer

plus tôt ; il ne l'avait pas fait, s'étant toujours fort
bien porté. La vue de sa vieille tante alitée, l'idée
de sa prochaine disparition possible, l'accident du
zona, venu pour la première fois apporter dans son
existence l'avertissement mystérieux de la maladie,
suffirent à le retourner complètement. Il se mit à
penser à lui. Par son habileté à soigner des vieillards,
Mme Dragon acheva l'œuvre de séduction commencée dès le premier jour par cette bonne joueuse
intrigante, qui sut aussi éveiller l'inquiétude du
vieux garçon en agitant à son esprit les effrayants
fantômes de la solitude, et, sans en avoir l'air, souligna la différence d'âge qui séparait Melchior de
sa sœur Aricie. « Si ma sœur mourait avant moi ? »
se dit Brun. Il n'entra pas d'autre calcul dans sa
détermination, sinon cette pensée réconfortante,
salutaire à ses yeux : « Je serai soigné. » Ces mots
magiques expliquent tout, à commencer par l'extraordinaire force de volonté subitement déployée
par cet homme dont toute la vie semblait jusque-là
n'avoir été faite que pour prouver qu'il n'avait pas
de caractère. Il lui en fallut une somme énorme
pour se décider si rapidement et triompher des
obstacles que cette décision faisait naturellement se
lever avec elle. Le premier avait été le refus d'Aricie
à intervenir auprès de Mme Coutre. Ce fut donc
Melchior qui dut lui-même faire part à sa tante
de son invraisemblable projet. Estelle Coutre, indi-
gnée, refusa formellement son consentement au
mariage de son neveu, tout de même que s'il se fût
agi de s'opposer aux fantaisies d'un galopin de dix-
huit ans. Bien que l'événement fût pénible, et par
ses suites même épouvantable pour les vieux habitants de la Souys, ce drame de famille eut son
épisode gai : ce fut, lorsque, en dépit de son âge,

Melchior, pour triompher de Mme Coutre, l'avertit
qu'il aurait le chagrin de recourir aux sommations
respectueuses. D'autre part, Aricie, bouleversée,
vivait enfermée dans sa chambre, toute en larmes,
partagée entre sa honte et son chagrin. La défail-
lance de sa sœur fut l'épreuve la plus pénible que
Melchior eut à supporter. Il avait beaucoup compté
sur elle, dans son égoïsme enfantin. Que cette
sœur chérie l'abandonnât à ce tournant difficile,
il en éprouva une sorte de déception scandalisée,
qui, d'ailleurs, le servit grandement ; car dès cet
instant qu'on s'opposait à son projet, il se considéra
comme une victime, et en devint aussitôt plus
fort. L'unanimité contre lui, à la nouvelle de son mariage, — d'abord retardée par Aricie, qui, un temps,
espéra que son frère ne persisterait pas dans une décision aussi folle, mais que, devant la ferme volonté
de Melchior, il fallut enfin se résoudre à faire connaître aux neveux de Toulouse et de Paris, — l'unanimité fut complète, quoique diversement exprimée.
Les neveux toulousains de Melchior lui en mar-
quèrent de l'étonnement, mais sans plus, à peine
mitigé par l'espérance que son mariage ne l'empê-
cherait pas de songer à régler la situation d'Aricie.
Ils achevaient leur lettre par des vœux pour le
bonheur matrimonial de leur oncle. Par contre,
Henri Brun lui écrivit une lettre digne et désolée,
en même temps qu'il en expédiait une autre à Aricie,
furieuse et tout de premier mouvement, celle-là,
où il exhalait son mécontentement, sa déception ;
l'oncle y était jugé sévèrement. Par malheur,
le pétulant Henri se trompa d'enveloppe, et, tandis
qu'à la Souys Aricie recevait la missive destinée
à l'oncle, le même courrier apportait à Melchior
la lettre adressée à la tante. Melchior Brun y put

considérer au naturel l'effet qu'avait produit dans
la famille l'annonce de son mariage. On n'a pas toujours une aussi bonne occasion de savoir ce que les
gens pensent de vous. « Mon père en rougirait dans
sa tombe », put lire Melchior ; et d'autres mots peu
agréables, où, sans ménagement aucun, « cette folie
d'un vieillard égoïste », « cette honteuse insanité »
étaient qualifiées comme elles méritaient de
l'être, il est vrai. M. Brun renvoya la lettre à son
neveu avec le conseil ironique de faire attention aux
erreurs d'enveloppe, et cette consolation finale :
« Si c'est à cause de mon héritage, ne te désoles pas.
Mon mariage n'y change rien. Il y a dix ans que j'ai
mis mes quelques sous en viager. »

Le mariage eut lieu environ six semaines après
que Melchior en eut touché le premier mot à sa
sœur. Aricie y assista, seule, avec un frère de
Mme Dragon, bandagiste. Les témoins étaient, pour
le marié, le caissier principal de la maison Coutre,
et, pour la future Mme Brun, une de ses consœurs,
infirmière. La cérémonie terminée, les époux se
retirèrent chez eux. Melchior avait loué à Bordeaux, quai de Paludate, un appartement où il
avait fait apporter, de la Souys, les meubles qui
lui appartenaient, qui lui venaient de ses parents.
Comme ils n'avaient jamais fait l'objet d'un partage, entre Melchior et Aricie, il fallut s'y décider
tardivement. Aricie s'y prêta, dans l'indifférence.
Elle laissa son frère choisir ce qui lui conviendrait
le mieux. Quand les meubles furent descendus, Melchior alla prendre congé de sa tante Coutre. L'aveugle
avertit Melchior qu'elle le dispensait dorénavant
de toute sorte de visite, et qu'elle désirait surtout
ne plus entendre parler de celle qui n'était pour elle
et ne serait jamais que Mme Dragon.

Après que M. et Mme Melchior Brun eurent pris congé de leurs témoins, Aricie revint s'asseoir dans l'église, où elle demeura longtemps, sans prier, abîmée en ses réflexions, repassant les dates importantes de sa vie, marquée de déceptions, symétriquement, de place en place : son mariage manqué, à vingt ans, son amour pour Marcelin Jouvenet, son inutile sacrifice, la mort de tous ceux qu'elle avait chéris, les mauvaises affaires et la déconfiture de Paul, le mariage insensé de Melchior. Elle revint le soir à la Souys, à pied, malgré son âge et la distance. Son dernier rêve était brisé. Elle ne finirait pas ses jours avec son frère.

Plusieurs mois, elle ne le revit plus. Elle avait décliné la proposition, d'ailleurs transmise par la nouvelle Mme Brun, de venir habiter chez eux, quai de Paludate. C'était une idée de Melchior, tardivement germée dans ce cerveau lent : « Pourquoi Aricie n'habiterait-elle pas avec nous? » s'était-il dit. Ainsi elle eût pu réaliser leur fraternel projet. Il ne s'expliqua son refus que par une lubie. « C'est elle qui ne l'a pas voulu », conclut-il.

Prise de scrupule, à la fin, Aricie se décida à aller rendre visite à son frère. Elle le trouva dans son nouvel appartement, confortablement installé, bien au chaud, très douillettement. Melchior la reçut dans sa chambre. Aricie rougit en voyant le lit, large, agressif, au milieu de la pièce, où s'étalaient insolemment deux oreillers, avec un énorme édredon. Il y avait des fleurs en papier dans des vases, sur la cheminée, des ronds de sparterie sous les chaises, et un phonographe sur une table.

— Je croyais que tu n'aimais pas la musique, dit timidement Aricie.

— Je l'aime à présent, fit Melchior. Nous avons

concert tous les soirs. Sarah sait très bien faire
marcher cet instrument.

Mme Brun (Sarah) proposa d'en faire entendre
un morceau. Elle mit un disque, remonta l'appareil
et poussa le déclic. C'était une chansonnette comique. Aricie écouta ce refrain vulgaire avec un
serrement de cœur. Melchior souriait béatement.
Mme Brun pouffait, aux passages drôles, comme si
on l'avait chatouillée. Elle offrit un second morceau :
Aricie s'excusa ; elle avait un peu la migraine. Alors
Sarah lui présenta un biscuit, avec un petit verre
de madère, et appela Aricie sa sœur. Aricie n'osa
pas le refuser ; mais elle avait la gorge si serrée qu'elle
ne put qu'y tremper les lèvres, et laissa le biscuit
entier sur la soucoupe. Au moment où elle se levait
pour prendre congé, Melchior lui dit avec bonne
humeur :

— Tu n'as pas vu mes nouvelles œuvres !

Il ouvrit un gros album de photographies prises
en différents endroits de l'appartement. Mme Brun
figurait sur chacune d'elles. C'était une petite femme
rondelette, alerte, avec des mines et l'œil en cou-
lisse. Elle avait un fort accent de Bordeaux, des
rires brefs. Tous ses propos respiraient, sous la
politesse affectée et les intonations affectueuse-
ment apitoyées, l'ironie lourde et la double entente.
Et près de son vieil époux, elle feignait une protection désabusée.

— Il est vieux, disait-elle en lui tapotant la
joue ; il a besoin de soins, ce pauvre Melchior... Melchior, dis à ma sœur si tu n'es pas bien soigné par ta
petite femme?

Et à Aricie, avec un air de féminine complicité :

— Je vous le dorlote, vous savez !

Le soir, en revenant à la Souys, Aricie ne dit pas

à sa tante Coutre quel avait été l'emploi de sa
journée. Maintenant, depuis le départ de Melchior,
les Martendon s'étaient installés auprès de leur
grand'mère Coutre. A table, dépossédée des soins
du ménage, Aricie avait retrouvé sa place au bas
bout, qu'elle occupait du temps de Prosper et du
père Lesprat. Elle s'en trouvait un peu diminuée,
mais on la servait, à présent, la première après
tante Estelle. Elle ne pouvait s'accoutumer à ces
préséances : l'honneur lui en faisait concevoir qu'elle
était devenue inutile. Mais ces préoccupations passaient pour elle au second plan. Une chose nouvelle
l'étonnait, dont elle ne faisait part à personne.
Sa pensée était toute à son frère, à sa nouvelle vie.
entrevue dans cette visite. Elle se formulait à elle-
même son étonnement :

— C'est inconcevable. Il est très heureux !

IV

Aricie avait bien baissé depuis qu'elle ne se
savait plus utile. Brusquement, elle connut l'âge
et son poids, dans son repos subit, sans transition.
Elle était pareille à ces vieilles servantes, usées à la
tâche, qui ont mal aux jambes dès qu'elles s'as-
seyent, et ne sentent leur fatigue que lorsqu'elles
s'arrêtent ; comme les sacs, soudain si lourds aux
épaules des soldats, au moment de la pause, quand
ils les jettent d'un coup de reins, après une longue
marche, au revers du fossé qui borde la route.
Aricie ne se faisait pas à l'oisiveté. Louise Martendon avait pris la direction du ménage, possession
de la maison. C'était une femme de tête, très active ;
avec l'autorité des êtres jeunes, elle avait affirmé,
dès les premiers temps de son installation à la Souys,
l'avènement d'un nouveau règne, jaloux de ses pré-
rogatives. Aricie en fut très piquée. On n'a pas,
pendant si longtemps, donné le pli à une maisonnée,
réglé, ordonnancé sa tradition, pour souffrir sans
heurt d'en voir abandonner les vieux usages, la
coutume. Il y eut d'imperceptibles froissements,
dont pâtit le caractère de la vieille fille. Elle sentait,
derrière sa petite-nièce, une volonté rigide, étrangère, celle de Martendon, peu souple, nouveau venu
dans la famille, moins enclin à en adopter aveu-

glément les manières et le ton. Quelque chose échappait à Aricie, et elle en était, sans l'apercevoir, irritée. Elle se plaignait, quelquefois, de son estomac, de ses jambes. On avait cependant des égards pour elle. On voulait qu'elle se reposât, on la dorlotait. L'idée de ce repos forcé l'agaçait souvent : était-elle malade? Louise Martendon l'aimait bien ; elle se souvenait des bons soins qu'elle en avait reçus dans son enfance, sa jeunesse ; prudemment, elle adoucissait les angles, entre la vieille tante et la génération nouvelle, à travers la maison rajeunie. Le matin, on portait son petit déjeuner à Aricie dans sa chambre. Mais chaque fois la domestique la trouvait levée, déjà prête, coiffée, vêtue, irréprochable. Après qu'elle avait déjeuné, elle allait voir la tante Estelle, qui, jusque vers midi, restait couchée. Elle s'informait de la façon dont elle avait passé la nuit. Puis, s'installant à côté d'elle, elle tricotait. Si l'aïeule émettait un désir, une opinion relativement à la maison, Aricie, touchée au point vif, se récusait : c'était à Louise qu'il fallait parler, elle ne s'occupait plus de rien, elle avait rendu toutes les clefs. Ce mot de clefs revenait souvent dans l'exposé de ses menus griefs ; depuis qu'elle n'en détenait plus le multiple trousseau, insigne de son empire ménager, elle nourrissait, de leur perte, un ressentiment exagéré. Elle aurait pu beaucoup se plaindre de la destinée, de ses malheurs profonds et sérieux. Elle n'en disait rien, elle en acceptait l'amer souvenir stoïquement, et portait sans broncher sa lourde couronne. Toute sa rancune, enfantinement, naissait de ces seules clefs dont on lui avait retiré l'usage. N'ayant plus rien à faire, elle s'ennuyait. Elle ne pouvait pas lire, à cause de ses yeux affaiblis ; et bien qu'elle fût ins-

truite par la vie, et d'un esprit vif, elle continuait à
considérer la lecture comme un luxe auquel elle
n'avait pas droit. Les premiers temps, elle se surprit plusieurs fois se dirigeant vers la chambre de
Melchior, comme elle avait naguère encore accoutumé ; et l'inutilité de cette démarche la saisit.
La chambre était demeurée vide. L'odeur lui en
faisait trop de peine : une odeur composée du
parfum d'un certain savon et d'eau de Lubin,
dont Melchior se servait, qui était restée accrochée
aux rideaux, aux tentures. Rien que pour cette
odeur, qui rappelait une présence disparue, Aricie
cessa d'entrer dans l'ancienne chambre de son frère.

Elle n'avait plus d'enfants à surveiller. Les jeunes
Martendon étaient élevés à l'anglaise, à part. Louise
en était très jalouse. Elle avait ses idées sur l'éducation, comme sur toute chose, et ne trouvait pas
bon que les vieilles personnes s'en mêlassent.

D'autre part, comme Mme Coutre ne sortait plus,
le vieux cocher Pierre étant mort, on ne l'avait pas
remplacé. On avait vendu les chevaux. Il n'y avait
plus qu'un coupé, réservé aux seuls Martendon.
Aricie n'allait que très rarement à Bordeaux ; et
dans ces occasions, pour s'y rendre, elle prenait le
tramway qui, maintenant, longeait le quai, desser-
vant la Bastide, le quai Deschamps et la Souys.

Dans cette vie nouvelle, si différente de celle
qu'elle avait menée jusque-là, toute l'activité
d'Aricie ne trouva plus d'aliment que dans l'inten-
sité de la vie affective. Quand elle tricotait, de ses
doigts agiles, sans repos, de longues heures, auprès
de sa tante engourdie, ou bien silencieuse à l'écart
dans sa chambre, son esprit tricotait aussi. Une
mémoire indéfectible fournissait à sa rêverie tant
d'idées, de sentiments, de souvenirs, de menus

fait crus oubliés, et qui, l'un par l'autre accrochés,
revenaient sans cesse, reformant, renouant inlassa-
blement les mailles serrées d'une existence entière,
comme une tapisserie pénélopéenne et sans fin !
Tantôt un visage lui apparaissait, groupant autour
de lui mille souvenirs jaillissants, actifs et chargés
d'amour, de regrets, de mélancolie. Tantôt c'était
un mot qui ouvrait les portes longtemps fermées
de la mémoire antérieure, et prolongeait dans le
passé de lointaines et profondes perspectives :
le nom d'une rue à Bordeaux, celui d'un village,
telle promenade autrefois faite, une visite, mille
circonstances obscurément engrangées dans les
arcanes mystérieux de l'esprit et du cœur, pour que
le cœur et l'esprit s'en repaissent, si avidement,
aux longues heures du déclin. Les morts eux-mêmes
ressuscitaient, au hasard d'une liasse de lettres
qui sommeillaient dans le « sacré », à la vue d'un
bibelot posé sur une commode, d'un daguerréotype pendu au mur..., tout un petit monde aboli,
retrouvé complet et compact, au fond du cœur,
comme une source vivante sous des ruines.

Et bien qu'elle ne pensât pas à sa mort, quoiqu'elle fût âgée, et peut-être à cause qu'elle était
âgée, Aricie se disait qu'un jour ce monde s'écrou-
lerait et disparaîtrait avec elle. Le mystère de la
vie et de la mort lui apparaissait alors dans sa tran-
quillité terrible, où sa pensée venait buter du front
comme sur un mur. Elle n'écartait pas, systématiquement, en philosophe, l'émouvant problème. Sa
raison lui faisait concevoir l'inutilité de la révolte ;
d'autre part, elle n'était pas assez savante pour en
discuter avec elle-même. Elle se contentait d'accepter. Là encore, le petit mot bref qui avait été
la règle de toute sa vie résignée lui apportait, sinon

l'explication des choses que ne peut percevoir
l'humaine raison, du moins la paix nécessaire et le
suffisant secours contre les révoltes vaines : « C'est
ainsi. »

Elle était chrétienne. Son père et sa mère l'avaient
été. Elle ne mettait pas en doute, par humilité,
exacte connaissance de sa nature infime la vérité
évangélique et l'enseignement sédatif de l'Église.
Elle allait chaque dimanche à la messe, et n'omettait
aucune fête, communiait, suivait les prescriptions
de sa religion familière. Cependant, il était des
choses qu'elle ne comprenait pas ou trouvait in-
justes, dans l'Évangile. Elle n'avait jamais entendu
sans un certain serrement de cœur le récit des
Noces de Cana, où Jésus repousse sa mère et paraît
établir une distinction cruelle entre la royauté de
l'esprit et l'humaine tendresse du cœur, quand il
dit l'altière parole : « Femme, qu'y a-t-il de commun entre vous et moi ? » Un autre endroit des textes
sacrés demeurait aussi pour la pauvre fille un sujet
de pieux scandale. C'était l'évangile de Marthe et
de Marie, bien fait, s'il est pris au pied de la lettre,
pour remuer de l'amertume au cœur naïf des ména-
gères. Tandis que Marthe s'occupe du repas du
Maître et prépare tout ce qu'il faut dans la cuisine,
Marie aux mains blanches, se tenant assise à ses
pieds, écoute la parole du Seigneur, qui n'a, pour
remercier sa sœur laborieuse de ses peines, que ce
mot qu'elle trouve dur : « Vous vous fatiguez du
soin de beaucoup de choses ; c'est Marie qui a choisi
la meilleure part. »

« Sans doute, pensait Aricie ; mais choisit-on toujours celle qui reste ? » Toutefois, pour ne pas mettre
en débat la justice des leçons de Dieu, elle concluait
humblement : « Ce doit être ainsi, puisque Dieu l'a

dit. Ce ne peut être qu'une épreuve nouvelle ajoutée
aux autres. »

*
* *

Pour utiliser ses loisirs, les neveux d'Aricie la
décidèrent à prendre enfin quelques vacances.
Après beaucoup de perplexité, elle accepta l'invitation qu'ils lui faisaient. Une année, elle alla passer
trois mois chez les Toulousains, au milieu d'une
jeune et riante troupe de jolies nièces. L'année
qui suivit, elle vint à Sèvres, où les Brun de Paris
louaient, pour le printemps et l'été, une villa. Aricie
ne s'y trouvait pas dépaysée. Elle était reçue avec
affection et respect, comme une aïeule vénérable,
dans la maison de son cher Henri fidèle au passé, et
qui déjà prenait plaisir à parler longuement, chaque
soir, des plus beaux jours de sa jeunesse heureuse.
Chacun de ses propos fermentait comme un frag-
ment de levain dans l'esprit de la vieille tante ;
à son appel, toute une vie abolie renaissait par une
floraison soudaine, abondante en histoires, anecdotes, portraits et figures, tantôt touchantes,
tantôt drôles, avec un parfum vieillot, comme il
en émane des antiques armoires longtemps fermées,
réouvertes. Gravement attentif, les deux poings
aux joues, un petit enfant écoutait ces histoires d'un
temps passé, et, les yeux fixés sur le si doux visage
de la narratrice, emplissait sa tête légère des images
que ses paroles faisaient naître. C'était, sous le tendre
regard maternel, le fils d'Henri, Jean-Pierre Brun.
Aricie adorait cet enfant rêveur à l'œil clair, ouvert
avec tant de confiance encore sur la vie. Elle l'aimait deux fois : parce qu'il était le fils d'Henri et
parce qu'il était le portrait frappant de son père,
tel qu'Aricie le revoyait, quand, près d'un demi-

siècle auparavant, elle le menait doucement par la
main dans le jardin de la Souys, ou bien promener
à Bordeaux, et, le soir, l'endormait lentement sous
la moustiquaire, de ses histoires répétées, les
mêmes qui lui revenaient maintenant pour charmer
ce petit-neveu. Penchée sur l'enfantin visage, elle
s'ingéniait à lui trouver des ressemblances, et,
par un trait, un regard, une intonation, la flexion
furtive d'un sourcil, à l'apparier ataviquement à
ses vieillards qu'elle nommait ; à renouer ainsi,
en toute chose, d'un fil ténu, le passé au présent
et l'instant aboli à l'avenir. Elle prenait l'enfant par
la main et le peuplait de ses fantômes. « Petit, dis,
tu te souviendras? Je te conte cela pour que tu te
rappelles, quand je ne serai plus là... pour qu'il y ait
quelqu'un qui se rappelle les pauvres vieux... »
Ainsi, docile à cette voix usée, l'enfant recevait
pour son premier apprentissage le doux enseignement du passé et le goût des visages et des choses
d'autrefois. Toute sa vie, fidèle aux voix qui avaient
bercé son enfance, il devait conserver l'impression
d'une assistance, et sentir autour de toutes ses
pensées, de tous ses gestes, le tutélaire et bienfaisant
conseil de ceux qui l'avaient précédé, qu'Aricie
avait su rendre vivants dans son cœur, quoiqu'ils
fussent morts depuis longtemps, et dont il continuait, à travers les âges nouveaux, la lignée.

Ainsi les morts font les vivants. Ainsi le passé
livre naissance à l'avenir. Ainsi la race des hommes
survit aux hommes mêmes. Et dans sa vieillesse
chenue, Aricie, aux termes de ses jours, trouvait la
consolation de sa vie manquée à découvrir la grande
loi de l'éternel recommencement des choses, à
cause d'un petit enfant au front et dans les yeux
duquel elle retrouvait les traits de sa mère endormie,

le regard de ses frères morts, et l'ardeur courageuse
de sa jeunesse à elle-même.

Dans les derniers temps de sa vie, à ceux qui la
voyaient pâle, blanchie, soyeuse et fanée, autoritaire et douce, d'esprit si net et si poli, avec ses
bonnes manières un peu brusques et qui dataient
déjà d'un autre temps, elle apparaissait comme l'antique vestale d'un foyer saint, le témoin d'un monde
effacé, résumant en elle toutes les tâches, les dé-
vouements, la bonté, les vertus, la conception haute
et digne de la vie, et, malgré son humilité profonde,
un modèle d'humanité supérieure, pleine d'œuvres
et de bon conseil, de sagesse, de mesure et de force
prudente, le type le plus élevé de cette société
bourgeoise dont elle avait été, dans la modeste
zone de sa cellule familiale, une des innombrables
et patientes chevilles ouvrières, si grandes d'être
anonymes.

*
* *

Aux vacances, Henri Brun, sa femme et Jean-
Pierre ramenaient à Bordeaux leur tante Aricie,
et passaient un mois auprès d'elle. C'est alors que
l'illusion d'Aricie était la plus complète ; la vie
recommençait vraiment pour elle quand elle pouvait remettre, avec Jean-Pierre, les pas dans les
pas ; le bonheur lui rendait des jambes, dès qu'il
s'agissait de découvrir à cet enfant et le décor des
histoires d'antan, si longuement contées à Sèvres,
et le beau plaisir des bateaux qu'on lance aux
chantiers de Lormont, et les si bons gâteaux du
pâtissier Charner, et les visites à la Belle Rose,
les merveilles diverses du port, du Jardin public,
du palais Gallien. Le soir, c'était elle qui couchait

le petit. Elle avait obtenu de sa mère de laisser monter son lit dans sa chambre. Avant que Jean-Pierre se déshabillât, elle lui montrait ses trésors, ouvrait le « sacré » mystérieux, étalait les petites boîtes, les bibelots, les images... Parfois aussi, elle lui remettait entre les mains le vieil album de chagrin gaufré, où dormaient les photographies jaunies, nommant à chaque page tournée, de leur nom démodé, Barthélemy, Omer, Estelle, Marcelin, tous ces parents d'un autre temps, inconnus, graves, vénérables, dignement appuyés contre des colonnes tronquées, se découpant debout devant des horizons de terrasses peints sur toile, et, mêlées aux parents, aux enfants, aux cousins, des célébrités qui n'appartenaient pas à la famille, rangées là on ne sait pourquoi, mais respectées d'Aricie, par égard pour la main, elle aussi fanée, qui les y avait un jour placées, dans sa fantaisie : le pape Pie IX, Rossini, M. Thiers, Sainte-Beuve, la famille d'Orléans, Fanny Essler, Mme Saqui... A la fin de l'album, il y avait l'arbre généalogique et ses rameaux étranges, chargés de cercles où s'inscrivaient des noms, des dates et des croix, toute une mystérieuse algèbre, où l'enfant, bientôt, se perdait... Aricie fermait ensuite le livre, et Jean-Pierre et la vieille fille faisaient ensemble leur prière, où les vivants étaient recommandés à Dieu. Puis, Jean-Pierre bordé dans son lit sous la moustiquaire, Aricie était enivrée quand elle entendait la petite voix suppliante qui lui disait : « Tantine, encore une histoire, tantine !... » Et Aricie alors, de sa mémoire rajeunie, tirait les récits sans fin qui l'avaient autrefois charmée, elle-même étonnée de retrouver si fraîche en elle la source des ravissements de l'enfance. C'étaient les fées, les magiciens, les prin-

cesses, les oiseaux bleus, les châteaux des bons
enchanteurs ; puis des aventures plus touchantes,
Robinson, Paul et Virginie, le beau Pécopin et la
belle Bauldour. A ces récits, la conteuse emmêlait
le fil de ses souvenirs, interrompait la rencontre de
Vendredi pour raconter au petit garçon le voyage
de son grand-père en Amérique, et comment, par
les nuits d'hiver, après son retour, elle descendait
dans la cour, s'il avait neigé, pour remuer les branches
du petit figuier que son frère Émile avait rapporté
de Californie, qu'on avait planté et qui avait
repris, mais dont il fallait secouer les feuilles char-
gées de flocons, à seule fin qu'il ne gelât pas. Elle
se montrait encore toute petite, avec ses frères,
jouant à Paul et Virginie, au milieu des barils et
des ballots de corde sentant le chanvre et le goudron,
dans la maison de la rue Sainte-Catherine. Et, de
sa vieille tête sans oubli, elle faisait sortir, pour
l'amusement du petit garçon, les physionomies
affectueuses et pittoresques de son frère Paul, du
grand-père Lesprat, de l'oncle curé, du jardin de
Floirac et du lièvre Nestor, telle autre cousine
à lunettes, et les amis de Paul, Rugendas, Cyrille
et Chicot, pareils dans l'esprit de Jean-Pierre aux
charmants bonshommes de Dickens, M. Pick-
Wick en redingote puce, Uriah Hipp, ou mistress
Meacawby... Quelquefois, l'enfant s'endormait, et
dans l'obscurité, vaguement éclairée par le faible
feu d'une veilleuse, la tante, remontée, continuait le
ressassement de ses souvenirs, sans s'apercevoir
que personne ne l'entendait plus... « C'était le bon
temps... J'étais bien heureuse... » Mensonges délicieux du souvenir ! Merveilleux prestige de l'éloignement ! Aricie finissait par se rappeler un bon
temps qu'elle n'avait pas eu, et se consoler des cha-

grins de sa vie manquée à l'évocation des bonheurs
qu'elle avait rêvés !

Une nuit, Jean-Pierre s'éveilla. Il eut peur,
soudain, d'une forme blanche entr'aperçue dans
les fantasmagories du demi-sommeil, mais l'effroi
l'empêcha de crier. S'étant réveillé tout à fait, il vit
Aricie assise, en chemise, à son secrétaire. Elle avait
ouvert son « sacré » et, à la lueur d'une bougie, elle
déchirait ses lettres d'amour.

*
* *

C'était une aventure longtemps méditée, dans le
secret, entre Aricie et son petit-neveu ; presque un
enlèvement. Et quand, après le déjeuner, la voiture
commandée par la vieille demoiselle vint s'arrêter
au long du trottoir, devant la maison du quai
Deschamps, il parut à tous que c'était une jeune
fille volant à son premier bal, tant le bonheur la
rendait alerte.

— Je vous enlève votre fils, dit Aricie, en riant,
à Jeanne Brun. Nous allons nous promener tous les
deux. Je vous le ramènerai... peut-être !

Ivre de la joie d'un secret, Jean-Pierre embrassa
sa mère et monta joyeusement dans la voiture.
C'était un beau jour de septembre, la voiture était
découverte. Aricie ouvrit sa petite ombrelle, et le
cocher toucha ses chevaux.

Ils longèrent le quai jusqu'au pont ; mais au lieu
de passer le fleuve, en tournant à gauche, ils traver-
sèrent, sur leur droite, la Bastide et prirent la grande
route qui mène à Floirac, par Cenon. C'était le
but de leur pèlerinage. Longtemps, Aricie en avait
rêvé. Obéissant avec ferveur, sans le savoir, à cette
loi de retour éternel qui pousse les fils des hommes

à revenir, ne fût-ce qu'un jour, une fois, aux endroits
où ils ont passé, à refaire les gestes qu'ils ont faits,
à redire les mots qu'ils ont dits, elle voulait revoir
l'humble village et le jardin du presbytère où elle
avait joué, dans son enfance, quand son oncle en
était curé. Mais, toujours, elle avait remis cette fête,
n'ayant jamais pu se décider à prendre un plaisir
toute seule. D'ailleurs personne à la Souys n'aurait
voulu l'accompagner ; personne ne l'y comprenait
plus, les enfants Martendon étaient des étrangers
pour elle, indifférents, comme les enfants, à tout ce
qui pouvait compter encore dans le cœur des gens
d'un autre âge. Alors, elle n'avait jamais parlé de
son désir d'aller revoir Floirac ; elle attendait une
occasion, le séjour des Brun à Bordeaux... Maintenant, sur la route ensoleillée qui la menait à ce village, le dernier bonheur d'Aricie illuminait ses
joues fanées d'une chaleur délicieuse. Lorsqu'à
un détour du chemin elle vit apparaître à l'horizon
les coteaux dorés de Cenon, aux pieds desquels
Floirac était niché, elle leva soudain les deux bras,
en poussant un cri de tendresse ; et au contact de
cette joie, Jean-Pierre aussi lança une exclamation
joyeuse. Alors, fouettée par l'idée de ce retour à
l'un de ses berceaux, Aricie fut comme envahie par
la marée montante des souvenirs, et, comme ils
venaient, du lointain des années, elle les exprimait,
avec une ardeur volubile, à l'enfant dont elle tenait
la main confiante dans les siennes.

— Tu verras !... Tu verras !... Oh ! comme je
suis contente !... Le presbytère où habitait l'oncle
curé, était à côté de l'église, en contre-bas, sur une
place. On soulevait contre la porte un heurtoir de
fer qui ressemblait à un battant de cloche. Il doit
y être encore. Et puis, il y avait un beau jardin,

très grand, avec de vieux murs, où nichaient de
petits rossignols de muraille... Tu sais, menus, gris,
un peu fauves, avec un col noir et des plumes rouges
sur la gorge. Il y avait un puits dans l'angle du jardin, le seau montait par une chaîne qui grinçait,
sur une roue... Quand on se penchait sur la margelle,
on s'apercevait au fond, tout petit, comme dans
un miroir de poche. Et puis, il y avait de si bons
fruits en espaliers, contre les murs. Mon oncle culti-
vait des melons... Il avait un lièvre savant, appelé
Nestor, qui faisait des tours. Je t'ai raconté son histoire, tu te la rappelles?... C'est l'archevêque de
Bordeaux qui l'a mangé, ce pauvre Nestor. Mon
oncle en est mort de chagrin!... Ce cher homme!
Il était si bon, si amusant! Il avait fait, de ses
mains, un chemin de croix, dont les figures avan-
çaient toutes seules, sur une rigole... tu verras... Oh!
je me souviens bien. Il y avait de beaux tournesols,
dans son jardin, et toutes sortes de fleurs ; et une
petite resserre, dans un coin, où était le bûcher...
C'est là qu'on rangeait les outils, et que nous nous
cachions avec mes frères, ton oncle Paul, et ton oncle
Melchior, et ton grand-père Émile... Quelles bonnes
parties ! Ah ! j'étais bien heureuse. C'est là que j'ai
été bien heureuse...

Ainsi encore, à travers le prisme déformant du
souvenir, embelli par l'éloignement, le passé renaissait dans ce cœur fidèle, paré des couleurs char-
mantes qu'il n'avait pas eues. Tout ce que nous avons
perdu et qui n'avait pas de valeur devient précieux
avec l'âge ; tout ce que les années emportent de
nous avec elles et roulent dans leur flot grossi chaque
jour apparaît si pur et si beau ! C'est que le bonheur
est derrière nous, et que nous ne le connaissons
jamais qu'au moment qu'il s'éloigne, comme s'il

ne se levait, compagnon invisible, qu'à l'heure où il
nous a quittés, et ne nous était révélé que par son
frère, qui lui succède : le regret ! C'est que, de toutes
les joies, de tous les chagrins, de tous les sentiments
heureux, amers, cruels ou merveilleux qui ont éche-
lonné nos jours, impressionné notre cœur et notre
cerveau malléable, la mémoire n'a décanté dans son
creuset qu'un amalgame composite, rassemblé et
précipité en un souvenir mensonger, où la vie ne se
reconnaîtrait pas, mais qui nous leurre divinement
et nous console, car la mémoire exacte des maux
soufferts, si notre légèreté ne nous sauvait pas,
nous ferait mourir de chagrin.

Sur la malheureuse Aricie, l'âge exerçait ainsi
son action adoucissante. Au delà de sa vie réelle et
si triste, elle retrouvait pour le refuge de sa pensée
une région merveilleuse, où s'enivrer longtemps.
C'était son enfance et ses jeux, parmi l'affection
des siens, sous le beau regard de sa mère, son père
paisible et laborieux, ses frères adorés, et, répandue
autour d'elle, une mystérieuse et familière odeur
d'épices, d'aromates et de goudron, avec on ne sait
quels parfums de lointaines îles lumineuses, d'idées
de voyages, d'émouvantes rêveries romanesques,
et puis les frais bosquets d'un vert jardin de presbytère campagnard, croulant de feuillages et de
fleurs, sous de mélancoliques égrènements d'angélus,
argentins dans la paix du soir...

La voiture approchait de Floirac. Aricie la fit
arrêter au bas d'une côte ; et, tenant Jean-Pierre par
la main, subitement silencieuse, elle voulut gagner
à pied le presbytère, par le sentier abrupt de Rebe-
dèche, pour savourer plus longuement la douce
amertume de ces retrouvailles. Mais, bien qu'elle

aperçût, émergeant d'un gros de maisons, le clocher
de l'antique église, elle n'en trouva pas le chemin,
et dut le demander à un passant.

— Le presbytère? fit-il, étonné. Le voilà. Vous
êtes devant.

Aricie ne l'avait pas reconnu. C'était lui, pourtant, à la même place. Mais on avait construit des
maisons, sur ses deux côtés, et l'aspect des lieux en
était changé. Toutefois, s'étant approchée, Aricie
retrouva les deux marches usées, et, sur la porte,
le heurtoir en battant de cloche. Elle le saisit, le
laissa doucement retomber. Un bruit sourd se
répercuta dans le corridor, réveillant pour la vieille
fille la symphonie enchantée des échos endormis.
Une servante parut, au bout d'un instant, dans
l'entre-bâillement de la porte. M. le curé était sorti.
Aricie expliqua ce qu'elle désirait : si ce n'était pas
indiscret, visiter le jardin. Comme la bonne hésitait,
avait l'air de ne pas comprendre, Aricie commença
des explications. Elle dit son nom, d'où elle venait ;
qu'elle était la nièce de M. l'abbé Lesprat, autrefois
curé de la paroisse...

— Rien que le jardin, mademoiselle... Je suis sûre
que M. le curé ne me refuserait pas l'autorisation.
Je suis bien âgée, vous voyez... Cela me serait bien
pénible de revenir.

— C'est bon, dit la servante. Attendez là, je
vais ouvrir par la petite porte.

Rabattant l'huis, qu'elle verrouilla, elle disparut,
pour reparaître un moment plus tard, sur la place,
à l'entrée d'une petite grille.

— Il n'y avait pas de grille, autrefois, fit Aricie.

— Oh ! que si ! Je l'ai toujours connue là, répondit
la vieille domestique. Elle n'est pas neuve. Voilà le
jardin...

Aricie entra et regarda tout autour d'elle. Mais étourdie par le bonheur, elle ne savait par où commencer. Elle suivit une allée droite, bordée de buis bas, chercha le puits à l'opposé de l'endroit où il se trouvait. Il n'y avait aucune fleur, plus un tournesol. Une laide statue de la Vierge, affreusement peinturlurée, s'élevait au milieu du jardin, sur un socle fait de coquillages. Sur les côtés, s'étendaient des planches de légumes, d'où montait une fade odeur potagère de choux, d'oseille et d'aliacées. Un lézard courut sur la terre sèche, fendillée. Les murs avaient été remis à neuf, enduits de plâtre ; les rossignols ne pouvaient plus y faire leurs nids. Sans un arbuste, sans mystère, ce jardin était nu, petit, misérable. Aricie n'y retrouvait rien. Désemparée, elle leva la tête, et vit la maison, et sa façade étroite, et ses fenêtres (l'une avait été bouchée avec des briques) qui semblaient la regarder, avec réprobation, comme une intruse. Aricie fit encore quelques pas, Jean-Pierre marchait à côté d'elle. Il ne disait rien, il était déçu. Comme ils arrivaient à la grille, Aricie mit dans la main de la servante une enveloppe : « Pour M. le curé..., pour ses pauvres... » La grille grinça en tournant. A ce moment, une cloche se mit à sonner, dans l'air moelleux. Aricie reconnut la voix argentine du bronze, et l'oreille tendue, la tête un peu de biais, demeurant immobile, écouta.

— C'est « Caroline », dit-elle doucement.

Ils entrèrent à l'église. Elle était vide et sombre. Aricie et l'enfant s'agenouillèrent un instant. Un rayon jaune tombait obliquement de la rosace sur l'autel. On avait l'impression de quelque chose d'immuable. Aricie reconnut les vases qu'elle remplissait autrefois de fleurs, le matin de Pâques, les

dimanches. Un parfum de cire et d'encens flottait
dans l'air, bizarrement mêlé à une odeur inattendue
de chocolat. Alors Mlle Brun se rappela que l'église
communiquait directement avec le presbytère,
par une porte qui reliait la sacristie à la cuisine.
Ce souvenir, frais retrouvé, fut un réconfort atten-
drissant pour Aricie. Elle serait demeurée là très
longtemps. Elle était lasse, détendue. Cependant,
l'heure avançait, il fallait songer au retour.

— Allons, dit Aricie.

Avant de quitter l'église, elle aperçut de la poussière sur le banc d'œuvre.

En retraversant le village, comme ils retournaient,
Jean-Pierre et Aricie passèrent devant l'atelier
d'un menuisier. Aricie entrevit l'homme à son
établi, dans une gloire de soleil, qui faisait jaillir
sous sa varlope des copeaux dorés. Et du fond très
lointain du temps, un autre souvenir naquit pour
elle, à cette image : son père, enfant, penché sur
un labeur pareil, à son établi, dans un hameau
perdu des Vosges.

Un peu plus loin, ils rejoignirent la voiture.

— Nous rentrons, dit Aricie au cocher. Est-ce
que vous pouvez passer par Bouliac?

— Ce sera plus long, fit l'homme. Mais on peut...

— Alors, allons.

La voiture se mit en marche, le long des coteaux.
Les premières touches de l'automne rougissaient
les haies, diapraient de colorations sanglantes et
dorées le doux moutonnement des vignes, sur les
pentes. Il faisait un peu frais, mais tout était
calme, paisible ; c'était la fin d'un beau jour de septembre. Comme la voiture longeait une prairie,
fermée de barrières blanches, un cheval gris, qui

paissait, leva la tête au roulement du véhicule,
et vint, au petit trot, s'arrêter sur le bord de la
route. Il hennit doucement.

— Il est vieux, dit Jean-Pierre.

Le cocher se tourna sur son siège.

— Oui, c'est un vieux cheval. Il y a longtemps que
je le vois là. Il ne travaille plus. Il ne peut plus servir,
il est trop vieux. Ses maîtres l'ont mis là en pension,
pour qu'il finisse de vivre en paix. On est bon pour
lui, on est reconnaissant de ses services.

— Il a bien de la chance, fit Aricie en soupirant.

Puis la voiturée se tut. A quelques kilomètres de
là, une bâtisse élégante apparut, blanche, entre des
bouquets d'arbres, au milieu des brumes qui mon-
taient du sol.

— C'est le château du marquis de La Tresne, dit
Aricie à son neveu... Nous allons passer à l'endroit
où mon grand-père Lesprat a rencontré ton arrière-
grand-père, sur la route. Il avait versé dans le
fossé...

Mais l'enfant s'était endormi contre l'épaule de
la vieille femme, et elle ne continua pas son histoire.
Ils arrivèrent assez tard à la Souys. La nuit était
presque venue. A travers le fleuve, on voyait déjà
scintiller quelques lumières sur Bordeaux ; et dans
les eaux qui les reflétaient, elles brillaient plus que
les étoiles dans le ciel pâle.

V

Melchior Brun mourut à Bordeaux, inopinément, au milieu de juillet 1914. Bien qu'il ne l'eût point revu depuis son mariage, Henri Brun, mandé par dépêche, arriva exprès de Paris pour les obsèques. En sa qualité de neveu direct du défunt, il eut à conduire le deuil à côté de la veuve éplorée, toute en gémissements sous ses voiles. Henri l'avait saluée, sans rien dire. Comme il éprouvait du chagrin, silencieusement, la douleur affectée de sa tante lui fit une impression désagréable. Il y avait eu un incident. Mme Melchior Brun voulait que le corps fût inhumé dans le caveau de la famille Dragon, et l'emporta sur les neveux, qui eussent désiré, pour Aricie, que son frère allât reposer dans la mort auprès des siens, où Aricie le rejoindrait un jour. Mme Brun excipa tragiquement des dernières volontés de son époux, et l'on dut céder, de peur qu'elle ne fît un scandale.

Après l'absoute, dans l'église, au milieu de ses pleurs, Henri la voyait promener un œil attentif sur les assistants. Elle en supputait vaniteusement le nombre, ainsi que celui des bougies, la hauteur et l'ampleur des tentures. Elle savourait avec délice toute cette pitié convergente sur elle. Jamais elle n'avait occupé tant de monde à la fois. Tandis que

la famille attendait, près de la sacristie, le défilé
des personnes venues lui apporter des condoléances,
Sarah Brun n'y put tenir, et, se penchant vers
Henri, lui dit, sans remuer les lèvres, entre deux
soupirs qui cachaient mal l'accent du triomphe :

— Il y a beaucoup de monde.

Ce fut toute l'oraison funèbre de Melchior Brun.
Il laissait toute sa fortune à sa veuve. Les neveux,
ceux de Paris comme ceux de Toulouse, étaient complètement déshérités. Il n'y avait pas un seul mot
pour Aricie dans le testament.

Elle n'avait pas assisté à l'enterrement de son
frère. Elle était dolente, alitée. Depuis plusieurs
mois, elle n'avait plus beaucoup sa tête à elle. Quand
Mme Coutre était morte, un an avant Melchior,
Aricie, considérant sa tâche terminée, ne voulut pas
demeurer plus longtemps à la Souys, où, malgré les
pressantes instances de Louise, elle craignait d'être
à charge aux Martendon. Elle n'accepta pas non
plus l'offre affectueuse des Toulousains, ni d'Henri
Brun, de venir s'installer chez eux, à leur foyer, où
était sa place. Elle avait longtemps mûri son projet
et fit valoir avec force ses raisons. Sa volonté for-
melle était d'aller prendre pension dans une maison
de retraite, spécialement affectée aux vieillards,
tout près de Bordeaux, à Blanquefort. Elle en connaissait la supérieure. Elle savait qu'elle serait bien
soignée, sans créer de charge à personne. Ce qu'elle
ne dit pas, qui était sa raison majeure, c'est qu'elle
voulait mourir à Bordeaux.

Henri Brun alla voir sa vieille tante, après l'enterrement de Melchior. Il la trouva couchée, très maigre
et blanche, les yeux fixes. Elle ne reconnut pas son

neveu. Il fut péniblement impressionné. La supérieure, qui dirigeait l'établissement, l'assura qu'Aricie ne manquait de rien. Elle n'était pas malade.
Aucun organe n'était atteint, elle n'avait pas de
lésion ; le cœur était bon. Sa force de vie était
extraordinaire. Elle mangeait bien, dormait nor-
malement, ne parlait pas. La tête seule était absente.

Henri, que des soucis divers appelaient à Paris,
prit tristement congé de ce fantôme. Il quitta
Bordeaux, avec le pressentiment que le dernier fil
qui le retenait au passé allait disparaître, et qu'il
entrerait bientôt à son tour dans le chemin de la
vieillesse.

*
* *

Peu de jours après le départ d'Henri, Aricie
entendit de son lit une grosse cloche qui, longtemps,
sans arrêt, battit à coups sourds, également espacés,
sur une seule note. Puis, ce furent des appels de
clairon et des roulements de tambour, et, par la
fenêtre entr'ouverte, au delà de l'étroit jardin,
un brouhaha dans le village, des exclamations,
des piétinements. Un seul mot distingué fut capable
de ranimer dans cette pauvre tête l'écho d'une impression analogue d'agitation et de stupeur consternée autour de soi, déjà ressentie, une fois, autrefois, dans le lointain des années : la guerre.

Elle le répéta sourdement, étonnée : « La guerre...
la guerre... » La grosse cloche continuait à ébranler
l'air si pesant. Aricie pensa encore vaguement :
« Le tocsin... » Puis il y eut des cris, des chants,
et dans la rue, sous les fenêtres, un défilé qui ne
cessa pas, de ceux qui couraient aux nouvelles, es-
cortaient vers la mairie ou vers la gare, avec une
longue rumeur, les hommes qui allaient partir.

Aricie vécut encore une semaine ; elle apprit la mort du jeune Martendon, tué d'une balle au front, en chargeant, dès les premiers jours ; la blessure d'un cousin Jouvenet, l'engagement de Jean-Pierre Brun. Ayant entendu ces noms, elle pleura, ce qui ne lui était pas arrivé depuis longtemps. Ce furent ses dernières larmes.

Elle mourut au lendemain du jour qu'elle avait appris le départ de Jean-Pierre. On la trouva éteinte, avec son « sacré » ouvert sur son lit, tenant encore entre ses doigts le petit collier de corail que son père avait donné à Caroline Lesprat, le premier soir de son entrée dans la maison de la rue Sainte-Catherine. Aricie était morte seule, comme seule elle avait vécu. Personne ne suivit son enterrement. On avait d'autres soucis en tête et d'autres chagrins à pleurer que la mort d'une vieille fille, dans ces jours de fer et de sang et ce bruit montant de la guerre qui allait creuser son fossé profond entre les générations, et rejeter à tout jamais dans le passé une partie du monde sanglant, derrière elle.

FIN

Nesles, juillet 1920. — Paris, décembre 1922.

TABLE DES MATIÈRES

———————

PARIS

TYPOGRAPHIE PLON-NOURRIT ET Cie

8, rue Garancière

———————

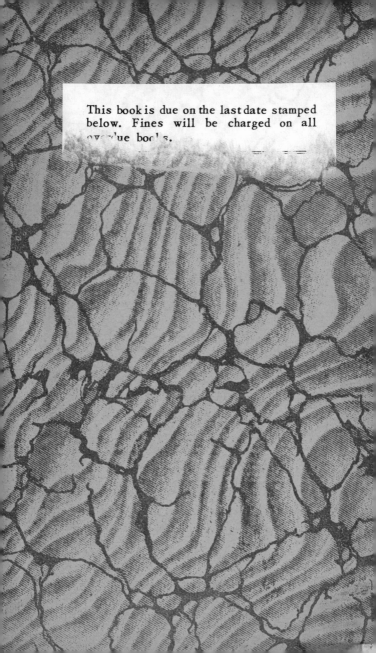